LE LIVRE
DES CRÂNES

ŒUVRES DE R. SILVERBERG

DANS PRESSES POCKET :

LA PORTE DES MONDES
LE LIVRE DES CRÂNES

LE LIVRE D'OR DE LA SCIENCE-FICTION :
ROBERT SILVERBERG
anthologie présentée par Philippe HUPP.

SCIENCE-FICTION
Collection dirigée par Jacques Goimard

ROBERT SILVERBERG

LE LIVRE
DES CRÂNES

PRESSES POCKET

Le titre original de cet ouvrage est

THE BOOK OF SKULLS

Traduit par Guy Abadia

© 1972 Robert Silverberg
© 1975 Editions Opta pour le traduction française.
ISBN 2-266-01315-7

A Saül Diskin

I

ELI

NOUS arrivions à New York, venant du nord par le
New England Thruway. Comme d'habitude, c'est Oliver
qui conduisait. Décontracté, sa vitre à demi baissée, ses
longs cheveux blonds battant au vent glacé. Timothy tassé
à côté de lui, assoupi. Deuxième jour de nos vacances de
Pâques. Les arbres étaient encore nus, et des plaques de
neige noircie enlaidissaient les bas-côtés. En Arizona, nous
ne trouverions pas de vieille neige au bord des routes. Ned,
assis à côté de moi sur la banquette arrière, griffonnait des
pages et des pages dans un carnet à reliure spirale, une
lueur démoniaque dans ses petits yeux noirs brillants.
Notre mignon Dostoïevski au petit pied. Un camion rugit
soudain derrière nous sur la voie de gauche, nous doubla et
se rabattit brusquement devant nous. C'est tout juste s'il
ne nous toucha pas. Oliver enfonça la pédale du frein dans
un crissement plaintif. Nous faillîmes, Ned et moi, être
projetés contre le siège avant. Une seconde plus tard,
Oliver fit une embardée vers la droite pour éviter d'être
embouti par une voiture qui arrivait derrière nous.
Timothy se réveilla :

— Merde! On ne peut plus roupiller en paix?
— On vient de manquer de se faire tuer, lui dit Ned en
penchant en avant un visage grimaçant pour lui souffler les
mots dans le creux de l'oreille. Tu parles d'une ironie, hein?

Quatre vaillants garçons en route vers l'ouest à la recherche de la vie éternelle happés par un camion sur le New England Thruway. Nos jeunes membres éparpillés au bord de l'autoroute!

— La vie éternelle, fit Timothy. Il éructa. Oliver se mit à rire.

— Il y a seulement une chance sur deux, leur rappelai-je. Un coup de poker existentiel. Deux qui trouvent la vie éternelle, deux qui trouvent la mort.

— Un coup de poker de mon cul! railla Timothy. Ça me fait rigoler, oui! On dirait que tu crois à ça!

— Toi non?

— Au *Livre des Crânes*? A votre Shangri-la de l'Arizona?

— Si tu n'y crois pas, pourquoi es-tu venu avec nous?

— Parce qu'il fait bon en Arizona au mois de mars. — Il me servait à nouveau ce ton hautain de *goy* de *country-club* qu'il sait si bien prendre et que je méprise. Huit générations de culs dorés derrière lui. « Un petit changement d'air n'est pas fait pour me déplaire, quoi! »

— Et c'est tout? m'écriai-je. C'est toute l'étendue de ton apport moral et philosophique à notre expédition? Tu te fous de moi, Timothy? Avec un pareil enjeu, te croire encore obligé de prendre tes airs d'aristocrate désabusé à l'accent pointu pour qui tout engagement quel qu'il soit est suspect, et...

— Laisse-moi tomber avec tes harangues, s'il te plaît! dit Timothy. Je ne suis pas d'humeur à me lancer dans les comparaisons socio-ethniques. Je suis assez crevé, en fait.

Il parlait sur le ton de patience polie du digne Anglo-Saxon désireux de se dépêtrer de la conversation ennuyeuse du jeune Juif trop passionné. C'est là que je détestais le plus Timothy, quand il me lançait ses gènes à la figure en m'expliquant avec ses inflexions huppées comment ses ancêtres avaient fondé ce grand pays tandis que les miens fouillaient la terre pour ramasser des patates dans les forêts lithuaniennes.

– Je me rendors, si tu permets, me dit-il. Et à Oliver : Fais attention à cette putain de route, veux-tu? Et réveille-moi quand on sera arrivés à la 67e Rue.

Un subtil changement s'était opéré dans sa voix, maintenant qu'il ne s'adressait plus à moi – membre irritant et complexe d'une espèce étrangère, répugnante, mais, qui sait, supérieure peut-être. A présent, il était le *country squire* qui s'adresse à un simple garçon de ferme, relation sans ambiguïté. Non pas qu'Oliver fût si simple que ça, bien sûr, mais telle était l'image existentielle que s'en faisait Timothy, et cette image suffisait à définir leurs relations quelle que soit la réalité. Timothy bâilla et se remit à pioncer. Oliver appuya sur le champignon et fonça à la poursuite du camion qui nous avait fait une queue de poisson. Il le doubla, changea de voie et prit position juste devant lui, défiant le routier de lui refaire le coup de tout à l'heure. Embêté, je tournai la tête pour regarder par la lunette arrière. Le poids lourd, un monstre rouge et vert, grignotait notre pare-chocs arrière. Haut au-dessus de nous était le visage obstiné, sérieux, rigide, du chauffeur : pommettes saillantes et pas rasées, petits yeux froids, lèvres serrées. Il nous balaierait de l'autoroute s'il le pouvait. Vibrations de haine. Il nous hait parce que nous sommes jeunes, parce que nous sommes beaux (beau, moi?), parce que nous avons le temps et le fric pour aller à l'université nous faire bourrer le crâne de choses inutiles. Le bouseux perché là-haut. Le bon citoyen. Tête plate sous sa casquette graisseuse. Plus patriote, plus épris de moralité que nous. Un Américain bien-pensant. Emmerdé d'être coincé derrière quatre jeunes mecs en vadrouille. J'avais envie de demander à Oliver d'accélérer avant qu'il ne nous rentre dedans, mais Oliver s'obstinait à rester devant le camion, l'aiguille bloquée à quatre-vingts. Oliver sait être têtu quand il veut.

Nous entrions dans New York par je ne sais quelle autoroute qui coupe à travers le Bronx. Territoire qui m'est peu familier. Je suis un enfant de Manhattan; je ne connais que le *subway*. Je ne sais même pas conduire une voiture. Autoroutes, péages, stations d'essence – toute une civilisation avec laquelle je n'ai eu que les plus marginaux des contacts. Au lycée, je regardais les types des banlieues arriver en ville le samedi, tous derrière un volant, tous avec des *shikses* aux cheveux d'or assises à côté d'eux : ce n'était pas mon univers, non. Pourtant, ils avaient tous seize, dix-sept ans; le même âge que moi. Je les considérais un peu comme des demi-dieux. Ils faisaient le Strip de neuf heures du soir à une heure et demie du matin, ensuite ils prenaient la voiture jusqu'à Larchmont, Lawrence, Upper Montclair, se garaient sous la voûte feuillue d'une allée tranquille et grimpaient avec leurs *shikses* sur le siège arrière. Reflets de cuisses blanches au clair de lune, slips baissés, braguettes déboutonnées, pénétration rapide, grognements et gémissements. Pendant que moi je prenais le *subway*, West Side I.R.T. Ça fait une sacrée différence dans votre évolution sexuelle. Difficile de baiser une fille dans le *subway*. Ou debout dans un ascenseur grimpant au quinzième étage d'un gratte-ciel de Riverside Drive. Sans parler de faire ça sur le toit bitumé d'un immeuble à cent mètres au-dessus de West End Avenue, donnant vos coups de boutoir pendant que les pigeons critiquent votre technique et vous picorent le furoncle que vous avez au cul. C'est différent quand on a grandi à Manhattan. Il y a des tas d'inconvénients qui vous bousillent votre adolescence. Pendant que les autres types s'envoient en l'air dans leurs motels à quatre roues. Bien sûr, nous qui nous sommes accommodés des désagréments de la vie citadine avons nos petits avantages en contrepartie. Nos âmes sont plus riches et plus intéressantes, nourries de force par l'adversité. Je sépare toujours quand j'établis des catégories les conducteurs des non-conducteurs. Les Oliver et les Timothy d'un côté, les Eli de l'autre. De droit, Ned entre dans la même catégorie que moi, celle des penseurs, des bouquineurs, des tourmentés, des introvertis du *subway*. Mais il a son permis de conduire, Ned. Ce qui ne constitue qu'un exemple de plus de la nature perverse de son caractère.

De toute manière, j'étais content de me retrouver à New York, même si on ne faisait que passer, en route vers l'Ouest doré. C'était mon terrain. Ou, plutôt, ce le serait une fois qu'on aurait dépassé le Bronx pour se retrouver dans Manhattan. Les bouquinistes, les stands de *frankfurters* et de jus de papayes, les musées, les salles d'art et d'essai (on ne les appelle pas comme ça à New York, mais eux, si), la foule. Sa texture, sa densité. Bienvenue au pays kas her. Spectacle qui donne chaud au cœur après des mois de captivité dans les solitudes pastorales de la Nouvelle-Angleterre, les arbres imposants, les larges avenues, les églises congréganistes toutes blanches, les gens aux yeux bleus. Quel soulagement d'échapper à la pureté aristocratique de notre campus pour respirer une bouffée d'air pollué. Une nuit à Manhattan, et ensuite direction ouest. Le désert. Les Gardiens des Crânes. Je revoyais dans mon esprit les pages enluminées du vieux manuscrit, les lettres archaïques, les huit crânes grimaçants dans la marge (sept d'entre eux n'avaient pas de mâchoire inférieure, et pourtant ils réussissaient à grimacer), chacun dans sa petite niche à colonne. *La vie éternelle nous t'offrons.* Comme toute cette histoire d'immortalité me paraissait irréelle maintenant, avec les câbles d'acier du pont George Washington luisant en direction du sud-ouest, et les tours bourgeoises de Riverdale sur notre droite. Soudain, j'eus un moment de doute. Équipée insensée. Nous sommes des idiots d'avoir pris la chose au sérieux, d'avoir investi même un sou de notre capital psychologique dans une entreprise loufoque. Laissons tomber l'Arizona et obliquons vers la Floride, plutôt : Fort Lauderdale, Daytona Beach. Pensez un peu à toutes les nanas bronzées de là-bas qui n'attendent qu'à se faire cueillir par des mecs sophistiqués comme nous. Et, comme en d'autres occasions déjà, Ned semblait avoir lu dans mes pensées. Il me lança un coup d'œil curieux en disant :

– Ne jamais mourir. Fantastique! Mais crois-tu vraiment qu'il y ait quatre sous de vérité dans tout ça?

II

NED

La partie la plus fascinante, la plus esthétiquement excitante pour moi, c'est que deux d'entre nous doivent périr pour que les deux qui restent soient exemptés du fardeau de leur mortalité. Tels sont les termes du pacte proposé par les Gardiens des Crânes, en supposant toujours, bien sûr, que la traduction par Eli du manuscrit soit correcte, et aussi que ce qu'il nous a dit soit vrai. Je pense que la traduction doit être exacte – il est terriblement pointilleux sur les questions philologiques – mais il faut toujours envisager la possibilité d'un canular, peut-être monté par Eli lui-même. Ou qu'il soit lui-même victime d'une supercherie. Est-ce qu'il est en train de jouer à un jeu subtil avec nous? Il est capable de tout, bien sûr, ce petit Juif à la tête farcie des traditions du ghetto, capable d'imaginer une histoire abracadabrante pour leurrer trois pauvres *goyim* sans défense vers leur affreux destin, un bain de sang rituel dans le désert. *Occupe-toi d'abord du maigre, du pédé, rentre-lui ton épée ardente dans son trou du cul impie.* Mais il est probable que je prête à Eli plus de dépravation qu'il n'en a, en projetant en lui ma propre instabilité fiévreuse d'androgyne pervers. Il me paraît sincère, c'est un brave Juif. Dans un groupe de quatre candidats qui se présentent à l'Épreuve, l'un doit se soumettre volontairement à la mort, et un deuxième doit devenir la victime des deux derniers. *Sic dixit liber calvariarum.* C'est le *Livre des Crânes* qui le dit. Deux qui meurent et deux qui vivent. Un équilibre exquis de mandala à quatre coins. Je tremble sous la tension terrible entre l'extinction et l'infini. Pour Eli le philosophe, cette aventure est une version plus sombre du pari de Pascal, un voyage de quitte ou double existentiel. Pour Ned, le soi-disant artiste, c'est une question d'esthétique, un problème de forme et d'accomplissement de soi. Qui d'entre nous connaîtra quel sort? Oliver, avec sa soif féroce de l'existence : il nous arrachera de force le flacon de l'éternité. Il ne peut pas faire autrement. Jamais il n'admettrait un seul instant la possibilité d'être parmi ceux qui se retirent pour que d'autres puissent vivre. Et Timothy. Naturellement, il reviendra de l'Arizona intact et immortel, en brandissant la cuiller en platine qu'il avait dans la bouche à sa naissance. Les types comme lui sont faits pour s'en sortir. Comment se laisserait-il mourir, avec ce capital qui fructifie pour lui? Imaginez un peu : 6 % d'intérêt composé pendant, disons, dix-huit millions d'années. Il posséderait l'univers! Fantastique! Ainsi, ces deux-là sont nos deux candidats tout désignés à l'immortalité. Eli et moi, par conséquent, nous devrons leur céder la place, que ça nous fasse plaisir ou non. Sans attendre, les rôles restant vont désigner leurs acteurs. C'est Eli qu'ils tueront, naturellement; le Juif n'est-il pas toujours la victime? Ils lui prodigueront des paroles sucrées, en signe de reconnaissance pour avoir trouvé la clé de la vie éternelle dans ses archives poussiéreuses; et, au moment rituel propice, hop! ils le saisissent et lui font respirer une petite bouffée de cyclon-B. La solution finale au problème d'Eli. Il ne reste plus que moi pour être volontaire à l'auto-immolation. La décision, nous dit Eli, en citant le chapitre et le verset appropriés du *Livre des Crânes,* doit être authentiquement volontaire et résulter d'un pur désir de sacrifice, ou bien elle ne produira pas les vibrations désirées. Eh bien, messieurs, je suis à votre service. Vous n'avez qu'un mot à dire et je ferai ce qui sera de loin, de très loin, la meilleure chose que j'aie jamais accomplie. Un vœu désintéressé et pur, peut-être mon premier. Deux conditions, cependant : Timothy, tu puiseras dans tes millions de Wall Street et tu subventionneras une édition décente de mes poèmes, belle reliure, beau papier, avec un avant-propos fait par quelqu'un qui s'y connaît, Trilling, Auden, Lowell ou quelqu'un de cette envergure. Si je meurs pour toi, Timothy, si je verse mon sang pour que tu vives éternellement, tu feras bien ça pour moi? Et toi, Oliver, j'ai aussi un service à te demander, oui monsieur. *Causa sine qua non,* comme dirait Eli. Le dernier jour de ma vie, j'aimerais passer une heure en privé avec toi, mon bel et cher ami, pour planter mon soc dans ton sol vierge. Que tu sois enfin à moi, Oliver bien-aimé! Je promets d'être généreux avec la vaseline. Ton corps lisse presque imberbe, tes fesses fines et athlétiques, ton doux bouton de rose inviolé. Tout ça à moi, Oliver. A moi, à moi, à moi! Je te donne ma vie si tu me prêtes ton fion rien qu'un après-midi. N'est-ce pas romantique? Ton dilemme n'est-il pas délicieux? Tu passes à la casserole, ou alors tintin. Mais tu passeras à la casserole. Tu n'as rien d'un puritain, tu es un type pratique, un moi-d'abord. Tu comprendras les avantages du marché. Tu n'as pas le choix. Fais plaisir au petit pédé, Oliver. Ou alors tintin.

III

TIMOTHY

ELI prend tout ça beaucoup plus au sérieux que le reste d'entre nous. Je suppose que c'est normal; c'est lui qui a fait cette découverte et qui a organisé toute l'opération. Et, de toute façon, il a cette flamme qui couve en lui, ce mysticisme de l'Européen de l'Est qui permet à un type de se monter la tête au maximum sur une chose qu'en dernière analyse il sait être purement imaginaire. Ça doit être un trait juif, lié à la kabbale ou je ne sais trop quoi. Tout au moins, je crois que c'est un trait juif en même temps que l'intelligence, la lâcheté physique et l'amour de l'argent, mais en fait qu'est-ce que je sais des Juifs? Prenez-nous tous les quatre dans cette voiture, par exemple. C'est Oliver le plus intelligent, ça ne fait aucun doute. Ned le plus physiquement lâche; il suffit de le regarder dans les yeux et il s'aplatit. Quant à l'argent, c'est moi qui l'ai, bien que je n'aie rien fait pour le gagner. Voilà les soi-disant traits typiques des Juifs. Et le mysticisme. Eli, un mystique? Peut-être qu'il n'a pas envie de mourir, simplement. Qu'est-ce que vous trouvez de si mystique à cela?

Pas à cela, en fait. Mais quand il s'agit de *croire* à l'existence d'Égyptiens ou de Babyloniens, ou de je ne sais quels immortels exilés dans le désert; quand il s'agit de *croire* qu'il suffit d'aller à eux et de leur dire les mots qu'il faut pour qu'aussitôt ils vous confèrent le privilège de l'immortalité, alors là! Qui peut avaler ça, à part Eli? Oliver, peut-être. Ned? Non, pas lui. Ned ne croit à rien, pas même à lui-même. Et moi non plus. Pas de danger pour ça.

Alors. Qu'est-ce que je fous ici?

Comme je le disais à Eli, il fait bon en Arizona à cette époque de l'année. Et puis, j'aime voyager. Et j'ai comme l'impression que l'expérience sera intéressante. Voir comment tout ça va se dérouler. Voir les copains aux prises avec leur destinée dans les mesas. A quoi bon fréquenter l'université si ce n'est pas pour avoir des expériences intéressantes et enrichir sa connaissance de la nature humaine, tout en se payant du bon temps? Je n'y suis pas allé pour apprendre l'astronomie ou la géologie, mais pour observer d'autres êtres humains en train de faire les cons. Ça c'est de l'éducation! Ça c'est du bon temps! Comme m'a dit mon père le jour où j'ai quitté la maison pour la première fois, après m'avoir rappelé que je représentais la huitième génération de Winchester mâles à fréquenter cette noble institution : « Souviens-toi d'une chose, Timothy. Le seul sujet d'étude qui convienne à l'homme est l'homme. C'est Socrate qui a dit ça il y a trois mille ans, et c'est toujours aussi valable aujourd'hui. » En fait, c'est Pope qui avait dit ça au XVIIIe siècle, comme je l'ai découvert en deuxième année d'anglais, mais passons. On apprend en regardant les autres, particulièrement si on a gâché sa chance de se fortifier le caractère dans l'adversité en choisissant trop bien ses arrière-arrière-arrière-grands-parents. Il devrait me voir en ce moment, le paternel, dans une voiture en compagnie d'une tante, d'un Juif et d'un garçon de ferme. Je suppose qu'il n'aurait rien à dire, d'ailleurs, du moment que je n'oublie pas que c'est moi le meilleur.

Ned est le premier à qui Eli a parlé. Je les ai vus se chuchoter des tas de choses à l'oreille. Ned riait. « Tu te

fous de moi », répétait-il, et Eli devenait tout rouge. Ned et
Eli sont très copains. Sans doute parce qu'ils sont tous les
deux gringalets et qu'ils appartiennent à des minorités
opprimées. Depuis le début, ça a été clair que si on nous
groupait tous les quatre, c'était eux deux d'un côté et
Oliver et moi de l'autre. Les deux intellectuels contre les
deux blasés. Les deux tantouzes... Non, c'est injuste. Eli
n'est pas une tantouze, malgré l'oncle Clark qui insiste
toujours pour vous faire croire que tous les Juifs sont
fondamentalement des pédés, qui s'ignorent ou pas. Il faut
dire qu'Eli, avec sa démarche et son zézaiement, *ressemble* à un pédé. Plus que Ned, en fait. Est-ce que c'est pour
cette raison qu'Eli court tellement les filles? Il aurait
quelque chose à cacher? Enfin, Eli et Ned étaient en train
de chuchoter et de se passer des papiers, et puis ils en ont
parlé à Oliver. « Merde! vous ne pourriez pas me mettre un
peu au parfum, moi aussi? » leur ai-je demandé. Je crois
qu'ils prenaient un malin plaisir à m'exclure de leurs
cachotteries, histoire de me montrer un peu ce que c'est
qu'un citoyen de seconde classe. Ou peut-être qu'ils
avaient peur que je ne leur rie au nez. Mais finalement, ils
m'ont tout déballé. C'est Oliver qui leur servait d'ambassadeur.

— Qu'est-ce que tu fais à Pâques? m'a-t-il demandé.

— Je ne sais pas. Les Bermudes, peut-être. Ou la Floride.
Ou Nassau. — En fait, je n'y avais pas encore tellement
réfléchi.

— L'Arizona, ça ne te tente pas?

— Qu'est-ce qu'il y a à faire, là-bas?

Il inspira profondément :

— Eli a examiné quelques manuscrits rares à la bibliothèque, fit-il d'un air tout drôle en évitant de croiser mon
regard. Il est tombé sur un truc qui s'appelle le *Livre des
Crânes*, un livre qui, apparemment, est resté là pendant
cinquante ans sans que personne ne songe à le traduire. Eli
a fait quelques recherches, et il pense...

Il pense que les Gardiens des Crânes existent encore, et qu'il nous feront profiter de leur précieux trésor. Eli, Ned et Oliver sont d'accord pour aller là-bas et essayer de voir de quoi il retourne, et je suis invité à faire le quatrième. Pourquoi? Pour mon argent? Pour mon charme personnel? En fait, c'est parce que les candidatures ne sont acceptées que par groupes de quatre, et, comme de toute façon on est tous copains de chambrée, il a paru logique que...

Et cætera et cætera. J'ai accepté. Comme ça, pour rigoler. Quand papa avait mon âge, il est allé une fois au Congo belge à la recherche de mines d'uranium. Il n'en a pas trouvé, mais il a bien rigolé. Moi aussi, j'ai le droit de courir après des chimères. Je viens avec vous, ai-je répondu. Et ça m'est sorti de la tête jusqu'au moment des examens. Ce n'est que plus tard qu'Eli me mit au courant de certaines des règles du jeu. Sur quatre candidats, deux au plus deviennent immortels, et les deux autres doivent mourir. Juste la petite touche de mélo qui manquait. Eli me regarda droit dans les yeux :

— Maintenant que tu es au courant des risques, me dit-il, tu peux te désister si tu veux.

Il m'examinait avec intensité, comme s'il cherchait une paille jaune dans le sang bleu. J'éclatai de rire :

— Une chance sur deux, ça n'est pas si mal que ça! dis-je.

IV

NED

QUELQUES impression rapides, avant que ce voyage ne nous change pour l'éternité. Car il nous changera, ça c'est sûr. Mercredi soir. Le...? du mois de mars. Nous entrons dans New York City.

TIMOTHY. Rose et doré. Cinq centimètres de graisse enrobant des muscles épais. Imposant et massif. Il aurait pu jouer arrière s'il avait voulu. Yeux bleus d'épiscopalien, toujours en train de se foutre de vous. Il vous désarme d'un sourire. Les maniérismes de l'aristocratie américaine. Cheveux coiffés en brosse, à notre époque! Une façon de dire au monde qu'il est son propre maître. S'évertue à se donner l'air indolent et paresseux. Un gros matou, un lion endormi. Mais il faut se méfier du lion qui dort, il est plus vite sur ses pattes que ses victimes n'ont tendance, généralement, à le croire.

ELI. Noir et blanc. Fluet, fragile. Deux centimètres de plus que moi, mais petit quand même. L'œil brillant, les lèvres fines et sensuelles, le menton épais, la toison prolongée de boucles assyriennes. La peau blanche, blanche : elle n'a jamais vu le soleil. Une heure après s'être rasé, il a besoin d'un nouveau coup de rasage. Un matelas de crin sur la poitrine et sur les cuisses; ça lui donnerait l'air viril s'il n'était pas si fluet. Il n'a pas de pot avec les filles. Je pourrais peut-être arriver à quelque chose avec lui, mais ce n'est pas mon type – trop comme moi. Impression générale de vulnérabilité. Esprit vif et habile, pas aussi brillant qu'il le croit, mais il est loin d'être bête. Le prototype de l'étudiant en civilisation médiévale.

MOI. Jaune et vert. Agile petite pédale, avec un noyau de maladresse à l'intérieur de cette agilité. Cheveux brun clair embroussaillés qui se dressent légers comme un halo. Front haut, et même chaque jour un peu plus haut. « Tu ressembles à un personnage de Fra Angelico », m'ont dit deux filles différentes la même semaine. Sans doute suivent-elles le même cours d'expression artistique. Il est vrai que j'ai un peu l'air d'un clergyman. C'est en tout cas ce que disait toujours ma mère, qui me voyait en aimable monsignor réconfortant les cœurs brisés. Désolé, maman, mais le pape ne veut pas de nous. Les filles, oui. Intuitivement, elles savent que je suis pédé et elles s'offrent quand même – par défi, je suppose. Dommage. Quel gaspillage. Je suis un honnête poète, et un médiocre auteur de nouvelles. Si j'avais assez de couilles pour ça, j'essaierais un roman. Je crois que je mourrai jeune. Je sens sur moi les exigences du romantisme. Pour être conséquent avec mon personnage, je dois constamment contempler le suicide.

OLIVER. Rose et doré, comme Timothy, mais quelle différence, autrement! Timothy est brutal et solide comme un pilier. Oliver est une colonne fuselée. Physique improbable d'un jeune premier : un mètre quatre-vingts, épaules larges, hanches minces. Proportions parfaites. Fort et silencieux. Il sait qu'il est beau, mais il s'en fout. Garçon de ferme originaire du Kansas. Traits ouverts et sans ruse. Cheveux longs et si blonds qu'ils paraissent presque blancs. Vu de dos, il a l'air d'une fille énorme, à part les hanches qui ne correspondent pas du tout. Ses muscles ne sont pas saillants comme ceux de Timothy, ils sont longs et plats. Oliver ne trompe personne avec sa placidité de paysan. Derrière l'éclat paisible de ses yeux bleus se dissimule un esprit affamé. Il vit dans un bouillant New York de son imagination, concoctant des plans ambitieux. Et cependant une espèce de noble clarté émane de lui. Si seulement je pouvais, rien qu'une fois, me tremper dans cette lumière.

NOTRE ÂGE : Timothy, vingt-deux ans le mois dernier. Moi, vingt et un et demi. Oliver, vingt et un en janvier. Eli, vingt ans et demi.

Timothy : Verseau.
Moi : Scorpion.
Oliver : Capricorne.
Eli : Vierge.

V

OLIVER

JE préfère conduire plutôt que me laisser conduire. J'ai tenu le volant des dix et douze heures d'affilée. A mon point de vue, je me sens plus en sécurité lorsque je conduis que quand c'est quelqu'un d'autre, parce que personne n'a tout à fait aussi intérêt à préserver ma vie que moi-même. Il y a des conducteurs qui courtisent la mort, rien que pour la sensation ou, comme dirait Ned, pour l'esthétique. C'est de la connerie. Pour moi, il n'y a rien de plus sacré au monde que la vie d'Oliver Marshall, et, chaque fois que je la risque, je préfère que ce soit moi qui tienne les rênes. Aussi, je n'ai pas l'intention de leur laisser beaucoup le volant. Jusqu'à présent, c'est moi qui ai toujours conduit, bien que la voiture appartienne à Timothy. Lui, c'est tout le contraire de moi : il préfère se laisser conduire. Je suppose que c'est encore une manifestation de sa conscience de classe. Eli, lui, ne sait pas conduire. Il ne reste donc que Ned et moi. Moi et Ned, jusqu'en Arizona, avec Timothy pour nous relayer de temps en temps. Franchement, l'idée de confier ma peau à Ned me fout le frisson. Et si je restais où je suis, le pied sur l'accélérateur, toute la nuit? On pourrait être à Chicago demain après-midi. A Saint-Louis demain tard dans la nuit. En Arizona après-demain. On commencerait tout de suite à chercher la maison des Crânes. Je suis volontaire pour l'immortalité.

Je suis psychologiquement prêt. Je crois Eli implicitement. Bon Dieu! si je le crois! Je ne demande que ça, de le croire. L'avenir tout entier s'ouvre devant moi. J'irai voir les étoiles. J'irai visiter les planètes. Captain Futur du Kansas. Et ces conards qui veulent s'arrêter à New York pour faire le tour des boîtes à célibataires! L'éternité les attend, et ils sont incapables d'aller plus loin que chez Maxwell! J'aimerais pouvoir leur dire quels ploucs ils sont. Mais il faut que j'aie de la patience avec eux. Je ne veux pas qu'ils se foutent de moi. Je ne veux pas qu'ils croient que ces crânes me font tourner la tête. First Avenue, nous voilà!

VI

ELI

Nous sommes allés dans un endroit de la 67e Rue qui
avait ouvert à Noël dernier. Un des membres de la
fraternité de Timothy lui avait dit que c'était chouette, et
Timothy avait insisté pour qu'on y fasse une virée. Ça
s'appelait *Au Rat Colleur,* et c'était tout un programme.
La clientèle était composée principalement de lycéens de
banlieue, et il y avait environ trois fois plus de garçons que
de filles. Beaucoup de boucan et d'éclats de rire lourdauds.
Nous entrâmes comme une phalange, mais notre forma-
tion se brisa aussitôt passé le seuil. Timothy fonça vers le
comptoir comme un bœuf musqué en rut, mais ralentit au
cinquième pas en réalisant que l'ambiance ne correspondait pas exactement à ce qu'il attendait. Oliver, qui par
certains côtés est le plus délicat d'entre nous, n'entra
même pas; il avait senti tout de suite que l'endroit ne lui
convenait pas et s'était planté juste devant la porte à
l'intérieur en attendant que nous repartions. Je m'aventu-
rai à peu près jusqu'au milieu de la salle avant d'être
heurté de plein fouet par une vague de cris discordants qui
me laissèrent vibrant jusqu'au bout des nerfs. Écœuré, je
battis en retraite vers la relative tranquillité du vestiaire.
Ned se dirigea droit vers les toilettes. J'étais assez naïf
pour croire qu'il avait simplement été pris d'une envie de
pisser. Au bout d'un moment, Timothy vint vers moi, une
chope de bière à la main, en disant :

— Foutons le camp d'ici! Où est Ned?

— Aux chiottes.

— Merde!

Il s'éloigna d'un air furieux pour aller le chercher. Quelques instants plus tard, il réapparut avec Ned, un Ned pas content du tout accompagné d'une réplique d'Oliver qui devait faire dans les un mètre quatre-vingt-quinze, seize ans au maximum, un jeune Apollon, avec des cheveux jusqu'aux épaules et un bandeau lavande. Il n'avait pas perdu de temps, Ned. Cinq secondes pour s'orienter, trente secondes pour trouver les gogues et conclure son affaire. Et Timothy qui foutait tout par terre, brisant une aventure qui se serait exquisement terminée dans quelque piaule d'East Village. Mais, naturellement, nous n'avions pas le temps de laisser Ned s'abandonner à ses caprices. Timothy lança une parole abrupte au girond, et Ned répliqua par un mot acide. L'Apollon s'éloigna en roulant des hanches, et nous nous empressâmes de mettre les voiles tous les quatre. Un peu plus haut dans la même rue, vers des lieux un peu plus accueillants. La *Plastic Cave,* où Timothy était allé plusieurs fois avec Oliver l'année précédente. Décor futuriste, feuilles ondulantes de plastique gris miroitant, personnel vêtu de costumes de science-fiction aux couleurs baroques, explosions périodiques de lumières stroboscopiques, et toutes les dix minutes, ou à peu près, un flot assourdissant de musique se déversant par cinquante haut-parleurs. Plus une discothèque qu'une boîte à célibataires, en fait, mais ça servait aux deux. Très fréquentée par les types de Columbia et de Barnard. Utilisée aussi par les filles de Hunter; lycéens s'abstenir. Pour moi, c'était un environnement étranger. Je n'ai aucun sens des endroits à la mode. Je préfère m'asseoir dans une caféteria, commander un cappuccino et discuter le coup plutôt que d'aller glander dans les bars et les discothèques. J'aime mieux Rilke que le rock, et Plotin que le plastique. « Tu sors tout droit des années 50 », m'a dit un jour Timothy. Timothy avec sa coiffure en brosse de patriote républicain.

Notre principal projet pour ce soir était de dégoter un endroit où passer la nuit, c'est-à-dire de trouver des filles disposant d'un appartement susceptible d'héberger quatre types. Timothy allait s'en charger, et, s'il ne suffisait pas à la tâche, on pourrait toujours dépêcher Oliver à la rescousse. C'était le genre de monde où ils évoluaient. Je ne me serais pas senti moins à l'aise pendant la grand-messe dans la cathédrale Saint-Patrick. Pour moi, c'était Zanzibar, et je suppose que pour Ned ça devait être Tombouctou, malgré son adaptabilité de caméléon. Frustré par Timothy dans ses instincts naturels, il choisissait maintenant d'arborer le drapeau hétéro et, avec sa perversité coutumière, avait levé la fille la plus moche du coin, une dondon à la figure pataude et aux seins étalés comme des boulets de canon sous son sweater rouge avachi. Il était en train de lui administrer son traitement de séduction à haute tension, qui probablement le faisait plutôt ressembler à un Raskolnikov homosexuel s'accrochant à celle qui devait le sauver d'une existence de sodomite tourmenté. Tandis qu'il lui susurrait des choses au creux de l'oreille, il fallait la voir minauder et passer sa langue entre ses lèvres et battre des paupières tout en tripotant le crucifix – oui, monsieur! – le crucifix qui pendait entre ses gigantesques nénés. Une Sally McNally ayant perdu depuis peu de temps son berlingot, et Dieu sait si elle avait eu du mal à s'en débarrasser! Et maintenant – tous les saints du paradis soient loués! – quelqu'un essayait réellement de la lever! Sans aucun doute, Ned lui faisait le coup du prêtre contrarié, celui du jésuite déchu avec son auréole de décadence et de romantique angoisse catholique. Est-ce qu'il irait jusqu'au bout? Oui, sans doute. En sa qualité de poète sans cesse en quête d'expériences, il faisait de fréquentes incursions dans les bas-fonds de l'autre sexe, séduisant les déchets et les laissées-pour-compte, une manchote, une fille avec un demi-maxillaire, une cigogne deux fois plus haute que lui, etc. L'idée qu'il se faisait de l'humour noir. En fait, il baisait plus souvent que moi avec des filles, tout pédé qu'il était, bien que ses conquêtes ne fussent pas des prix de beauté. Il prétendait ne retirer aucun plaisir de l'acte, mais seulement du jeu cruel de la conquête en elle-même. « Vois-tu, disait-il, ce soir vous ne m'avez pas laissé avoir Alcibiade, par conséquent je choisis Xanthippe. »

Pendant quelques instants, j'étudiai sa technique. Je dois passer beaucoup trop de temps à observer les choses. J'aurais déjà dû être en train de chasser. Si la ferveur et l'intellectualisme sont des marchandises à la mode ici, pourquoi n'étais-je pas en train de troquer les miennes contre un petit morceau de fesse? Tu es peut-être au-dessus de tout ça, Eli? Allons, avoue plutôt que tu es empoté avec les filles. J'allai m'acheter un whisky Sour (encore la marque des années 50! Qui boit encore des cocktails aujourd'hui?) et m'apprêtai à m'éloigner du comptoir. Empoté comme je suis, j'entrai en collision avec une petite brune et renversai la moitié du verre par terre.

— Oh! excusez-moi! fîmes-nous en chœur.

Elle semblait terrifiée, une biche apeurée. Fluette, une carcasse d'oiseau, tout juste un mètre cinquante, des yeux brillants et solennels, le nez proéminent (*shayneh maideleh!* Un membre de la tribu!). Un corsage turquoise à demi transparent révélait un soutien-gorge rose en dessous, indiquant une certaine ambivalence quant aux mœurs de l'époque. Notre timidité alluma une étincelle réciproque. Je sentis la chaleur entre mes jambes, je sentis la chaleur sur mes joues, et je puisai à la chaleur de notre feu commun. Quelquefois, ça vous arrive de façon si caractéristique que vous vous demandez comment tout le monde autour de vous ne se lève pas pour pousser des vivats. Nous trouvâmes une table minuscule et murmurâmes des présentations sommaires. Mickey Bernstein, Eli Steinfeld.

Qu'est-ce qu'une fille comme vous fait dans un endroit pareil?

Elle était étudiante en deuxième année à Hunter, boursière du gouvernement, famille de Kew Gardens; elle partageait un appartement avec quatre autres filles au carrefour de la 3e Avenue et de la 70e Rue. Je crus tout de suite avoir trouvé notre crèche pour la nuit – imaginez un peu : Eli le *Schmendrick* a une touche! Mais j'acquis rapidement l'impression qu'en réalité l'appartement en question consistait en deux chambres et une kitchenette et n'était pas fait pour accueillir tout ce monde. Elle ne tarda pas à m'avouer qu'elle fréquentait rarement ce genre d'endroit, pratiquement jamais, en fait, mais que l'une de ses copines l'avait traînée ici ce soir pour célébrer le début des vacances de Pâques – elle me montra la fille : un grand manche à balai couvert d'acné qui conférait avec ardeur avec un barbu dégingandé habillé à la mode florale de 1968 – et c'est ainsi qu'elle se retrouvait là, mal à l'aise, assourdie par tout ce bruit, et est-ce que je voulais bien lui commander un Coke-cerise? Homme du monde suave, Steinfeld attrape au vol un Martien qui passait et lance sa commande. « Ça fera un dollar, s'il vous plaît. » Houlala! Elle me demanda ce que j'étudiais. Coincé. Allez, vas-y, pédant, dévoile-toi!

– La philosophie du haut Moyen Age, répondis-je. La désintégration du latin en langues romanes. Je pourrais vous chanter des ballades obscènes en provençal, si je savais chanter.

Elle éclata de rire, un peu trop fort.

– Oh! moi aussi j'ai une voix atroce! s'écria-t-elle. Mais vous pouvez m'en réciter une, si vous voulez.

Timidement, elle me prit la main, car je m'étais montré trop érudit pour songer à prendre la sienne. Et je commençai, en hurlant presque les mots dans le tintamarre environnant :

Can vei la luzeta mover
De joi sas alas contral rai,
Que s.oblid.es laissa chazer
Per la doussor c.al cor li vai...

Et ainsi de suite. Elle en restait baba.

— Est-ce que c'était vraiment très cochon? me demanda-t-elle à la fin.

— Pas du tout. C'est une tendre chanson d'amour. Bernart de Ventadorn, XIIe siècle.

— Vous l'avez si bien récitée! me dit-elle.

Je la lui traduisis, et je sentis venir vers moi des vagues d'adulation. Emmène-moi, fais-moi des choses, me disait-elle télépathiquement. Je calculai qu'elle avait dû avoir neuf fois des relations sexuelles avec deux types différents, et qu'elle recherchait encore nerveusement son premier orgasme tout en se demandant avec anxiété si elle n'allait quand même pas un peu trop vite en besogne. J'étais disposé à faire de mon mieux, tout en lui soufflant dans l'oreille et en lui chuchotant de petits trésors provençaux. Mais comment faire pour filer d'ici? Où pouvions-nous aller? Je lançai un regard frénétique autour de moi. Timothy avait posé son bras autour d'une fille effoyablement belle, avec une cascade de cheveux auburn. Oliver avait levé deux cailles : une brune et une blonde. Le vieux charme du garçon de ferme au travail. Ned s'appliquait toujours à courtiser son remède contre l'amour. Peut-être que l'un d'entre eux allait nous dégoter quelque chose, un appartement pas trop loin avec de la place pour tout le monde. Je revins à Mickey, qui était en train de me dire :

— Nous donnons une petite party samedi soir. Quelques musiciens vraiment chouettes doivent venir. Du classique. Si vous êtes libre, vous pourriez...

— Samedi soir, je serai en Arizona.

— L'Arizona! C'est là-bas que vous êtes né?

– Je suis de Manhattan.

– Alors, pourquoi... C'est-à-dire que je n'ai jamais
entendu dire qu'on y allait à Pâques... c'est nouveau? – Et
avec l'esquisse d'un sourire timide : – Excusez-moi. Il y a
une fille là-bas?

– Ce n'est pas du tout ça!

Elle se tortilla, gênée, sur sa chaise, ne voulant pas être
indiscrète mais ne sachant pas comment arrêter l'inquisi-
tion. Et la phrase inévitable tomba :

– Pourquoi y allez-vous, alors?

Je ne savais pas quoi répondre. Durant un quart d'heure,
j'avais joué un rôle conventionnel, celui de l'étudiant en
maraude dans les bars de l'East Side, la fille timide mais
libre, embobinée avec un rien de poésie ésotérique, les
yeux dans les yeux, quand puis-je vous revoir, l'aventure
facile, merci pour tout et au revoir. La valse estudiantine
familière. Mais sa question venait d'ouvrir une trappe sous
mes pieds et de me précipiter dans cet autre univers plus
sombre, celui du rêve et de l'imaginaire où des jeunes gens
solennels spéculaient sur la possibilité d'être à jamais
débarrassés du fardeau de la mort, où des mystiques en
herbe s'efforçaient de se persuader qu'ils avaient découvert des manuscrits mystérieux révélant les secrets d'anciens cultes. Oui, aurais-je pu lui dire, nous partons à la
recherche de la retraite cachée de la Fraternité des Crânes,
en espérant réussir à persuader les Gardiens que nous
sommes de dignes candidats à l'ÉEpreuve, et naturellement, si nous sommes acceptés, l'un de nous sacrifiera
joyeusement sa vie aux autres et un deuxième sera
assassiné; mais, voyez-vous, nous sommes prêts à faire face
à ces éventualités car les deux heureux survivants ne
mourront plus jamais. Merci, H. Rider Haggard : c'est
exactement ça. De nouveau, j'éprouvai ce même sentiment
d'incongruité et de dislocation devant la juxtaposition de
notre environnement new-yorkais immédiat et de mon
improbable rêve arizonien. Écoutez, aurais-je pu lui dire, il

est nécessaire de souscrire un acte de foi, d'acceptation mystique, de se dire que la vie n'est pas faite uniquement de discothèques et de *subways,* de boutiques à la mode et de salles de cours. Il est nécessaire de croire qu'il existe des forces inexplicables. Croyez-vous à l'astrologie? Bien sûr; et vous savez ce que le *New York Times* en pense. Eh bien, allez un peu plus loin dans votre acceptation, comme nous l'avons fait. Faites abstraction de votre dégoût tellement moderne et forcé pour tout ce qui est improbable et admettez un seul instant qu'il *puisse* exister une Fraternité, qu'il *puisse* exister une Épreuve, qu'il *puisse* exister une Vie éternelle. Comment nier sans avoir d'abord vérifié? Peut-on prendre le risque de se tromper? C'est pourquoi nous allons en Arizona tous les quatre, le grand gaillard là-bas avec les cheveux en brosse, le dieu grec près du comptoir, le type en train de parler avec animation à la grosse là-bas, et moi-même. Et, bien que certains d'entre nous y croient plus que d'autres, il n'y en a pas un seul qui n'ait au moins un tout petit peu foi dans le *Livre des Crânes.* Pascal avait choisi d'avoir la foi parce que toutes les chances étaient contre l'incroyant qui s'aliénait peut-être le Paradis en refusant de se soumettre à l'Église. Il en est ainsi de nous, qui voulons bien accepter de paraître ridicules l'espace d'une semaine parce que nous avons l'espoir de gagner quelque chose qui sera sans prix et que tout ce que nous risquons de perdre c'est au plus le prix de l'essence. Mais je ne dis rien de tout cela à Mickey Bernstein. La musique était trop forte; et puis, de toute façon, nous nous étions tous engagés par le plus terrible des serments d'étudiants de ne rien révéler en aucun cas à personne. Je lui répondis simplement :

— Pourquoi l'Arizona? Parce que nous sommes fous des cactus. Et il fait bon là-bas au mois de mars.

— Il fait bon également en Floride.

— Oui, mais il n'y a pas de cactus.

VII

TIMOTHY

IL m'a fallu une heure pour trouver la fille que je cherchais et tout arranger. Elle s'appelait Bess. C'était une fille de l'Oregon aux nichons opulents, et elle partageait un immense appartement dans Riverside Drive avec quatre juniors de Barnard. Trois de ses quatre copines étaient rentrées chez elles pour passer les vacances; l'autre était assise dans un coin et se laissait baratiner par un type de vingt-cinq ans aux favoris épais, genre courtier en publicité. Parfait. J'expliquai que mes trois copains et moi on était de passage à New York avant de descendre vers l'Arizona, et qu'on espérait dégoter une turne pas trop moche.

— Ça devrait pouvoir s'arranger, me dit-elle.

Parfait! Maintenant, il ne restait plus qu'à retrouver tout le monde. Oliver faisait sans entrain la conversation à une maigrichonne en combinaison noire, à l'œil un peu trop brillant. Peut-être une droguée aux amphétamines. Je le tirai par la manche, lui expliquai le topo et le branchai sur la copine de Bess, Judy. Une enfant du Nebraska, pas moinsse. Aussitôt, l'affaire était dans le sac et Oliver et Judy s'étaient embarqués dans une discussion sur le prix de la nourriture pour les cochons, ou quelque chose dans ce genre. Ensuite, je courus après Ned. Le petit enculé s'était racolé une *nana,* imaginez un peu! Parfois, il fait des trucs comme ça, histoire de nous faires chier, je suppose. Celle-ci était une bête à concours – naseaux géants, nichons géants, une montagne de viande.

– On se tire, lui dis-je. Tu peux l'amener si tu veux.

Ensuite, je trouvai Eli. Ce devait être la Semaine nationale de l'hétérosexualité : même Eli avait une touche. Brune, maigre, juste la peau sur les os, le sourire nerveux. Elle parut sidérée en constatant que son Eli faisait équipe avec un grand *shegitz* comme moi.

– Il y a de la place pour tout le monde à l'auberge, lui dis-je. Amène-toi.

Il faillit m'embrasser les bottes.

Nous nous entassâmes à huit dans la bagnole – neuf, en comptant comme double la prise de Ned. C'est moi qui conduisais. Les présentations n'en finissaient pas. Judy, Mickey, Mary, Bess; Eli, Timothy, Oliver, Ned; Judy, Timothy; Mickey, Ned; Mary, Oliver; Bess, Eli; Mickey, Judy; Mary, Bess; Oliver, Judy; Eli, Mary...

Oh! Seigneur! Il se mit à pleuvoir, une bruine glacée juste au-dessus du point de congélation. Au moment où nous entrions dans Central Park, une bagnole décrépite à cent mètres environ devant nous fit un dérapage soigné, partit en slalom au bord de la route et alla s'écraser contre un arbre gigantesque. La bagnole s'éventra, et au moins une douzaine de silhouettes en sortirent, courant dans toutes les directions. Je freinai en catastrophe, car certaines des victimes étaient pratiquement sur ma route. Il y avait des crânes fendus et des nuques brisées, et des gens qui se lamentaient en espagnol. J'arrêtai la voiture au bord de la route en disant à Oliver :

– Il faut aller voir si on peut faire quelque chose.

Oliver paraissait anéanti. Il a cette réaction devant la mort : écraser un écureuil le rend malade pour une semaine. Le spectacle d'une voiturée de Portoricains blessés avait de quoi mettre notre vaillant carabin dans un état semi-comateux. Il commençait à bredouiller une réponse quand Judy du Nebraska passa la tête par-dessus son épaule en s'écriant avec une réelle frénésie :

– Ne t'arrête pas, Tim! Continue.

– Il y a des blessés, dis-je.

– Les flics vont arriver d'un instant à l'autre. Quand ils verront huit jeunes dans une bagnole, ils nous fouilleront avant même de s'occuper d'*eux*. Et j'en ai sur moi, Tim! J'en ai! On va tous se faire embarquer!

Elle était véritablement au bord de la panique. Merde! on ne pouvait pas se permettre de bousiller une partie de nos vacances en se faisant arrêter simplement parce qu'une connasse éprouvait le besoin d'emporter sa réserve de came partout où elle allait; aussi, je rappuyai sur la pédale et repartis en évitant soigneusement les morts et les mourants. Est-ce que les poulets auraient vraiment perdu leur temps à nous fouiller d'abord pendant que des types mouraient au bord de la route? Je n'arrive pas à le croire, mais c'est peut-être que je suis conditionné à croire toujours que la police est de mon côté. Judy avait peut-être raison. L'hystérie est contagieuse de nos jours. Quoi qu'il en soit, nous quittâmes les lieux, et ce n'est qu'une fois arrivés à Central Park Ouest qu'Oliver déclara qu'à son avis nous n'aurions pas dû filer comme ça. La morale à retardement, lui fit remarquer Eli, est pire que l'absence de morale. Ned s'écria : « Bravo! Qu'est-ce qu'ils sont assommants, ces deux-là! »

Judy et Bess habitaient à hauteur de la 100e Rue, dans un énorme immeuble vétuste qui avait dû être un palais quelque part autour de 1920. Leur appartement était une suite de chambres et de corridors à hauts plafonds aux moulures tarabiscotées et au plâtre craquelé qui avait dû être refait des dizaines et des dizaines de fois au cours des siècles. Le quinzième étage ou quelque chose comme ça : vue imprenable sur la misère du New Jersey. Bess mit une pile de disques : Segovia, les Stones, Sergeant Pepper, Beethoven, n'importe quoi – et alla chercher une bouteille de Ripple. Judy sortit la drogue qui avait causé sa panique dans le parc : un morceau de hasch aussi gros que mon nez.

— Tu gardes ça sur toi comme porte-bonheur? lui demandai-je, mais il s'avéra qu'on le lui avait refilé à la *Plastic Cave*.

On fit circuler une pipe. Oliver, comme d'habitude, la refusa. Je crois qu'il s'imagine que les drogues de toutes les espèces ne sont bonnes qu'à polluer ses précieux fluides vitaux. La lavandière irlandaise de Ned s'abstint également – elle voulait bien être dans le coup, mais n'était pas préparée à aller jusque-là. « Allons, entendis-je Ned lui murmurer, ça t'aidera à perdre du poids. » Elle paraissait terrifiée. Sans doute s'attendait-elle à voir Jésus entrer par la fenêtre d'un moment à l'autre pour arracher son âme immortelle à son corps pantelant en état de péché. Le reste d'entre nous acheva de se mettre dans un état plaisant, et chacun se dirigea vers les différentes chambres à coucher.

Vers le milieu de la nuit, obéissant aux exigences de ma vessie, je partis à la recherche des chiottes dans un véritable labyrinthe de corridors et de portes fermées. J'en ouvris quelques-unes par erreur. Partout des tas d'humanité. Dans une des chambres, bruits passionnés, mouvement régulier et rythmé des ressorts de sommier. Pas la peine d'ouvrir celle-là : ce doit être Oliver le taureau en train de monter sa Judy pour la sixième ou septième fois de la nuit. Elle marcherait avec les jambes arquées pendant une semaine quand il en aurait fini avec elle. Dans une autre chambre, sifflets et ronflements : sacrebleu! ça c'est la douce truie de Ned en plein sommeil. Ned était endormi par terre dans le couloir : trop c'est trop, je suppose. Enfin, je trouvai des chiottes, mais c'était occupé. Eli et Mickey étaient en train de prendre une douche ensemble. Je ne voulais pas les déranger, mais merde! Mickey prit une gracieuse pose à la grecque, main droite sur sa toison noire, bras gauche levé en travers des plus rudimentaires breloques. On lui aurait donné quatorze ans, ou même moins.

— Excusez-moi, dis-je en battant en retraite.

Eli, nu et ruisselant, courut après moi.

— Laisse tomber, dis-je, je ne l'ai pas fait exprès.

Mais ce n'était pas du tout ce qu'il avait en tête. Il voulait me demander si nous avions de la place pour une cinquième personne pour le reste du voyage.

— Elle?

Il hocha la tête. Le coup de foudre. Ça avait fait clic, ils avaient trouvé le véritable bonheur l'un dans l'autre. Maintenant, il voulait l'emmener.

— Bon sang! explosai-je, et je ne devais pas être loin d'avoir réveillé toute la maison. Tu ne lui as pas dit que...

— Non, seulement que nous allions en Arizona.

— Et qu'est-ce que tu comptes faire quand on y sera? L'emmener avec nous au monastère des Crânes?

Il n'avait pas réfléchi jusque-là. Ébloui par ses appas modestes, il ne voyait pas plus loin que le bout de sa bite, notre brillant Eli. Bien sûr, c'était impossible. Si cette expédition avait été placée sous le signe de l'érotisme, j'aurais emmené Margo et Oliver aurait emmené LuAnn. Non. On restait entre hommes, à part les occasions qu'on pouvait glaner en chemin, et Eli devait obéir comme les autres à la règle. C'était sur ses instances que nous avions formé un quatuor hermétique, et maintenant c'est lui qui refusait de s'y conformer.

— Je la laisserai dans un motel à Phoenix pendant qu'on sera dans le désert, insista-t-il. Elle n'est pas obligée de savoir où on va ni pour quoi.

— Pas question!

— Et puis, pourquoi faut-il en faire tout un mystère, Timothy?

— Ça ne va pas la tête, non? Qui est-ce qui a tellement

insisté pour qu'on fasse un putain de serment de ne jamais révéler une seule syllabe du *Livre des Crânes* à qui que ce...

— Tu cries trop fort, Tim. Ils vont t'entendre!

— Et après? Qu'ils entendent! Ça t'embêterait, hein? que tout le monde découvre ton projet à la Fu Manchu. Et, pourtant, tu es prêt à la mettre dans le secret. Tu ne réfléchis pas, Eli.

— Peut-être que je vais renoncer à l'Arizona, dans ce cas.

J'avais envie de l'attraper par les épaules et de le secouer. Renoncer à l'Arizona! C'est *lui* qui avait tout organisé. Lui qui avait recruté les trois autres types nécessaires à la réussite de l'entreprise. Lui qui avait passé des heures et des heures à nous expliquer l'importance qu'il y avait à ouvrir nos âmes à l'inexplicable, au fantastique et à l'invraisemblable. Lui qui nous avait forcés à laisser de côté tout empirisme et tout pragmatisme et à accomplir un acte de foi. Et cætera et cætera. Et voilà qu'une séduisante fille d'Israël vient écarter les jambes pour lui, et d'un seul coup il est prêt à tout laisser tomber juste pour le plaisir de visiter main dans la main les Cloîtres et le Guggenheim et autres sanctuaires de la culture citadine pendant les vacances de Pâques. Eh bien, merde! Il nous avait attirés là-dedans, et, abstraction faite de la créance que chacun de nous jugeait bon d'accorder à son étonnant culte de l'immortalité, il n'allait pas nous laisser tomber comme ça! Le *Livre des Crânes* exige que les candidats se présentent par groupes de quatre. Nous n'accepterions pas qu'il se défile, lui ai-je dit. Il est resté silencieux un long moment. Beaucoup de va-et-vient de la pomme d'Adam : signe de Grand Conflit Intérieur. L'Amour Authentique contre la Vie éternelle.

— Tu iras la voir quand on reviendra de l'Ouest, le consolai-je. A supposer que tu sois de ceux qui reviendront.

40

Il était embroché à l'un de ses propres dilemmes existentiels. La porte de la salle de bains s'ouvrit et Mickey passa pudiquement la tête, drapée dans un essuie-mains.

– Ta dulcinée t'attend, lui dis-je. A demain matin.

Je trouvai d'autres chiottes quelque part derrière la cuisine, et, après m'être soulagé, retournai dans l'obscurité aux côtés de Bess, qui m'accueillit par de petits soupirs, me saisit par les deux oreilles et me plaqua entre ses deux montgolfières rebondissantes. Les poitrines volumineuses, me disait mon père quand j'avais quinze ans, sont plutôt vulgaires; un gentleman a d'autres critères pour choisir ses femmes. Oui, papa, mais elles font de chouettes oreillers. Bess et moi, nous célébrâmes une dernière fois le rite du printemps. Puis je m'endormis. A six heures du matin, Oliver, entièrement habillé, me réveilla. Ned et Eli étaient déjà levés et habillés aussi. Les filles dormaient. Nous prîmes notre petit déjeuner en silence. Café et petits pains. A sept heures, nous étions sur la route. Riverside Drive, le pont George Washington, Jersey, puis l'autoroute 80 en direction de l'ouest. Oliver conduisait.

VIII

OLIVER

N'Y va pas, m'avait dit LuAnn, quoi que ce soit, n'y va pas, ne te mêle pas à ça, ça ne m'inspire pas confiance. Je ne lui avais pas dit grand-chose, à vrai dire. Juste les apparences. Un groupe de religieux en Arizona, un monastère en fait, et d'après Eli ce serait pour nous quatre une source d'enrichissement spirituel si nous leur rendions visite. Nous pourrions en retirer un profit incomparable, expliquai-je à LuAnn. Et sa réaction immédiate avait été la peur. Le syndrome de la ménagère : *Si tu ne sais pas ce que c'est, ne t'approche pas.* Effrayée, rétractée dans sa coquille. Elle est brave, mais trop terre à terre. Peut-être que si je lui avais parlé de l'aspect immortalité elle aurait réagi différemment. Mais, naturellement, j'avais juré de ne pas en souffler mot. Et puis, même l'immortalité aurait sans doute épouvanté LuAnn. N'y va pas, m'aurait-elle dit, c'est un piège, quelque chose d'horrible sortira de tout ça, c'est étrange, diabolique et mystérieux, et il n'est pas dans la volonté de Dieu que de telles choses existent. Chacun doit à Dieu de mourir. Beethoven est mort. Jésus est mort. Le président Eisenhower est mort. Crois-tu que tu seras dispensé de mourir, Oliver, si *eux* ont dû partir ? Je t'en prie, ne te mêle pas à ça.

La mort. Qu'est-ce que la pauvre LuAnn avec sa petite tête peut bien connaître de la mort ? Même ses grands-parents, elle les a encore. Pour elle, la mort est une abstraction, quelque chose qui est arrivé à Jésus et à Beethoven. Moi, je connais mieux la mort, LuAnn. Je vois sa face de crâne chaque nuit. Et je me bagarre avec elle. Je lui crache dessus. Et Eli vient me trouver pour me dire : « Je connais un endroit où tu pourras être exempté de mourir, Oliver. C'est en Arizona. Tu rends visite à la Fraternité et tu joues à leur petit jeu, et ils t'arracheront à la roue de feu. Ne suis pas les autres, ne descends pas dans la tombe, n'accepte pas la décomposition. Ils savent comment ôter l'aiguillon de la mort. » Comment laisserais-je passer une telle chance?

La mort, LuAnn. Songe à la mort de LuAnn Chambers, jeudi prochain par exemple. Pas en 1997, mais jeudi prochain. Tu vas rendre visite à tes grands-parents dans Elm Street, tu traverses la rue et une voiture arrive sur toi après avoir dérapé comme celle de ces pauvres Portoricains d'hier soir... non, je retire ce que je viens de dire. Je ne pense pas que la Fraternité des Crânes puisse éviter une mort accidentelle, une mort violente. Quelle que soit leur méthode, elle n'est pas miraculeuse, elle ne fait que retarder le processus physique. On reprend tout depuis le début, LuAnn. Tu marches dans Elm Street pour aller rendre visite à tes grands-parents, et soudain un vaisseau éclate traîtreusement dans une de tes tempes. Hémorragie cérébrale. Pourquoi pas? Ça arrive aussi à dix-neuf ans, je suppose. Le sang se met à bouillonner dans ton crâne, et tes jambes deviennent comme du coton et tu tombes au bord du trottoir en te tortillant comme un ver. Tu sais que quelque chose d'affreux est en train de t'arriver, mais tu n'as même pas le temps de crier, et en dix secondes, tu es morte. Tu as été enlevée à l'univers, LuAnn. Ou, plutôt, l'univers t'a été enlevé. Ne parlons pas de ce qui va arriver à ton corps maintenant, les vers dans tes entrailles, les beaux yeux bleus transformés en boue... pense simplement à tout ce que tu as perdu, tout ce que tu as laissé derrière toi. Les levers et les couchers de soleil. L'odeur d'un steak sur la braise. Le contact d'un pull en cachemire, celui de mes lèvres que tu aimes tellement sur le petit bout dur de tes seins. Tu as laissé derrière le Grand Canyon et Shakespeare, et Londres et Paris, et le champagne et ton grand mariage à l'église, et Peter Fonda et Paul McCartney, et le Mississippi, et la lune et les étoiles. Tu n'auras jamais de bébé et tu ne goûteras jamais le vrai caviar, parce que tu es morte sur le trottoir et que déjà les jus fermentent en toi. Et pourquoi laisser faire cela, LuAnn? Pourquoi aurions-nous été mis dans un monde si magnifique pour qu'ensuite on nous enlève tout? La volonté de Dieu? Non, LuAnn. Dieu est amour, et Dieu ne nous aurait jamais fait une chose aussi cruelle, par conséquent il n'y a pas de Dieu, il y a seulement la mort, la Mort que nous devons rejeter. Tout le monde ne meurt pas à dix-neuf ans? C'est vrai, LuAnn. Là j'ai un peu pipé les dés. Disons que tu vas jusqu'en 1997. Tu as ton mariage à l'église et tes bébés, tu vois Paris et aussi Tokyo, tu sables le champagne et tu goûtes au vrai caviar. Tu vas même sur la Lune passer Noël avec ton mari le riche docteur. A ce moment-là, la Mort vient et te dit : O.K., LuAnn, la balade était belle, mais elle est terminée maintenant. Hop! tu as le cancer du col ou les ovaires qui pourrissent, un de ces trucs de femme, et ça se métastase pendant la nuit, tu pars en marmelade et tu finis à l'hôpital dans une mare de fluides puants. Est-ce que le fait d'avoir vécu une vie pleine pendant quarante ou cinquante ans te donne davantage envie de faire la valise? Est-ce que ça ne rend pas au contraire la plaisanterie plus amère de s'apercevoir à quel point la vie peut être chouette, pour être obligé de claquer ensuite? Tu n'as jamais songé à ces choses-là, LuAnn, mais moi si. Et je te le dis : plus longtemps tu vis, plus longtemps tu veux vivre. A moins, bien sûr, d'être malade ou anormal, ou seul au monde, et que la vie soit devenue un terrible fardeau. Mais si tu aimes la vie, tu n'en auras jamais assez.

Même toi, avec ta petite tête placide, tu n'as pas envie de t'en aller. Et je n'ai pas envie de m'en aller. J'ai envisagé la mort d'Oliver Marshall, tu peux me croire, et c'est un concept que je regrette entièrement. Pourquoi ai-je attaqué des études de médecine? Pas pour me faire du fric en prescrivant des pilules aux dames des banlieues, mais pour pouvoir me spécialiser dans la recherche en gériatrie, dans les phénomènes de la sénilité et dans l'extension de la vie. Pour pouvoir mettre mon doigt dans l'œil de la Mort. C'était mon grand rêve, ça l'est toutjours; mais Eli me raconte l'histoire des Crânes, et moi je l'écoute. Je l'écoute. On roule à cent à l'heure vers l'ouest. La mort d'Oliver Marshall pourrait survenir en huit secondes – *crac! bang! schlong!* – et elle pourrait se produire dans quatre-vingt-dix ans, et elle pourrait aussi ne jamais se produire. *Ne jamais se produire.*

Prends le Kansas, par exemple, LuAnn. Tu ne connais que la Georgie, mais prends le Kansas un instant. Des kilomètres et des kilomètres de céréales, et le vent poussiéreux qui fouette la plaine. Tu grandis dans une ville de neuf cent cinquante-trois habitants. Donnez-nous en ce jour notre mort quotidienne, ô Seigneur! Le vent, la poussière, la route, les visages pointus et anguleux. Tu veux voir un film? Une demi-journée de voiture jusqu'à Emporia. Tu veux acheter un bouquin? Je crois qu'il vaut mieux aller à Topeka pour ça. De la nourriture chinoise? De la pizza? Des enchiladas? Tu rigoles. Dans notre école, il y a huit classes et dix-neuf élèves. Un instituteur. Il ne sait pas grand-chose, il est du coin lui aussi. Trop chétif pour l'agriculture, il a demandé un emploi à l'école. La poussière, LuAnn. Le blé ondoyant. Les longs après-midi d'été. Le sexe. Le sexe n'est pas un mystère là-bas, LuAnn. C'est une nécessité. A treize ans, tu vas derrière la grange, tu vas de l'autre côté du ruisseau. C'est le seul jeu qu'il y ait. Nous y avons tous joué. Christa baisse ses jeans. C'est drôle, elle n'a rien entre les jambes à part des frisettes blondes. Maintenant, fais-moi voir toi, dit-elle. Viens, monte comme ça sur moi. Tu trouves ça excitant, LuAnn? Ça n'a rien d'excitant. On fait ça parce qu'on n'a rien d'autre. A seize ans, toutes les filles sont grosses, et la roue continue de tourner. C'est la mort, LuAnn, la mort dans la vie. Je ne pouvais plus tenir. Il fallait que je m'évade. Pas à Wichita, pas à Kansas City, mais vers l'est, vers le monde véritable, le monde de la télé. Tu imagines ce que j'ai dû trimer pour quitter le Kansas? Mettre des sous de côté pour acheter des livres? Cent kilomètres deux fois par jour pour aller au lycée et revenir. Un digne émule du vieil Abe Lincoln, oui, parce que c'était la vie unique et irremplaçable d'Oliver Marshall que j'étais en train de vivre, et que je ne pouvais pas me permettre de la gaspiller à faire pousser des céréales. Bon, une bourse pour une des universités de l'Ivy League. Bon, des notes mirobolantes en première année de médecine. Je suis un grimpeur, LuAnn. Le diable me brûle la queue, et il faut que j'aille toujours plus haut. Mais pour arriver à quoi? Pour mener quarante ou cinquante années d'une existence agréable, et ensuite au revoir et merci beaucoup? Non, je n'accepte pas ça. La mort était peut-être assez bonne pour Beethoven ou Jésus, ou le président Eisenhower, mais, sans vouloir offenser personne, je suis différent. Je ne peux pas simplement me coucher et me laisser partir. Pourquoi faut-il que ce soit si court? Pourquoi faut-il que cela vienne si vite? Pourquoi ne pouvons-nous pas boire l'univers? La mort a plané autour de moi toute ma vie. Mon père, il est parti à trente-six ans. Cancer de l'estomac. Un jour il s'est mis à tousser du sang, et il a dit : « Ha! je crois que j'ai perdu du poids, récemment. » Dix jours plus tard, il ressemblait à un squelette, et, encore dix jours plus tard, il *était* un squelette. Ils lui avaient accordé trente-six années. Quelle sorte de vie est-ce là? Quand il est mort, j'avais onze ans. Je possédais un chien. Il est mort, le museau gris, les oreilles flasques, la queue pendante, au revoir. J'avais des grands-parents, aussi, tout comme toi, quatre. Ils sont morts, un, deux, trois, quatre, visages tannés, pierres tombales dans la poussière. Pourquoi? Pourquoi? Pourquoi? Il y a tant de choses que je voudrais voir, LuAnn. L'Afrique, l'Asie, le pôle Sud, Mars et les planètes d'alpha du Centaure! Je voudrais voir se lever le soleil le jour où commencera le XXIe siècle, et le XXIIe aussi. Je suis gourmand? Oui, je suis gourmand. J'ai tout cela, maintenant. J'ai tout cela à ma disposition, et cependant je dois tout perdre, comme tous les autres, mais je refuse de me résigner. C'est pourquoi je vais vers l'ouest avec le soleil du matin dans le rétroviseur et Timothy qui ronfle à côté de moi, et Ned qui écrit de la poésie sur le siège arrière tandis qu'Eli fait la tête à cause de cette fille que Timothy n'a pas voulu le laisser emmener. Et je pense tout cela pour toi, LuAnn, toutes ces choses que je ne saurais pas expliquer. Les Méditations sur la Mort d'Oliver Marshall. Bientôt, nous arriverons dans l'Arizona. Alors, nous connaîtrons la déception et les désillusions, et nous irons boire une bière en nous disant que depuis le début c'était visible que cette histoire était une vaste fumisterie, et nous reprendrons la route vers l'est en même temps que le processus de mort. Mais qui sait, LuAnn. Qui sait. Il y a quand même une chance. Une toute petite chance minuscule pour que le livre d'Eli ait dit la vérité.

Qui sait.

IX

NED

NOUS avons dû faire sept ou huit ou neuf cents kilomètres aujourd'hui sans qu'une parole ou presque ait été échangée depuis le petit matin. Des tensions enchevêtrées nous unissent et nous séparent. Eli fâché contre Timothy. Moi fâché contre Timothy. Timothy agacé par Eli et moi. Oliver emmerdé par tout le monde. Eli en veut à Timothy parce qu'il ne l'a pas laissé emmener cette petite brune qu'il a ramassée hier soir. Mes sympathies vont vers Eli; je sais comme il lui est difficile de trouver des filles avec qui il s'entende, et j'imagine son angoisse quand il a dû se séparer d'elle. Et pourtant c'était Timothy qui avait raison : emmener cette fille était impensable. Moi aussi j'ai à reprocher à Timothy son intervention dans ma vie sexuelle. Il aurait pu tout aussi bien me laisser aller avec ce garçon dans sa crèche, et me reprendre là-bas ce matin. Mais non, il avait peur que je ne prenne une dérouillée pendant la nuit et qu'on ne me laisse mort sur le trottoir – Tu sais comment ça se passe, Ned, tôt ou tard les pédés finissent par prendre des coups et par rester sur le carreau – et il ne voulait jamais me quitter des yeux. Qu'est-ce que ça peut lui foutre si je me fais dérouiller dans la poursuite de mes plaisirs douteux? Ça briserait le mandala, voilà ce qu'il y a. La figure à quatre coins, le losange sacré. Ils ne pouvaient pas se présenter à trois devant les Gardiens des

Crânes; je suis l'indispensable quatrième. Ainsi Timothy, qui proclame sans arrêt qu'il ne croit pas à l'ombre du mythe du monastère des Crânes, n'en est pas moins déterminé à conduire le troupeau intact jusqu'aux portes du sanctuaire. J'aime bien ce genre de résolution tout en contradictions. C'est un voyage de cinglés, dit Timothy, mais j'ai l'intention de le continuer jusqu'au bout, et je veillerai à ce que tout le monde le continue aussi!

Il y a d'autres tensions dans l'air, ce matin. Timothy est boudeur et distant, sans doute parce qu'il déteste le rôle paternaliste qu'il a été obligé de jouer hier et qu'il nous reproche de l'avoir obligé à le jouer. (Il croit sûrement que nous l'avons fait exprès.) Je soupçonne aussi Timothy de m'en vouloir inconsciemment pour avoir prodigué mes faveurs à la pauvre Mary. Quand on est pédé on est pédé, dans le code de Tim, et il doit croire, probablement avec raison, que c'est pour me foutre des monos comme lui que je me lance parfois dans l'hétérosexualité avec une collection d'épouvantails.

Oliver aussi est plus taciturne encore qu'à l'accoutumée. Je crois que nous devons lui paraître frivoles, et qu'il nous déteste pour ça. Pauvre Oliver! Un *self-made man,* comme il nous le rappelle de temps en temps par sa désapprobation implicite plutôt qu'explicite de nos comportements respectifs. Une figure lincolnienne qui s'est tirée à la force des poignets de la désolation des champs de céréales de son Kansas natal pour atteindre le statut enviable d'étudiant en médecine dans l'université la plus encroûtée de tradition du pays, à l'exception peut-être d'une ou deux, et qui se retrouve par quelque mauvais coup du destin partager l'appartement et la destinée de : 1) Un poète pédéraste; 2) Un membre de la classe oisive et riche; 3) Un érudit juif névrosé. Tandis qu'Oliver se dédie à la préservation de la vie à travers les rites d'Esculape, je me contente de gribouiller des incompréhensibilités contemporaines, tandis qu'Eli se contente de traduire et d'élucider d'anciennes incompréhensibilités oubliées et que Timothy se contente de collectionner les dividendes et de jouer au polo. Toi seul, Oliver, as une utilité sociale, toi qui as fait le vœu de soulager l'humanité de ses maux. Ha! Et si le monastère d'Eli existait réellement, et qu'on nous accorde ce que nous sommes venus chercher? Où est ton art, dans ce cas, Oliver? A quoi sert d'être un docteur si une formule magique procure la vie éternelle? Adieu alors à l'occupation d'Oliver!

Nous devons nous trouver en ce moment en Pennsylvanie occidentale, ou bien dans l'est de l'Ohio, je ne sais plus. Notre étape prévue pour ce soir est Chicago. Les kilomètres défilent au compteur; les autoroutes se suivent et se ressemblent. Nous sommes encadrés par des collines encore plongées dans la désolation de l'hiver. Un soleil pâle. Un ciel décoloré. De temps à autre, une station-service, un restaurant, la grisaille d'une ville sans âme aperçue à travers les arbres.

Oliver conduisit sans rien dire pendant deux heures, puis passa les clés à Timothy. Timothy garda le volant une demi-heure, en eut assez et me demanda de prendre le relais. Je suis le Richard Nixon de l'automobile — tendu, appliqué, agressif, calculant toujours à côté et me confondant éternellement en excuses; en dernière analyse : incompétent. Malgré tous ces handicaps, Nixon est devenu président; malgré mon manque d'attention et de coordination, j'ai eu mon permis de conduire. Selon la théorie d'Eli, les Américains peuvent être divisés en deux catégories : ceux qui savent conduire et ceux qui ne savent pas, les premiers étant bons uniquement à la reproduction et aux travaux de force, et les seconds incarnant le véritable génie de la race. Il me considère comme un traître à l'intelligentsia parce que je sais distinguer la pédale du frein de celle de l'accélérateur, mais je crois que, après avoir fait l'expérience de ma façon de conduire pendant une heure, il a commencé à réviser son jugement sévère. Je ne suis pas un conducteur, mais une piètre imitation. La Lincoln Continental de Timothy me fait l'effet d'un autobus. Je tourne trop le volant, je fais des embardées. Donnez-moi une VW, et je montrerai ce que je sais faire. Oliver, mauvais passager, finit par perdre patience et m'annonce qu'il va reprendre le volant. C'est lui qui nous conduit maintenant, Phaéton aux cheveux d'or, vers le soleil couchant.

Dans un livre que je lisais il n'y a pas si longtemps était esquissée une métaphore structurale de la société à partir d'un film ethnographique sur une chasse à la girafe dans la brousse africaine. Les guerriers avaient blessé un grand animal avec leurs flèches empoisonnées, mais à présent il fallait qu'ils suivent leur proie à travers les solitudes arides du Kalahari jusqu'à ce qu'elle s'écroule, ce qui pouvait prendre une semaine ou davantage. Ils étaient quatre, unis par une étroite alliance. Le Chef, qui était à la tête du petit groupe. Le Chaman, ou sorcier, qui invoquait l'assistance des puissances surnaturelles quand le besoin s'en faisait sentir et qui, autrement, servait de trait d'union entre le charisme divin et les réalités du désert. Le Chasseur, réputé pour sa grâce, son élégance, sa vitesse et sa force physique, qui portait le plus gros poids de la bande. Et, enfin, le Bouffon, petit et laid, qui se moquait des mystères du Chaman, de la beauté du Chasseur et de la suffisance du Chef. A eux quatre, ils constituaient un organisme unique, chacun ayant son rôle essentiel à jouer dans le déroulement de la chasse. A partir de là, l'auteur développait les polarités du groupe en s'inspirant des théories de Yeats sur les girations en sens contraire : le Chaman et le Bouffon représentaient la giration de gauche, l'Idéationnelle; et le Chasseur et le Chef la giration de droite, l'Opérationnelle. Chaque giration concrétise des possibilités inaccessibles à l'autre; chacune est inutile sans l'autre, mais ensemble elles constituent un groupe stable où toutes les fonctions sont équilibrées. De là, il n'y a qu'un pas vers

la métaphore ultime, qui nous élève de la tribu à la nation :
le Chef devient l'État, le Chasseur devient l'Armée, le
Chaman l'Église et le Bouffon l'Art. Cette voiture trans-
porte un macrocosme. Timothy est notre chef; Eli, notre
chaman; le bel Oliver est le chasseur, et moi je suis le
bouffon. Et moi je suis le bouffon.

OLIVER

X

OLIVER

ELI nous avait gardé le meilleur pour la fin, une fois que nous étions tous convaincus de faire le voyage. Il feuilletait les pages de sa traduction, hochant la tête, fronçant les sourcils, faisant semblant d'avoir du mal à retrouver le passage qu'il voulait nous lire alors qu'il savait très bien où c'était. Puis il lut d'une voix solennelle :

« Tel est le Neuvième Mystère : Que le prix d'une vie soit exigé en échange d'une vie. Sachez, ô Nobles-nés! que chaque éternité doit être compensée par une extinction et que nous requérons de vous que l'équilibre ordonné soit atteint dans la sérénité. Deux parmi vous nous acceptons d'admettre en notre sein. Deux doivent rejoindre l'obscurité. De même que par le fait de notre vie nous mourons chaque jour, de même par le fait de notre mort nous vivrons éternellement. Y en a-t-il un parmi vous qui renoncera de plein gré à l'éternité au bénéfice de ses frères de la figure à quatre côtés afin qu'ils gagnent la compréhension de l'abnégation authentique? Y en a-t-il un parmi vous que ses camarades sont prêts à sacrifier afin qu'ils gagnent la compréhension de l'exclusion? Que les victimes se choisissent. Qu'elles définissent la qualité de leur vie par la qualité de leur départ. »

Un peu brumeux. Nous tournâmes et retournâmes le texte pendant des heures, laissant Ned y exercer ses muscles de jésuite, pour n'arriver enfin qu'à une seule signification possible, évidente et horrible. Il fallait qu'il y ait un volontaire au suicide. Et deux des trois survivants devaient assassiner l'autre. Tels étaient les termes du pacte. Fallait-il les prendre à la lettre? Ou bien avaient-ils seulement une valeur de symbole métaphorique? Au lieu de mourir pour de bon, disons que l'un de nous devait volontairement renoncer à prendre part au rituel et s'en aller toujours mortel. Ensuite, deux autres se mettraient d'accord pour forcer un troisième à quitter le sanctuaire. Était-ce possible? Eli penchait pour de vraies morts. Bien sûr, il prend toutes ces choses mystiques un peu trop au pied de la lettre. Les irrationalités de la vie l'intéressent beaucoup plus que les réalités. Ned, qui ne prend jamais rien au sérieux, est d'accord avec Eli. Je ne crois pas qu'il ait tellement foi dans le *Livre des Crânes,* mais sa position est que s'il y a une part de vérité dans tout ça, alors le Neuvième Mystère doit être interprété comme exigeant deux morts.

Timothy, lui non plus, ne prend rien au sérieux, bien que sa manière de rire de l'univers soit entièrement différente de celle de Ned. Ned est un cynique conscient. Timothy s'en fout complètement. C'est une pose délibérément démoniaque chez Ned, et une question d'avoir trop d'argent de son père chez Timothy. Il ne se casse pas la tête à propos du Neuvième Mystère : pour lui, c'est de la connerie, comme tout le reste du *Livre des Crânes.*

Et Oliver?

Oliver ne sait pas très bien. J'ai foi dans le *Livre des Crânes,* oui, parce que j'y ai foi, et donc je suppose que je dois accepter l'interprétation littérale du Neuvième Mystère. Oui, mais je me suis embarqué là-dedans pour vivre, pas pour mourir, et je n'ai jamais tellement songé à l'éventualité où c'est moi qui tomberais sur la courte paille. En supposant que le Neuvième Mystère corresponde vraiment à ce que nous croyons, qui seraient les victimes?

Ned a déjà fait connaître qu'il lui est indifférent de vivre ou de mourir. Un soir de février qu'il était bourré, il nous a harangués pendant deux heures sur l'esthétique du suicide. Transpirant, le visage empourpré, agitant les bras en soufflant. Lénine sur une caisse à savon. De temps en temps, nous nous branchions pour saisir le sens général. D'accord, appliquons à Ned la ristourne habituelle et concluons que ses propos de mort sont aux neuf dixièmes une attitude romantique. Cela fait tout de même de lui notre candidat le mieux placé au départ volontaire. Et la victime assassinée? Eli, naturellement. Ça ne pourrait pas être moi : je me défendrais trop, j'emmènerais au moins un des deux salauds avec moi dans la tombe, et ils le savent très bien. Ni Timothy : il est bâti comme une montagne, on ne pourrait pas le tuer avec une barre à mine. Tandis que Timothy et moi, on pourrait liquider Eli en moins de deux minutes.

Bon Dieu! comme je déteste ce genre de spéculation!

Je n'ai pas envie de tuer qui que ce soit. Je ne veux voir mourir personne. Je veux seulement continuer moi-même à vivre, le plus longtemps possible.

Mais si ce sont les conditions? Si le prix d'une vie est une vie?

XI

ELI

NOUS entrâmes dans Chicago au crépuscule, après avoir roulé toute la journée. Cent dix, cent vingt à l'heure pendant des heures et des heures à peine entrecoupées d'arrêts. Les quatre dernières heures, nous n'avons pas fait halte une seule fois. Oliver fonçait comme un dingue sur l'autoroute. Crampes dans les jambes. Le cul endolori. Les yeux vitreux. Le cerveau en compote. Pouvoir hypnotique de la route. Tandis que le soleil descendait sur l'horizon, la couleur semblait avoir quitté le monde. Un bleu uniforme s'installait partout : le ciel, la campagne, la chaussée. L'ensemble du spectre était attiré vers l'ultra-violet. C'était comme quand on se trouve au milieu de l'océan, incapable de distinguer ce qui est au-dessus de l'horizon de ce qui est en dessous. J'avais dormi très peu la nuit dernière. Deux heures au plus, probablement moins. Quand on ne parlait pas ou qu'on ne faisait pas l'amour, on était allongés côte à côte dans une espèce de somnolence hébétée. Ah! Mickey! Mickey! J'ai encore ton odeur au bout de mes doigts. Je te respire. Trois fois entre minuit et l'aube. Comme tu as été timide au début, dans l'étroite chambre à coucher, peinture vert pâle écaillée, posters psychédéliques, John Lennon et Yoko aux joues flasques qui nous regardaient nous déshabiller, et toi qui rentrais les épaules pour essayer de me cacher tes seins et qui te glissais furtivement à l'abri des couvertures. Pourquoi? Tu trouves que ton corps est si déficient? D'accord, tu es maigre, tu as les coudes pointus et pas beaucoup de poitrine. Tu n'es pas Aphrodite. As-tu besoin de l'être? Suis-je Apollon? Au moins, tu ne t'es pas crispée dans mes bras. Je me demande si tu as joui. Je ne sais jamais dire si elles jouissent. Où sont les spasmes gémissants, hurlants, dont on parle dans les livres? Pas mon genre de filles, je suppose. Les miennes sont trop polies pour de telles éruptions orgasmiques. J'aurais dû me faire moine. Laisser le baisage aux baiseurs et consacrer mes énergies à la recherche du profond. Je ne suis d'ailleurs probablement pas très fort en baisocratrie. Qu'Origène soit mon guide : dans un de mes moments d'exaltation, je me pratiquerai l'auto-orchidectomie et je déposerai mes couilles en offrande sur le saint autel. Pour ne plus jamais ressentir les distractions de la passion. Hélas! non, j'aime trop ça! Accorde-moi la chasteté, Seigneur, mais, s'il te plaît, attends encore un peu. J'ai le numéro de téléphone de Mickey. Je l'appellerai quand je serai de retour de l'Arizona. (Quand je serai de retour! *Si* je suis de retour. Et à quoi ressemblerai-je alors?) Mickey est juste la fille qu'il me faut, en fait. Je dois me fixer des objectifs sexuels modestes. Pas pour moi les blondes détonantes, pas pour moi les sportives, les contraltos sophistiquées. Pour moi les petites souris douces. La LuAnn d'Oliver me couperait d'ennui tous mes moyens au bout d'un quart d'heure, bien que j'avoue que je la supporterais au moins une fois rien que pour ses seins. Et la Margo de Timothy? Il vaut mieux ne pas y penser. C'est Mickey qui me convient. Mickey pâle, Mickey étincelante, Mickey proche, Mickey lointaine. Douze cents kilomètres à l'est de moi, en ce moment. Je me demande ce qu'elle dit de moi à ses amies. Qu'elle me magnifie Qu'elle me romantise. J'en ai bien besoin.

Nous voilà donc à Chicago. Pourquoi Chicago? N'est-ce pas un peu en dehors de la ligne droite qui unit Phoenix à

New York? J'en ai bien l'impression. Si c'était moi le navigateur, j'aurais tracé un itinéraire d'un coin du continent à l'autre en passant par Pittsburgh et Cincinnati, mais peut-être que les autoroutes les plus rapides ne suivent pas le chemin le plus court, et, de toute façon, c'est Timothy qui voulait venir à Chicago, apparemment pour des raisons sentimentales. Il a passé toute sa jeunesse ici. Ou, plutôt, la partie de son enfance qu'il n'a pas passée dans le domaine de son père en Pennsylvanie, il l'a passée ici dans le *penthouse* de sa mère au-dessus de Lake Shore Drive. Est-ce qu'il existe des épiscopaliens qui ne divorcent pas tous les seize ans? Est-ce qu'il y en a qui n'ont pas une paire de pères et de mères au minimum? Je vois d'ici les annonces de mariages dans les journaux du dimanche :

Miss Rowan Demarest Hemple, fille de Mrs. Charles Holt Wilmerding, de Grosse Pointe, Michigan, et de Mr. Dayton Belknap Hemple, de Bedford Hills, New York et Montego Bay, Jamaïque, a épousé cet après-midi, en la chapelle épiscopale, le docteur Forrester Chiswell Birdsall, quatrième du nom, fils de Mrs. Elliot Moulton Peck, de Bar Harbor, Maine, et de Mr. Forrester Chiswell Birdsall, troisième du nom, d'East Islip, Long Island.

Et cætera ad infinitum. Quel conclave cela doit faire, un tel mariage, avec tous ces couples multiples qui se réunissent pour célébrer, chacun étant le cousin de tout le monde, chacun marié deux ou trois fois au moins. Les noms, les triples noms, sanctifiés par le temps, les filles appelées Rowan et Choate, et Palmer, les garçons appelés Amory et McGeorge, et Harcourt. J'ai été élevé avec des Barbara, des Loïse, des Claire, des Mike, des Dick et des Sheldon. McGeorge devient Mac mais comment appelle-t-on un jeune Harcourt quand on joue aux gendarmes et aux voleurs avec lui? Et une fille nommée Palmer ou Choate? C'est un monde différent, ces *Wasps,* c'est tout un monde différent. Le divorce! La mère (Mrs. X... Y... Z...) habite Chicago, le père (Mr. A... B... C...) habite la banlieue de Philadelphie. Mes parents, qui vont célébrer leur trentième anniversaire de mariage au mois d'août, n'ont pas cessé de se lancer à la figure pendant toute ma jeunesse : le divorce, le divorce, j'en ai assez! Je vais m'en aller de cette maison pour ne plus jamais revenir! L'incompatibilité bourgeoise normale. Mais divorcer vraiment? Faire venir un avocat? Mon père se serait fait décirconciser d'abord, ma mère serait entrée toute nue chez Gimbels. Dans chaque famille juive, il y a une tante qui a divorcé jadis, il y a longtemps, on n'en parle plus maintenant. (On l'apprend un de ces quatre matins en surprenant une conversation entre deux parentes âgées évoquant des souvenirs, le nez dans leur tasse de thé.) Mais jamais avec des enfants. Jamais vous ne trouverez ces grappes de parents qui nécessitent des présentations complexes : je vous prie de faire la connaissance de ma mère et de son mari, je vous prie de faire la connaissance de mon père et de sa femme.

Timothy n'alla pas voir sa mère pendant notre séjour à Chicago. Nous descendîmes pas très loin au sud de l'endroit où elle habitait, dans un motel du bord du lac en face du Grand Park (c'est Timothy qui paya la chambre, avec une carte de crédit, pas moins), mais il ne lui téléphona même pas. Les liens solides et affectueux des familles *goyishe*. Oui, vraiment. (L'appeler, s'engueuler au téléphone, et alors, pourquoi pas?) Au lieu de cela, il nous fit faire une visite nocturne de la ville, en se comportant en partie comme s'il en était le propriétaire attitré, et en partie comme s'il était le guide à bord d'un autobus d'excursion de la Gray Line. Ici, vous avez les tours jumelles de Marina City, ici vous avez le gratte-ciel John Hancock, et voici l'Art Institute, et là le célèbre quartier des boutiques de Michigan Avenue. En fait, je fus impressionné, moi qui n'étais jamais allé plus à l'ouest que Parsippany, dans le New Jersey, mais qui m'étais fait une idée bien précise de la nature probable de ce grand cœur de l'Amérique. Je m'étais attendu à un Chicago crasseux et étriqué, un sommet de désolation du Middle-West avec des immeubles en brique rouge à sept étages datant du XIXᵉ siècle, et à une population entièrement faite de travailleurs polonais, hongrois et irlandais en salopette. Alors que j'avais devant moi une ville de larges avenues et de gratte-ciel étincelants. L'architecture était saisissante. Il n'y a rien à New York qui soit comparable à cela. Bien sûr, nous n'avons pas bougé des bords du lac. Va seulement cinq rues vers l'intérieur, et tu verras toute la misère que tu désires, m'avait promis Ned. En tout cas, la petite partie de Chicago que nous avons vue était féerique. Timothy nous emmena dîner dans un restaurant français qu'il connaissait bien, juste en face d'un curieux monument d'antiquité connu sous le nom de Water Tower. Une occasion de plus de vérifier la véracité de la maxime de Fitzgerald sur les riches : « Ils *sont* différents de vous et de moi. » Je connaissais les restaurants français comme vous vous connaissez les restaurants tibétains ou martiens. Mes parents ne m'avaient jamais emmené au *Pavillon* ou au *Chambord* pour les grandes occasions : j'avais eu droit au *Brass Rail* quand j'avais réussi à mon examen d'entrée au lycée, et à *Schrafft* le jour où j'avais gagné ma bourse. Dîner à trois pour un peu moins de treize dollars, et je devais me considérer heureux avec ça. Les rares fois où je sors au restaurant avec une fille, ça ne va jamais plus loin qu'une pizza ou un *kung po chi ding*. Le menu du restaurant de Timothy, une extravagance de lettres d'or gravées sur des feuilles de vélin plus larges que le *New York Times*, était un mystère pour moi. Et Timothy, mon camarade de cours, mon coturne, se mouvait aisément à travers ses arcanes, nous suggérant les quenelles aux huîtres, les crêpes farcies et roulées, les escalopes de veau à l'estragon, le tournedos sauté chasseur, ou le homard à l'américaine. Oliver, naturellement, était aussi perdu que moi, mais à ma grande surprise, Ned, dont le milieu petit-bourgeois n'était pas tellement différent du mien, se montra un grand connaisseur et discuta avec compétence des mérites respectifs du gratin de ris de veau, des rognons de veau à la bordelaise, du caneton aux cerises et du suprême de volaille aux champignons. (L'été où il avait eu ses seize ans, nous expliqua-t-il par la suite, il avait servi de mignon à un distingué gourmet de Southampton.) Je me déclarai finalement incapable de venir à bout d'un tel menu, et ce fut Ned qui choisit pour moi tandis que Timothy rendait le même service à Oliver. Je me souviens des huîtres, de la soupe à la tortue, du vin blanc suivi par du rouge, d'un somptueux je-ne-sais-plus-quoi d'agneau, de pommes de terre qui semblaient surtout faites d'air, et du broccoli dans une épaisse sauce jaune. Après ça, cognac pour tout le monde. Des légions de garçons s'empressaient autour de nous comme si nous étions quatre banquiers en virée au lieu de quatre étudiants habillés comme des miteux. J'aperçus au passage le chiffre de l'addition : cent douze dollars, service non compris, et je faillis tomber à la renverse. Avec un geste noble, Timothy exhiba sa carte. Je me sentais fiévreux, étourdi, l'estomac barbouillé. J'avais peur de vomir sur la table, au milieu des lustres en cristal, des tapisseries de velours rouge et du linge de table élégant. Le spasme passa sans disgrâce, et je me sentis mieux, bien qu'un peu nauséeux, dès que nous eûmes mis les pieds dehors. Je me promis mentalement de consacrer cinquante ou soixante ans de mon immortalité à étudier sérieusement les arts culinaires. Timothy parla d'aller voir ensuite des *coffee-houses* dans le vent un peu plus au nord, mais l'idée fut repoussée à l'unanimité car nous étions fourbus. Nous rentrâmes à pied à l'hôtel, une heure peut-être dans un froid mordant.

Nous avions pris une suite : deux chambres à coucher, Ned et moi dans une, Timothy et Oliver dans l'autre. Je laissai tomber mes vêtements en boule et m'écroulai sur le lit. Pas assez de sommeil, trop de nourriture : effroyable.

Épuisé comme je l'étais, je restai éveillé, plus ou moins, dans un état de stupeur écrasée. Le dîner trop riche pesait comme une pierre dans mon estomac. Un bon dégobillage, décidai-je quelques heures plus tard, me ferait le plus grand bien. Je me levai, à poil, et me dirigeai en titubant vers la salle de bains qui séparait les deux chambres. Dans le corridor sombre, je rencontrai une apparition terrifiante. Une fille à poil, plus grande que moi, les seins lourds et oblongs, les hanches étonnamment larges, avec une couronne de cheveux bruns courts et frisés. Un succube de la nuit! Un fantôme engendré par mon imagination surchauffée!

— Salut, beau gosse! me dit-elle avec un clin d'œil, et elle passa devant moi dans une bouffée de parfum et de senteurs de chair. Je restai sidéré, le regard fixé sur ses fesses opulentes jusqu'à ce qu'elle ait refermé sur elles la porte de la salle de bains. Je tremblais de froid et de lubricité. Même l'acide ne m'avait jamais fait connaître pareille hallucination. Escoffier était-il plus fort que le L.S.D.? Comme elle était belle, modelée, élégante! J'entendis la chasse d'eau couler dans les chiottes. Je lançai un coup d'œil à l'autre chambre. Mes yeux s'étaient maintenant accoutumés à l'obscurité. Des lingeries féminines froufroutantes s'étalaient un peu partout. Timothy ronflait dans un lit; dans l'autre, Oliver, et sur l'oreiller d'Oliver une deuxième tête, féminine. Ce n'était pas une hallucination, alors. Où avaient-ils dégoté ces filles? La chambre à côté? Non. Je commençais à comprendre. Des call-girls fournies par la direction. La fidèle carte de crédit a servi encore. Timothy tire de la civilisation américaine un parti que moi, pauvre gars studieux du ghetto, je ne pourrai jamais espérer approcher. Vous avez envie d'une femme? Vous prenez votre téléphone et vous n'avez qu'à demander. J'avais la gorge sèche et le mât dressé. Je sentais le tonnerre rouler dans ma poitrine. Timothy est endormi. Très bien, puisqu'elle est louée pour la nuit, je vais l'emprunter un moment. Quand elle sortira des chiottes, j'irai bravement à elle, une main au nichon, une autre au derrière, je lui ferai la voix caverneuse de Bogart et je l'inviterai dans mon lit. Qu'est-ce que vous croyez. Et la porte s'ouvrit. Elle sortit en se dandinant, les seins ballants, ding-dong, ding-dong. Un clin d'œil. Et elle me dépassa. Disparut. Mes mains se refermèrent sur le vide. Son dos cambré grossi en deux joues étonnamment charnues; le parfum musqué à bon marché; la démarche fluide et déhanchée. La porte de la chambre me claqua au nez. Elle est louée, mais pas pour moi. Elle est à Timothy. J'entrai dans la salle de bains, m'agenouillai devant le trône, et passai une éternité à dégobiller. Ensuite, je regagnai mon lit et mes rêves froids de trip manqué.

Au matin, plus de filles visibles. Nous étions sur la route avant neuf heures. Oliver au volant. Prochaine escale, Saint Louis. Je sombrai dans une morosité apocalyptique. J'aurais fracassé des empires ce matin-là si j'avais eu le doigt sur le bon bouton. J'aurais libéré le docteur Folamour ou le loup Fenris [1]. J'aurais fait sauter l'univers, si on m'en avait donné la chance.

1. Monstre de la mythologie scandinave (N.d.T.).

XII

OLIVER

J'AI conduit cinq heures d'affilée. C'était beau. Ils voulaient s'arrêter pour pisser, pour se détendre les jambes, s'acheter des hamburgers, faire ci, faire ça, mais je n'ai pas fait attention à eux, j'ai continué à rouler, mon pied collé à l'accélérateur, mes doigts posés légèrement sur le volant, le dos absolument droit, la tête presque immobile, le regard rivé sur un point à huit ou dix mètres en avant du pare-brise. J'étais possédé par le rythme du mouvement. C'était presque quelque chose de sexuel : la longue voiture lisse fonçant en avant, violant l'autoroute, et moi au volant. J'en retirais un réel plaisir. A un moment, j'ai bandé. La veille avec ces putes que Timothy a dégotées, le cœur n'y était pas vraiment. Oh! j'ai quand même relui trois fois! Mais seulement parce que c'était ce qu'on attendait de moi et que, avec ma pingrerie de plouc, je ne voulais pas gaspiller le fric de Timothy. Trois coups, comme elle disait, la fille : « Tu veux tirer encore un coup, mon loup? » Mais ça, avec la voiture, l'effort soutenu et sans fin des cylindres, c'est pratiquement un rapport sexuel, c'est l'extase. Je crois que je comprends maintenant ce que ressent un fana de la moto. Encore et encore, et encore. La pulsation en dessous de vous. Nous avons pris la route 66 qui passe par Joliet, Bloomington, Springfield. Peu de circulation. Des files de poids lourds à certains endroits; mais à part ça, pas grand chose; et les poteaux télégraphiques défilent un par un, plic, plic, plic. Un kilomètre en quarante secondes, quatre cent cinquante kilomètres en cinq heures, même pour moi une excellente moyenne sur les routes de l'Est. Des champs nus et plats, certains encore avec de la neige. Ça rouspétait au poulailler. Eli, qui me traitait de foutue machine à conduire; Ned, qui m'emmerdait pour que je m'arrête. J'ai fait semblant de ne pas les entendre. A la fin, ils m'ont laissé tranquille. Timothy a dormi la plupart du temps. J'étais le roi de la route. A midi, il est apparu que nous serions à Saint Louis dans deux heures. Nous avions prévu de nous arrêter là, mais ça n'avait plus aucun sens, et quand Timothy s'est réveillé, il a sorti les cartes et les guides touristiques et a commencé à chercher la prochaine étape. Eli et lui se sont engueulés sur la façon dont il avait arrangé ça. Je n'ai pas tellement fait attention. Je crois qu'Eli disait qu'on aurait dû filer sur Kansas City en quittant Chicago au lieu de descendre vers Saint Louis. J'aurais pu leur dire ça depuis longtemps, mais je me fichais pas mal de la route qu'ils prenaient. Et il faut dire que je n'avais pas tellement envie de repasser par le Kansas. Timothy ne s'était pas rendu compte que Saint Louis était si près de Chicago quand il avait préparé notre itinéraire.

Je fermai les écoutilles sur leurs chamailleries, puis je passai un certain temps à réfléchir à quelque chose qu'avait dit Eli la veille au soir pendant que nous faisions les touristes dans les rues de Chicago. Ils n'avançaient pas assez à mon gré, et j'essayais de les pousser à se remuer un peu plus. Et Eli m'a dit :

— Tu veux la dévorer, cette ville, hein? Comme un touriste qui fait Paris.

— C'est la première fois que je viens à Chicago, lui répondis-je. Je veux voir le plus possible.

— O.K. T'as raison, fit-il.

Mais j'ai voulu savoir pourquoi il semblait si surpris que je sois curieux de visiter une ville inconnue. Il a paru gêné et désireux de changer de conversation. J'ai insisté. Finalement, il m'a expliqué, avec ce petit rire qu'il a toujours quand il veut montrer qu'il va dire quelque chose qui a des implications insultantes, mais qu'il ne faut pas trop prendre au sérieux :

— Je me demandais seulement pourquoi quelqu'un qui paraît si normal, si inséré dans la société, s'intéresse tant que ça à un dépaysement touristique.

A contrecœur, il a développé sa pensée : pour Eli, la soif d'expérience, la recherche de la connaissance, le désir d'aller voir ce qu'il y a en haut de la montagne sont des traits qui caractérisent avant tout ceux qui sont défavorisés d'une façon ou d'une autre : les membres d'une minorité, les gens qui ont des tares ou des handicaps physiques, ceux qui sont troublés par des inhibitions sociales, et ainsi de suite. Un grand plouc athlétique comme moi n'est pas censé posséder les névroses qui engendrent la curiosité intellectuelle; il est supposé être relaxé et décontracté, comme Timothy. Cette petite manifestation d'intérêt ne correspondait pas à ma personnalité, telle qu'elle était interprétée par Eli. Comme la chose ethnique lui tient tellement à cœur, j'étais prêt à lui faire dire que le désir d'apprendre est un trait que l'on trouve fondamentalement chez les siens, avec quelques honorables exceptions, mais il n'est pas allé jusque-là, bien qu'il l'ait probablement pensé. Ce que je me demandais, et que je me demande toujours, c'est pourquoi il trouve que je suis si équilibré. Faut-il mesurer un mètre soixante-cinq et avoir une épaule plus haute que l'autre pour avoir les obsessions et les compulsions qu'Eli assimile à l'intelligence? Il me sous-estime. Il s'est fait de moi une image stéréotypée : le grand *goy* beau garçon et un peu crétin. J'aimerais le laisser regarder à l'intérieur de mon crâne de gentil pendant seulement cinq minutes.

66

Nous étions presque arrivés à Saint Louis. La voiture fonçait sur l'autoroute déserte au milieu de champs cultivés. Nous traversâmes bientôt quelque chose de triste et de détrempé qui s'appelait East Saint Louis, et, finalement, nous fûmes en vue de l'étincelante Gateway Arch, qui se dressait de l'autre côté du fleuve. Nous arrivâmes à un pont. L'idée qu'il fallait traverser le Mississippi laissait Eli absolument ahuri, et il passa la tête et les épaules par la portière pour regarder avec respect comme s'il était en train de traverser le Jourdain. Une fois sur la rive de Saint Louis, j'arrêtai la voiture devant une butte circulaire. Les trois autres sortirent comme des fous et se mirent à gambader. Je restai assis devant le volant. J'avais la tête qui tournait. Cinq heures sans s'arrêter! Extase! Finalement, je descendis aussi. Ma jambe droite était tout engourdie. Mais ça valait le coup pour ces cinq heures merveilleuses, cinq heures seul à seul avec la voiture et la route. Je regrettais qu'on ait dû s'arrêter.

XIII

NED

SOIRÉE fraîche dans les monts Ozark. Épuisement. Anoxie. Nausée. Les dividendes de l'auto-fatigue. Assez, c'est assez. Nous arrêtons là. Quatre robots aux yeux rouges descendent de voiture en titubant. Avons-nous vraiment roulé plus de seize cents kilomètres aujourd'hui? Illinois, Missouri, Oklahoma : longues traites à cent vingt, cent trente à l'heure. Et si nous avions écouté Oliver, nous en aurions fait cinq cents de plus avant de crier pouce. Mais nous ne pouvions pas continuer. Oliver lui-même admet que la qualité de sa performance a commencé à diminuer après les mille premiers kilomètres. Il a failli nous verser dans le fossé à la sortie de Joplin, groggy, les yeux vitreux, les mains ankylosées incapables de suivre le virage que son cerveau enregistrait. Timothy a conduit peut-être deux cents bornes aujourd'hui. J'ai dû faire le reste, plusieurs morceaux représentant trois ou quatre heures de pure terreur. Nous ne pouvons pas faire plus. La rançon psychique est trop forte. Le doute, le désespoir, le découragement se sont glissés dans nos rangs. Écœurés, défaits, désillusionnés, nous nous traînons vers le motel que nous avons choisi, chacun se demandant en son for intérieur comment il a pu se lancer dans une pareille aventure. Oui! Le Motel du Moment de Vérité, Nulle Part, Oklahoma! Le Motel du Bord de la Réalité! L'Auberge du

Scepticisme! Vingt chambres, style colonial bidon, façade de plastique imitation brique et colonnes de bois blanches de chaque côté de l'entrée. Nous sommes les seuls clients, apparemment. La fille de la réception, dix-sept ans environ, mâchant son chewing-gum, a les cheveux roulés en une fantastique ruche à la mode du début des années 60 qui doit tenir en place avec un fluide spécial embaumements. Elle nous regarde avec une langueur placide. Ses yeux sont lourdement maquillés : paupières turquoise ourlées de noir. Une guenipe, une traînée, trop poufiasse pour être même une putain convenable.

— La cafétéria ferme à dix heures, nous annonce-t-elle avec un bizarre accent traînant.

Timothy songe à l'inviter à venir ce soir dans sa chambre, c'est visible. Il doit vouloir l'incorporer à je ne sais quelle collection de figures typiquement américaines qu'il est en train de faire. En fait, si je puis me permettre de donner mon point de vue en ma qualité d'observateur impartial, sous-ordre des pervers polymorphes, elle ne serait pas tellement moche à condition d'être débarrassée de tout ce maquillage et de la pièce montée qui lui sert de coiffure. Petits seins hauts sous son uniforme vert, pommettes et nez saillants. Mais le regard bovin, les lèvres molles, ça on ne peut pas le lui ôter. Oliver lance à Timothy un regard furieux, pour l'avertir de ne rien entreprendre avec elle. Pour une fois, Timothy cède. L'atmosphère dépressive ambiante a eu raison de lui. Elle nous donne deux chambres contiguës à deux lits, treize dollars pièce, et Timothy sort son tout-puissant carton de plastique.

— C'est juste après le coin à gauche, nous dit-elle en glissant la carte sous la machine pour, une fois les gestes mécaniques accomplis, faire totalement abstraction de notre présence et se replonger dans le spectacle offert par un poste de télévision japonais perché sur le comptoir.

Nous tournons le coin à gauche, passons devant une

piscine vide et trouvons nos chambres. Il faut se dépêcher si on veut arriver à temps pour dîner. On pose les bagages, on s'asperge le visage d'un peu d'eau, et on court à la cafétéria. Une seule serveuse, les épaules avachies, mâchant aussi son chewing-gum. Elle pourrait être la sœur de celle de tout à l'heure. Elle aussi a eu une journée épuisante. Une âcre odeur de con nous agresse quand elle se penche sur la table en formica pour déposer bruyamment les couverts.

Qu'est-ce que ce sera ? Pas d'escalopes de veau ce soir, ni de caneton aux cerises. Des hamburgers comme du caoutchouc, un café huileux. Nous mangeons en silence, puis, silencieusement, nous regagnons nos pénates. Nous ôtons nos vêtements moites. Sous la douche. Eli d'abord, ensuite moi. La porte qui relie leur chambre à la nôtre peut s'ouvrir. Elle est ouverte. Des coups sourds proviennent de l'autre côté : Oliver, à poil, à genoux devant la télévision, tripote les boutons. Je le contemple, ses fesses tendues, son dos large, ses parties génitales pendantes entre ses cuisses musclées. Je refoule mes pensées lubriques. Ces trois humanistes ont résolu une fois pour toutes le problème de la cohabitation avec un compagnon bisexuel. Ils font comme si ma « maladie », mon « état », n'existait pas, et ils règlent leur comportement sur ce principe. Première règle libérale : ne pas être paternaliste avec les handicapés. Faire comme si l'aveugle voyait, comme si le Noir était blanc, comme si le pédé n'éprouvait pas de frissons à la vue du cul blanc d'Oliver. Je ne lui ai jamais fait de proposition ouvertement, mais il sait bien. Il n'est pas si con que ça, Oliver.

Pourquoi sommes-nous tous si déprimés ce soir ? Pourquoi cette baisse de confiance ?

C'est Eli qui a dû nous coller cela. Toute la journée, il a été d'humeur sinistre, perdu dans des abîmes de découragement existentiel. Je pense qu'il s'agissait d'une mélancolie personnelle, née des difficultés d'Eli à s'intégrer à son environnement immédiat et au cosmos en général, mais elle s'est subtilement, insidieusement, généralisée et répandue parmi nous tous.

Elle se présente sous la forme d'un quadruple doute :

1. Pourquoi nous sommes-nous donné la peine d'entreprendre ce voyage?

2. Qu'espérons-nous gagner exactement?

3. Pouvons-nous espérer vraiment trouver ce que nous cherchons?

4. Si nous le trouvons, est-ce que nous le voudrons?

Ainsi, ça recommence, le travail d'auto-persuasion. Eli a ressorti tous ses documents et les étudie avec attention : le manuscrit de sa traduction du *Livre des Crânes,* la photocopie de l'article de journal qui l'a amené à faire le rapprochement entre cet endroit où nous allons dans l'Arizona et l'ancien culte représenté par le livre, ainsi que toute une masse de documents et de références périphériques. Il relève la tête au bout d'un moment en lisant :

Tout ce qu'on sait en médecine n'est presque rien en comparaison de ce qui reste à y savoir, et on se pourrait exempter d'une infinité de maladies, tant du corps que de l'esprit, et même aussi peut-être de l'affaiblissement de la vieillesse, si on avait assez de connaissance de leurs causes et de tous les remèdes dont la nature nous a pourvus.

C'est écrit par Descartes, dans le *Discours sur la méthode.* Et Descartes encore, à l'âge de quarante-deux ans, écrivant au père d'Huygens :

Je n'ai jamais eu plus de soin de me conserver que maintenant, et au lieu que je pensais autrefois que la mort ne me pût ôter que trente ou quarante ans tout au plus, elle ne saurait désormais me surprendre qu'elle ne m'ôte l'espérance de plus d'un siècle. Car il me semble voir très évidemment que si nous nous gardions seulement de certaines fautes que nous avons coutume de commettre au régime de notre vie, nous pourrions sans autre invention parvenir à une vieillesse beaucoup plus longue et plus heureuse que nous ne faisons.

Ce n'est pas la première fois que j'entends ça. Eli nous a déjà lu ces documents depuis longtemps. La décision de faire le voyage en Arizona a mûri avec beaucoup de lenteur et a été accompagnée par quantités de discussions pseudo-philosophiques. Ce que j'avais dit alors, je le répétai maintenant :

— Descartes est mort à cinquante-quatre ans.

— Un accident. Par surprise. En outre, il n'avait pas encore perfectionné ses théories sur la longévité.

— Dommage qu'il n'ait pas travaillé plus vite, fait Timothy.

— Oui, dommage pour nous tous, répond Eli. Mais nous avons les Gardiens des Crânes à qui nous adresser. Eux ont pu perfectionner leur technique.

— C'est toi qui le dis.

— Telle est ma conviction, fait Eli en essayant de prendre un air convaincu. Et le processus familier recommence. Eli, érodé par la fatigue, titubant au bord du scepticisme, nous ressert ses arguments pour essayer de mettre de l'ordre dans sa tête. Mains en avant, doigts écartés, le geste pédagogique :

— Nous sommes tous d'accord pour trouver que la froideur n'est plus de mise, le pragmatisme est à éliminer, l'incrédulité sophistiquée dépassée. Nous avons essayé toutes ces attitudes, et elles ne nous conduisent à rien. Elles nous coupent de ce qui est important. Elles ne répondent pas aux véritables questions. Elles nous font paraître sages et cyniques, mais toujours ignorants. Tout le monde est d'accord?

Oliver, le regard rigide, acquiesce. Timothy fait de

même, avec un bâillement. Même moi qui opine avec un sourire sarcastique.

Eli enchaîne de nouveau : « Il ne reste plus de mystère dans notre vie moderne. La génération scientifique a tout tué. La purge rationaliste, faisant la chasse à l'invraisemblable et à l'inexplicable. Voyez comme la religion est devenue creuse au cours des cent dernières années. " Dieu est mort ", disent-ils. Ça, pour sûr : tué, assassiné. Regardez-moi : je suis un Juif. J'ai pris des leçons d'hébreu comme un bon petit youpin, j'ai lu la Thora, j'ai fait ma bar mitzvah, ils m'ont fait cadeau des stylos... Est-ce que quelqu'un m'a jamais parlé de Dieu dans aucun contexte digne d'être écouté? Dieu était quelqu'un qui parlait à Moïse. Dieu était une colonne de feu il y a quatre mille ans. Où est Dieu maintenant? Ce n'est pas à un Juif qu'il faut demander ça. Nous ne l'avons pas vu depuis pas mal de temps. Nous adorons ses commandements, ses lois diététiques, ses coutumes, les mots de la Bible, le papier sur lequel la Bible est imprimée, le livre relié lui-même, mais nous n'adorons pas d'êtres surnaturels comme Dieu. Le vieillard aux favoris qui compte les péchés, non, ça c'est pour le *shvartzer,* ça c'est pour le *goy.* Mais vous trois, les *goyim,* qu'est-ce que vous avez? Vous avez des religions vides aussi. Toi, Timothy, la *High Church :* tu as des nuages d'encens, des robes de brocart, des enfants de chœur qui chantent Vaugham Williams et Elgar. Toi, Oliver, méthodiste, baptiste, presbytérien, je ne me souviens même pas, ce sont des mots vides, vides de contenu spirituel, de mystère, d'extase. Comme s'il y avait des Juifs réformistes. Et toi, Ned, le papiste : le prêtre contrarié, qu'est-ce que tu as? La Vierge? Les Saints? L'Enfant Jésus? Tu ne peux pas croire à toutes ces conneries. C'est pour les paysans, c'est pour le prolétariat. Les icônes et l'eau bénite. Le pain et le vin. Tu aimerais bien y croire – bon Dieu! moi aussi j'aimerais bien y croire! La religion catholique est la seule qui soit complète dans cette foutue civilisation, la seule qui essaye même d'aborder le mystère, les résonances avec le surnaturel, l'intuition des forces supérieures. Seulement, ils ont tout gâché, ils nous ont tout gâché, il n'y a pas une chose qu'on puisse accepter. C'est Bing Crosby ou Ingrid Bergman, c'est les Berrigan publiant des manifestes ou des Polonais mettant le pays en garde contre l'existence de communautés sans Dieu et de films réservés aux adultes. La religion, c'est fini. Et où cela nous laisse-t-il? Tous seuls sous un ciel de cauchemar à attendre la fin. A attendre la fin.

— Il y a plein de gens qui vont encore à l'église, fit remarquer Timothy. Même à la synagogue, je suppose.

— Par habitude. Ou par peur. Ou par besoin social. Est-ce qu'ils ouvrent leurs âmes à Dieu? Quand est-ce que tu as ouvert ton âme à Dieu pour la dernière fois, Timothy? Et toi, Oliver? Et toi, Ned? Et moi-même? Quand avons-nous même songé un seul instant à faire une chose semblable? Cela paraît absurde. Dieu a été tellement pollué par les évangélistes, les archéologues, les théologiens et les faux dévots qu'il n'y a rien de surprenant à ce qu'Il soit mort. Suicide. Mais où cela nous laisse-t-il? Allons-nous nous transformer en savants et tout expliquer en termes de neutrons, de protons et d'A.D.N.? Où est le mystère? Où est la profondeur? Nous devons tout faire par nous-mêmes. Il appartient à l'homme moderne intelligent de créer une atmosphère où il sera possible de s'abandonner à l'invraisemblable. Un esprit fermé est un esprit mort.

Eli commençait à s'échauffer, maintenant. Une sorte de ferveur s'emparait de lui. Le Billy Graham de l'Âge des Hippies.

— Pendant les huit ou dix dernières années, nous avons tous essayé d'aller vaille que vaille vers une quelconque espèce de synthèse qui soit viable, une structure corrélative qui maintienne le monde pour nous au milieu de tout ce chaos. La drogue, les communes, le rock, tout le truc transcendantaliste, l'astrologie, la macrobiotique, le Zen – nous cherchons, c'est vrai. Nous cherchons tout le temps. Et, parfois, nous trouvons. Pas toujours. Nous allons chercher dans des tas d'endroits idiots, parce qu'en fait nous sommes des idiots, même les meilleurs d'entre nous, et aussi parce que nous ne pouvons pas connaître les réponses jusqu'à ce que nous ayons posé encore plus de questions. Aussi nous courons après les soucoupes volantes. Nous mettons des scaphandres et nous descendons chercher l'Atlantide. Nous nageons dans la mythologie, le fantastique, la paranoïa, mille sortes d'irrationalités. Tout ce qu'*ils* ont rejeté, nous le prenons à notre compte, souvent sans avoir de meilleur prétexte que leur refus même. La fuite du rationnel, je ne la défends pas. Je dis seulement qu'elle est nécessaire. C'est un stade par lequel nous sommes obligés de passer. Le feu, l'endurcissement. L'homme occidental a échappé à l'ignorance superstitieuse pour tomber dans le vide matérialiste. Maintenant, il nous faut continuer, parfois sur des voies de garage ou de fausses pistes, jusqu'à ce que nous apprenions à accepter l'univers avec tous ses formidables et inexplicables mystères, jusqu'à ce que nous découvrions ce que nous cherchons, la synthèse, le principe qui nous permettra de vivre comme nous le devrions. Alors, nous pourrons devenir immortels. Ou presque, ça ne fait pas tellement de différence.

Timothy demanda :

– Et tu veux nous faire croire que le *Livre des Crânes* nous indique la voie, hein?

– C'est une possibilité. Disons qu'il nous donne une chance finie d'accéder à l'infini. Ça ne te suffit pas? Ça ne vaut pas la peine d'essayer? Où les sarcasmes nous ont-ils menés? Où le doute nous a-t-il menés? Où le scepticisme peut-il nous conduire? Pourquoi ne pas juste essayer? Pourquoi ne pas aller voir?

Eli avait retrouvé la foi. Il transpirait, criait, nu comme

un ver, en agitant les bras. Son corps était en feu. Il était beau, en cet instant. Eli, beau!

Je déclarai :

— Je suis plongé jusqu'au cou dans cette histoire, et pourtant je n'en crois pas un mot. Vous me suivez? Je pige très bien la dialectique du mythe. Son impossibilité livre bataille à mon scepticisme et me pousse à continuer. Les tensions et les contradictions sont ma force motrice.

Timothy, l'avocat du diable, secoua la tête — un geste lourd, taurin, qui faisait osciller son corps comme un pendule :

— Voyons, dis-nous à quoi tu crois vraiment. Les Crânes, oui ou non? Le salut, ou bien merde! Réalité ou imagination. Lequel des deux?

— Tous les deux, répondis-je.

— Tous les deux? Tu ne peux pas choisir les deux.

— Oui, je peux! m'écriai-je. Tous les deux! Oui et non! Peux-tu me suivre là où je vis, Timothy? A l'endroit où la tension est la plus forte, où le oui côtoie étroitement le non? Où simultanément tu rejettes et acceptes l'existence de l'inexplicable? La vie éternelle! De la merde, hein? Le vieux rêve à l'eau de bidet? Et, pourtant, c'est réel aussi. Nous pouvons vivre mille ans, si nous voulons. Mais c'est impossible! Je l'affirme! Je le nie! J'applaudis! Je me gausse!

— Tu dis des conneries! grommela Timothy.

— Tu dis des choses sensées. Tes choses sensées, je chie dessus! Eli a raison : nous avons besoin de mystère, nous avons besoin de déraison, nous avons besoin de l'inconnu, de l'impossible. Toute une génération est en train de s'apprendre à croire à l'incroyable, Timothy. Et toi, avec tes cheveux en brosse, tu viens nous dire que c'est des conneries!

Timothy haussa les épaules :

— D'accord, je ne suis qu'un pauvre couillon de réac. Qu'est-ce que tu veux que j'y fasse?

76

— C'est une attitude. Un masque. Pauvre couillon de réac! Il t'isole, il t'épargne tout engagement quel qu'il soit, émotionnel, politique, idéologique, métaphysique. Tu déclares que tu n'y comprends rien et tu détournes les yeux en riant. Pourquoi être un zombie, Timothy? Pourquoi te déconnecter?

— Il n'y peut rien, Eli, dis-je. Il a été élevé en gentleman. Il est déconnecté par définition.

— Vous me faites chier! fit Timothy de sa plus belle voix de gentleman. Qu'est-ce que vous connaissez, vous autres? Et qu'est-ce que je fous là? A parcourir la moitié de l'hémisphère entraîné par un Juif et par un pédé pour vérifier l'existence d'un conte de fées vieux de mille ans!

Je lui fis une petite courbette :

— Bravo, Timothy! La marque d'un véritable homme du monde : il ne blesse jamais qu'intentionnellement.

— C'est toi qui poses la question, dit Eli. Réponds-y : Qu'est-ce que tu fous ici?

— Et ne dis pas que c'est moi qui t'ai entraîné, ajoutai-je. C'était l'idée d'Eli. Je suis aussi sceptique que toi, peut-être davantage.

Timothy renifla. Je crois qu'il se sentait dépassé par le nombre. Il déclara tranquillement :

— Je suis venu pour la balade. Vous m'avez demandé de venir. Il fallait quatre types, disiez-vous, et je n'avais rien de mieux à faire pour Pâques. Mes copains. Mes amis. J'ai accepté. Ma bagnole, mon fric. Je suis capable d'aller jusqu'au bout d'un gag. Margo est entichée d'astrologie. C'est la Balance par-ci et les Poissons par-là, et Mars qui transite dans la dixième maison du soleil, et Saturne à la corne. Elle ne baise jamais sans consulter d'abord les étoiles, ce qui parfois peut être fort gênant. Est-ce que je me fous d'elle pour autant? Est-ce que je la tourne en dérision pour ça comme fait son père?

— Seulement intérieurement, fit Eli.

— Ça, c'est mes oignons. J'accepte ce que je peux

accepter. Le reste, je n'en ai rien à foutre! Mais j'ai l'esprit large. Je tolère ses croyances, comme je tolère les tiennes, Eli. Encore une marque de l'homme du monde, Ned : il est aimable, il ne fait pas de prosélytisme. Il n'insiste jamais pour vendre sa marchandise aux dépens de celle d'un autre.

— Il n'a pas besoin de le faire, dis-je.

— Il n'en a pas besoin, c'est vrai. Mais d'accord, je suis là. C'est moi qui paye les notes, oui ou non? Je coopère à 400 pour 100. Faut-il que j'aie la foi, moi aussi? Faut-il que j'entre dans votre religion?

— Et qu'est-ce que tu feras, demanda Eli, quand tu seras dans le monastère et que les Gardiens nous offriront de subir l'Épreuve? Seras-tu aussi sceptique? Ton habitude de ne croire à rien t'empêchera-t-elle de te laisser faire?

— J'aviserai, répondit lentement Timothy, quand je disposerai d'un peu plus d'éléments pour me faire une idée. — Soudain, il se tourna vers Oliver : — On ne t'entend pas beaucoup, toi.

— Qu'est-ce que tu veux que je te dise? rétorqua Oliver. Son grand corps mince était allongé devant le poste de télévision. Chacun de ses muscles saillait sous sa peau : un manuel d'anatomie humaine ambulant. Son imposant appareil rose qui pendait au milieu d'une forêt dorée m'inspirait des pensées impies. *Retro me, Satanas*. Tel est le chemin de Gomorrhe, sinon celui de Sodome.

— Tu n'as rien à déclarer pour contribuer à cette discussion?

— Je n'ai pas vraiment suivi.

— Nous parlions de cette expédition. Le *Livre des Crânes* et le degré de créance que nous lui accordons, dit Timothy.

— Je vois.

— Aurais-tu la bonté de nous faire ta profession de foi, docteur Marshall?

Oliver semblait être à mi-chemin d'un voyage intergalactique. Il déclara :

— J'accorde le bénéfice du doute à Eli.

— Tu crois aux Crânes, alors? demanda Timothy.

— J'y crois.

— Même si nous savons que tout est est absurde?

— C'était aussi la position de Tertullien, intervint Eli. *Credo quia absurdum est.* Je crois parce que c'est absurde. Le contexte était différent, bien sûr, mais la psychologie est la même.

— Oui, c'est exactement ma position aussi! m'écriai-je. Je crois parce que c'est absurde. Ce bon vieux Tertullien. Il a exprimé exactement ce que je ressens.

— Pas moi, dit Oliver.

— Pas toi? s'étonna Eli.

— Non. Je crois *bien que* ce soit absurde.

— Pourquoi? demanda Eli.

— Pourquoi, Oliver? demandai-je à mon tour un long moment plus tard. Tu sais que c'est absurde, et pourtant tu y crois. Pour quelle raison?

— Parce que je ne peux pas faire autrement, dit-il. Parce que c'est mon seul espoir.

Il me regarda droit dans les yeux. Il avait une expression particulièrement dévastée, comme s'il avait regardé la mort de près et en était sorti vivant quand même, mais avec chacune de ses options anéantie, chacune de ses possibilités flétrie. Il avait entendu les fifres et les tambours du défilé mortel au bout de l'univers. Son regard de glace me pétrifiait. Ses mots rauques me transperçaient. *Je crois,* avait-il dit, *bien que ce soit absurde. Parce que je ne peux pas faire autrement. Parce que c'est mon seul espoir.* Un communiqué d'une autre planète. Je sentais la présence glacée de la mort, là parmi nous dans cette chambre, effleurant silencieusement notre chair rose de petits garçons.

XIV

TIMOTHY

NOUS sommes une drôle d'équipe, tous les quatre.
Comment avons-nous fait pour faire bande ensemble?
Quel enchevêtrement de lignes de vie nous a tous fait
échouer dans le même dortoir?

Au début, il y avait juste Oliver et moi, deux nouveaux
affectés par ordinateur dans une chambre à deux lits
dominant la cour de l'université. Je sortais à peine
d'Andover, et j'étais tout plein de ma propre importance.
Je ne veux pas dire que j'étais impressionné par l'argent
familial. J'avais toujours considéré cela comme acquis.
Tous les gens que je fréquentais étaient riches, aussi je ne
pouvais pas avoir la notion exacte de notre richesse. De
toute façon, je n'avais rien fait pour gagner cet argent (ni
mon père, ni le père de mon père, ni le père du père de mon
père, et cætera et cætera), aussi pourquoi me gonfler? Mais
ce qui me tournait la tête, c'était le sens des ancêtres, le
fait de savoir que j'avais en moi le sang de héros de la
Guerre d'Indépendance, de sénateurs, de membres du
Congrès, de diplomates et de grands financiers du XIXᵉ siècle. J'étais un résumé d'histoire ambulant. Et je me
réjouissais d'être grand, fort et en bonne santé – un esprit
sain dans un corps sain : gâté par la nature. De l'autre côté
du campus était un monde plein de Noirs et de Juifs, de
névrosés, d'homosexuels et autres inadaptés, mais moi

j'avais aligné trois cerises sur la grande machine à sous de la vie, et j'étais fier de ma chance. J'avais aussi cent dollars d'argent de poche par semaine, ce qui était bien pratique, et je ne sais pas si je me rendais bien compte que la plupart des autres garçons de dix-huit ans devaient se contenter de beaucoup moins. Puis il y a eu Oliver. Je me disais que l'ordinateur avait eu la main heureuse, car j'aurais pu tomber sur quelqu'un de difforme, quelqu'un de bizarre, quelqu'un à l'âme mesquine et envieuse, alors qu'Oliver semblait parfaitement normal. Le bon paysan gorgé de céréales des solitudes du Kansas. Il avait la même taille que moi – un ou deux centimètres de plus, en fait – et c'était bath : je me sens mal à l'aise avec les types petits. Oliver avait un abord peu compliqué. N'importe quoi ou presque le faisait sourire. Le type facile à vivre. Ses parents étaient morts. Il avait une bourse à 100 pour 100. Je réalisai tout de suite qu'il n'avait pas d'argent, et j'eus peur au début que cela ne soit une source de ressentiment entre nous. Mais non, il prenait ça très froidement. Le fric ne semblait pas l'intéresser particulièrement du moment qu'il en avait assez pour s'acheter de quoi manger et de quoi s'habiller. Et puis, il avait un petit héritage, provenant de la vente de la ferme paternelle. Il était amusé, et non pas offensé, par l'impressionnant rouleau de banknotes que j'avais toujours sur moi. Il m'annonça le premier jour qu'il avait l'intention de s'inscrire dans l'équipe de basket, et j'en conclus qu'il avait une bourse de sports, mais je me trompais : il aimait le basket, il s'en occupait sérieusement, mais il était là pour *apprendre*. C'était là la vraie différence entre nous, pas le Kansas, ni l'argent, mais ce désir d'arriver quelque part.

Je fréquentais l'université parce que tous les hommes de ma famille le faisaient avant d'entrer dans l'âge adulte. Oliver était là pour se transformer en une féroce machine intellectuelle. Il avait – et il a toujours – une force intérieure incroyable, extraordinaire, écrasante. Parfois, pendant les premières semaines, il m'arrivait de le surprendre sans masque. Le sourire béat du garçon de ferme radieux disparaissait et son visage devenait rigide, ses maxillaires étaient crispés, ses yeux lançaient un éclat froid. Une telle intensité pouvait être effrayante. Il fallait qu'il soit parfait en tout. Il avait A presque partout, sa moyenne était proche du maximum absolu. Il avait réussi à se qualifier pour l'équipe de basket et pulvérisa les records de score personnel au match d'ouverture. Il veillait la moitié de la nuit pour étudier, il ne dormait presque pas. Pourtant, il s'arrangeait pour être humain quand même. Il buvait beaucoup de bière, il baisait avec un grand nombre de filles (nous avions l'habitude d'échanger) et il jouait honorablement de la guitare. Le seul cas où il laissait entrevoir le second Oliver, l'Oliver inhumain, c'était sur la question des drogues. Quinze jours après mon arrivée au campus, j'avais réussi à me procurer une petite provision de hasch extra du Maroc, et il avait absolument refusé d'y toucher. Il avait passé, disait-il, dix-sept ans et demi de sa vie à se calibrer correctement l'esprit, et il ne voulait pas tout gâcher maintenant. Je ne l'ai pas vu non plus fumer un seul clope de marihuana depuis quatre ans que je le connais. Il veut bien nous regarder fumer, mais ce n'est pas pour lui.

Au printemps de notre seconde année, Ned se joignit à nous. Oliver et moi avions demandé à rester dans la même chambre. Ned assistait à deux des cours d'Oliver : la physique, dont Ned avait besoin pour remplir son unité de valeur scientifique obligatoire, et la littérature comparée, dont Oliver avait besoin pour remplir son unité de valeur littéraire obligatoire. Oliver avait un peu de fil à retordre avec Yeats et Joyce, et Ned avait du mal à piger la théorie des quanta et la thermodynamique, aussi ils avaient conclu un accord d'assistance mutuelle. C'était l'attirance des extrêmes, ces deux-là. Ned était maigre, petit, il parlait doucement, avait de grands yeux tranquilles et la démarche délicate. Irlandais de Boston, antécédents fortement catholiques, il avait fréquenté les écoles paroissiales. Il portait encore un crucifix quand nous étions en deuxième année, et parfois il se rendait même à la messe. Il voulait être poète ou écrivain. Ou plutôt, « voulait » n'est pas le terme exact, comme Ned lui-même nous l'avait expliqué un jour. Les gens qui ont le talent nécessaire ne *veulent* pas être écrivains. Ou bien on l'a, ou bien on ne l'a pas. Ceux qui l'ont écrivent, et ceux qui ne l'ont pas disent qu'ils veulent écrire. Ned écrivait tout le temps. Encore maintenant. Il a un carnet à reliure spirale. Il note tout ce qu'il entend. En fait, mon opinion c'est que ses nouvelles ne valent rien et que sa poésie n'a aucun sens, mais je reconnais que c'est plutôt mon goût qui est déficient, et non son talent, car j'éprouve la même chose pour des tas d'auteurs bien plus célèbres que Ned. Au moins, il travaille son art.

Il devint pour nous une sorte de mascotte. Il était toujours beaucoup plus proche d'Oliver que de moi, mais j'étais habitué à sa présence. C'était quelqu'un de différent, quelqu'un qui avait un point de vue entièrement autre de la vie. Sa voix enrouée, ses yeux de chien battu, ses habits de hippy (il portait beaucoup la robe, histoire je suppose de faire croire qu'il était quand même un peu prêtre), sa poésie, sa manière particulière de manier le sarcasme, son esprit compliqué (il prenait toujours deux ou trois partis dans chaque discussion et s'arrangeait pour croire à tout et à rien simultanément) – tout cela me fascinait. Nous devions être aussi différents à ses yeux qu'il l'était aux nôtres. Il passait une si grande partie de son temps chez nous qu'au début de notre troisième année nous l'invitâmes à loger avec nous. Je ne me rappelle plus de qui était l'idée, d'Oliver ou de moi. (Ou de Ned?)

Je ne savais pas qu'il était pédé à l'époque. Le problème, quand on mène sa petite vie protégée de Blanc anglo-saxon, c'est qu'on voit l'humanité avec des œillères et qu'on ne s'attend jamais à rencontrer l'inattendu. Je savais qu'il existait des tantouzes, naturellement. Nous en avions à Andover. Elles marchaient avec les coudes levés et prenaient grand soin de leur chevelure et parlaient avec cet accent spécial, l'accent universel des tantes qu'on entend de l'État du Maine à celui de Californie. Elles lisaient Proust et Gide, et certaines portaient un soutien-gorge sous leur chemise. Mais Ned n'était pas particulièrement efféminé d'aspect. Et je n'étais pas de ces conards pour qui un type qui écrit (ou qui lit!) de la poésie est automatiquement un pédé. Il était artiste, oui, il était dans le vent, pas mâle pour un sou, mais on ne peut pas demander à un type qui pèse dans les cinquante-cinq kilos d'être un champion de rugby. (Il allait à la piscine presque tous les jours, cependant. Nous nagions le cul nu à l'université, naturellement, aussi c'était pour Ned une occasion gratuite de se rincer l'œil, mais à l'époque je n'y avais pas pensé.) La seule chose, c'est qu'il ne sortait à ma connaissance avec aucune fille, mais ce n'est pas en soi une condamnation. La semaine qui précéda nos examens finaux, il y a deux ans, nous avions organisé avec Oliver et quelques autres types ce qu'on pourrait appeler une orgie dans notre chambre, et Ned était présent, et il ne semblait pas dégoûté par cette perspective. Je l'ai vu baiser une nana, une petite serveuse boutonneuse qui travaillait dans un bar de la ville. Mais ce n'est que longtemps après que j'ai compris : primo, qu'une orgie pouvait fournir à Ned des matériaux utiles pour son métier d'écrivain, et, secundo, qu'il ne méprise pas véritablement la chatte; simplement, pour lui, ça ne vaut pas un garçon.

C'est Ned qui nous a amené Eli. Non, ils n'étaient pas ensemble, simplement copains. C'est pratiquement la première chose qu'Eli a tenu à me dire :

— Au cas où tu aurais des doutes, je suis hétéro. Je ne corresponds pas au type de Ned, et il ne correspond pas au mien.

Je n'oublierai jamais cela. C'était la première fois que quelqu'un faisait allusion à la condition de Ned, et je ne crois pas qu'Oliver non plus s'en était rendu compte, bien qu'on ne puisse jamais savoir ce qui se passe réellement dans la tête d'un type comme Oliver. Eli avait tout de suite pigé, bien sûr. Un type de la ville, un intellectuel de Manhattan. D'un seul coup d'œil, il situait n'importe qui. Il n'aimait pas le type avec qui il partageait sa chambre, et comme nous avions un grand appartement, il en a parlé à Ned, et Ned nous a demandé s'il pouvait venir chez nous, en novembre de notre troisième année. Mon premier Juif. Je ne savais pas ça, non plus – oh! Winchester, pauvre con de naïf! Eli Steinfeld, de la 83e Rue Ouest, et tu n'es pas foutu de deviner que c'est un youpin! Honnêtement, je croyais que c'était juste un nom allemand : les Juifs s'appellent Cohen, ou Katz, ou Goldberg. Je n'étais pas particulièrement captivé par la personnalité d'Eli, si vous voulez, mais, quand j'ai su qu'il était juif, j'ai senti que je devais le laisser venir habiter avec nous. Pour m'élargir l'esprit dans la diversité, oui, et aussi parce que mon éducation m'avait appris à détester les Juifs et qu'il fallait que je me révolte contre ça. Mon grand-père paternel avait eu quelques déboires avec des Juifs malins aux environs de 1923 : quelques spéculateurs de Wall Street au nez crochu l'avaient persuadé d'investir une forte somme dans une compagnie radiophonique qu'ils étaient en train de monter, et il s'est trouvé que c'étaient des escrocs et qu'il a perdu cinq millions de dollars, aussi c'est devenu une tradition dans la famille de se méfier des Juifs. Ils vont vulgaires, sournois, collants, et cætera et cætera, toujours en train d'essayer de déposséder les honnêtes millionnaires protestants de leur héritage durement gagné, et cætera et cætera. En fait, mon oncle Clark m'a un jour avoué que grand-père aurait doublé son fric s'il avait vendu huit mois plus tard, comme ses associés juifs l'avaient fait secrètement; mais non, il avait préféré attendre dans l'espoir d'un gain plus élevé, et il s'était fait flouer. Quoi qu'il en soit, je ne perpétue pas *toutes* les traditions familiales. Eli est venu s'installer. Petit, le teint mat, poilu, les yeux vifs et brillants, le nez volumineux. Un esprit brillant. Spécialiste des langues médiévales; déjà reconnu comme un chercheur important dans sa branche, et il étudie encore. Le revers de la médaille : il est complexé, névrosé, hypertendu, tracassé par sa masculinité. Tout le temps en train de rôder autour d'une fille, sans généralement arriver à rien. Et quelles filles : pas les grosses dondons que Ned affecte de préférer, Dieu sait pourquoi. C'est une autre sorte de mochetés qu'Eli affectionne : timides, maigrichonnes, grosses lunettes, poitrine comme une planche à pain, vous voyez facilement le genre. Naturellement, elles sont aussi complexées que lui, aussi terrifiées par le sexe, et elles ont du mal à venir à lui, ce qui ne fait qu'aggraver son problème. Il semble absolument incapable d'aborder une minette normale, jolie, sensuelle. Un jour de l'automne dernier, par pure charité chrétienne, j'avais voulu lui prêter ma Margo. Il a réagi comme le dernier des couillons.

Nous formions un quatuor unique. Je ne crois pas que j'oublierai jamais la première (et probablement unique) fois où nos parents se sont rencontrés, au printemps de notre troisième année, à l'occasion du Grand Carnaval. Jusqu'à ce moment-là, je ne crois pas que les parents d'aucun d'entre nous s'étaient fait une idée même approximative des compagnons de chambre de leur fils. J'avais invité une ou deux fois Oliver à la maison pour Noël, mais jamais Ned ou Eli, et je n'avais jamais rencontré leurs parents non plus. Et là, ils étaient tous réunis. Sauf Oliver, qui n'avait pas de famille, bien sûr. Et Ned avait perdu son père. Sa mère était osseuse, le visage décharné et les yeux enfoncés. Elle faisait presque un mètre quatre-vingts, était vêtue de noir avec un accent irlandais. Je n'arrivais pas à faire liaison avec Ned. La mère d'Eli était petite, boulotte, dandinante, guindée dans des habits trop voyants. Son père était presque invisible, par contre : le visage triste et effacé, il soupirait tout le temps. Ils paraissaient très vieux pour être les parents d'Eli : ils avaient dû l'avoir sur le tard. Et puis, il y avait mon père, qui ressemble à ce que j'imagine que je serai dans vingt-cinq ans : joues roses et lisses, cheveux épais virant du blond au gris, le regard nanti. Un homme important, séduisant, un P.-D.G. Il était accompagné de sa femme, Saybrook, qui doit avoir trente-huit ans et qui paraît dix ans de moins : grande, soignée de sa personne, longs cheveux blonds tombant sur ses épaules, corps musclé et bien charpenté. Tout à fait le genre chasse à courre. Imaginez ce groupe attablé sous un parasol dans la cour de l'université, essayant de faire la conversation. Mrs. Steinfeld prenant Oliver sous son aile, le pauvre petit orphelin. Mr. Steinfeld reluquant avec épouvante le costume à quatre cent cinquante dollars de mon père en pure soie italienne. La mère de Ned complètement hors du coup, ne comprenant ni son fils, ni les amis de son fils, ni leurs parents, ni aucun autre aspect du XXe siècle. Saybrook se lançant droit devant elle avec son aisance suprême de femme du monde, parlant avec entrain de ses thés de charité et du début imminent de sa belle-fille. (– C'est une actrice? demanda Mrs. Steinfeld, intriguée. – Je voulais dire son début dans le monde, répliqua Saybrook, tout aussi étonnée.) Mon père contemplant le bout de ses ongles, dévisageant les Steinfeld et Eli, refusant d'en croire ses yeux. Mr. Steinfeld essayant de faire la conversation, parlant de la Bourse à mon père. Mr. Steinfeld ne joue pas à la Bourse, mais il épluche soigneusement le *Times*. Mon père ne sait rien de l'état des cours. Tant que les dividendes arrivent régulièrement, ça suffit pour le rendre heureux; de plus, ça fait partie de sa religion de ne jamais parler d'argent. Il lance un signal à Saybrook, qui dévie adroitement la conversation en nous racontant comment elle préside un comité chargé de recueillir des fonds en faveur des réfugiés palestiniens.

« Vous savez », explique-t-elle, « ceux qui ont été chassés de leur pays par les Juifs à la naissance de l'État d'Israël ». Mrs. Steinfeld est interloquée. Dire une chose pareille devant un membre de la Hadassah! Mon père montre alors du doigt de l'autre côté de la cour un étudiant aux cheveux particulièrement longs qui est en train de passer : « J'aurais juré que c'était une fille jusqu'à ce qu'il tourne la tête », déclare-t-il. Et Oliver, qui a laissé pousser les siens jusqu'aux épaules, sans doute pour montrer ce qu'il pense du Kansas, lui lance son regard le plus glacial. Indifférent, ou inconscient, mon père continue : « Je me trompe peut-être, mais je ne peux pas m'empêcher de penser qu'un bon nombre de ces jeunes gens aux boucles flottantes ont, vous savez, des tendances homosexuelles. » Ned fait entendre un rire bruyant. La mère de Ned toussote en rougissant — pas parce qu'elle sait que son fils est pédé (l'idée lui paraîtrait incroyable), mais parce que Mr. Winchester qui avait l'air si bien a dit un mot grossier à table. Les Steinfeld, qui ne sont pas durs à comprendre, regardent Ned, puis Eli, puis se regardent l'un l'autre. Réaction très complexe. Leur garçon est-il en sécurité avec un tel camarade de chambre? Mon père ne comprend pas ce que sa remarque innocente a déclenché. Il voudrait bien s'excuser, mais il ne sait pas de quoi ni à qui. Il fronce les sourcils, et Saybrook lui chuchote quelque chose à l'oreille — tss! Saybrook! chuchoter en public, que dirait Emily Post? — et il répond en rougissant jusque dans l'infra-rouge :

— Peut-être pourrions-nous commander du vin?

Il le dit tout haut pour cacher sa confusion, et il appelle impérieusement un garçon-étudiant :

— Avez-vous du chassagne-montrachet 1969?

— Monsieur? répond le garçon avec un visage sans expression.

On amène un seau à glace contenant une bouteille de Liebfraumilch à trois dollars, ce qu'ils ont de mieux à offrir, et mon père paye avec un billet de cinquante tout neuf. La mère de Ned ouvre de grands yeux en voyant le billet. Les Steinfeld froncent les sourcils, pensant qu'il est en train de les snober. Un épisode merveilleux, merveilleux. Un peu plus tard, Saybrook me prend à part et me dit :

— Ton père est très gêné. S'il avait su qu'Eli est, euh!... attiré par les garçons, il n'aurait pas fait cette remarque.

— Pas Eli, Eli est mono. C'est Ned.

Saybrook ne sait plus que penser. Elle croit que je me fiche d'elle. Elle voudrait me dire que mon père et elle espèrent bien que je ne baise pas avec eux, peu importe lequel, mais elle est trop bien élevée pour savoir comment exprimer cela. Elle se contente des trois minutes de conversation réglementaire, prend congé avec grâce et retourne expliquer à mon père le tout dernier twist. J'aperçois les Steinfeld en train de conférer, angoissés, avec Eli, sans doute en train de lui faire la leçon parce qu'il partage l'appartement d'un morveux de gentil, et de l'avertir sérieusement de ne pas fréquenter ce petit *faygeleh* non plus, si ce n'est pas *(oy! veh!)* trop tard. Ned et sa mère ont également des problèmes de fossé entre les générations, un peu plus loin. Je capte quelques mots épars :

— Les sœurs ont prié pour toi... devant la Sainte Croix... neuvaine... rosaire... ton père qui est au ciel... noviciat... jésuite... jésuite... jésuite...

A l'écart, il y a Oliver. Tout seul. Il regarde. Il sourit, de son sourire vénusien. Un visiteur sur la Terre, notre Oliver. L'homme des soucoupes volantes.

Je donnerais Oliver comme l'esprit le plus profond du groupe. Il n'en sait pas autant qu'Eli, il n'a pas la même apparence brillante, mais son intelligence est plus puissante, j'en suis convaincu. C'est aussi le plus étrange d'entre nous, parce qu'en surface il paraît si sain et si normal, et qu'en réalité il ne l'est pas du tout. Eli est celui de nous qui a l'esprit le plus vif, et c'est aussi le plus complexé, le plus tourmenté. Ned joue au faible, au délicat, mais ne le sous-estimez surtout pas : il sait parfaitement ce qu'il veut, et il s'arrange toujours pour l'obtenir. Et moi? Qu'y a-t-il de particulier à dire sur moi? Le bon vieux fils à papa. La famille, les relations, les clubs. En juin, je passe mes examens; et, après ça, à moi la belle vie! Appelé dans l'U.S. Air Force pour faire mon service, oui, mais pas d'opérations de combat — tout est déjà arrangé, nos gènes sont trop précieux pour être gaspillés — et, après ça, je me dégote une débutante épiscopalienne certifiée vierge et appartenant à l'une des Cent Familles, et je m'établis en gentleman respectable. Jésus! Heureusement que le *Livre des Crânes* d'Eli n'est qu'un ramassis de conneries superstitieuses, parce que je finirais par m'emmerder à mort au bout de vingt ans.

XV

OLIVER

QUAND j'avais seize ans, je pensais souvent au suicide. Honnêtement. Ce n'était pas un faux-semblant, une attitude d'adolescent romantique, l'expression de ce qu'Eli appellerait une personnalité bien marquée. C'était une position philosophique authentique, si je puis me permettre d'employer un terme si impressionnant, à laquelle j'étais arrivé par un cheminement logique et rigoureux.

Ce qui m'avait conduit à envisager le suicide, c'était, par-dessus tout, la mort de mon père à trente-six ans. Je voyais cela comme une tragédie insupportable. Non pas que mon père fût de quelque façon que ce soit un être humain spécial, excepté pour moi. Ce n'était qu'un paysan du Kansas, après tout. Levé à cinq heures du matin, couché à neuf heures du soir. Aucune éducation digne d'être mentionnée. Tout ce qu'il lisait, c'était le journal du comté, et quelquefois la Bible, bien que la plus grande partie de celle-ci passât au-dessus de sa tête. Mais il travailla dur tout au long de sa brève existence. C'était un brave homme, un homme vertueux. La terre avait d'abord appartenu à son père, et mon père l'avait travaillée depuis l'âge de dix ans, à part quelques années qu'il avait passées à l'armée. Il avait rentré ses récoltes, il avait amorti ses dettes, il gagnait sa vie, plus ou moins; il avait même acheté vingt hectares de plus, et songeait à s'agrandir encore. Entre-temps, il s'était marié, il avait donné du plaisir à une femme, il avait engendré des enfants. C'était un homme simple – il n'aurait jamais rien compris de ce qui s'est passé dans ce pays dans les dix années qui ont suivi sa mort – mais il était brave, à sa manière honnête, et il avait gagné le droit de connaître une vieillesse heureuse. Assis sur sa véranda, tirant des bouffées de sa pipe, partant à la chasse en automne, laissant faire à ses enfants les travaux trop exténuants, il aurait regardé grandir ses petits-enfants. Mais il n'arriva pas à une vieillesse heureuse. Il n'arriva même pas à un âge moyen. Le cancer s'installa dans ses tripes et il mourut rapidement. Il mourut douloureusement, mais vite.

Cela me fit réfléchir. Si c'est pour être enlevé comme ça, si c'est pour vivre toute sa vie en sachant qu'on est sous le coup d'une condamnation à mort, mais ignorant à quel moment elle sera appliquée, alors, à quoi bon exister? Pourquoi donner à la Mort la satisfaction de venir vous chercher au moment où vous l'attendez le moins? Tirez-vous, tirez-vous le plus rapidement possible. Évitez l'ironie d'être balayé comme punition pour avoir fait quelque chose de votre existence.

Le but de mon père dans la vie, si je l'ai bien interprété, était de rester dans les voies du Seigneur et d'amortir l'hypothèque de sa terre. Il avait réussi sur le premier point, et n'était pas loin du succès sur le second. Mon but à moi était plus ambitieux : acquérir une éducation, m'élever au-dessus de la poussière des champs, devenir un docteur, un savant. N'est-ce pas grandiose? *Le prix Nobel de médecine au docteur Oliver Marshall, qui s'est hissé à la force du poignet au-dessus de la fosse à purin pour nous servir d'exemple et d'inspiration.* Mais mon but était-il différent autrement que par le degré de celui de mon père? Ce à quoi cela se résumait pour tous les deux, c'était une vie de dur et honnête labeur.

Je n'étais pas capable d'affronter cela. Économiser,

passer des examens, être candidat à des bourses, apprendre le latin et l'allemand, l'anatomie, la physique, la chimie, la biologie, m'échiner sur des travaux plus durs que tout ce qu'avait connu mon père – et tout ça pour mourir? Mourir à quarante-cinq, cinquante-cinq, soixante-cinq ou même, comme mon père, à trente-six ans? Vous êtes tout juste prêt à commencer à vivre, et déjà il est l'heure de partir. Pourquoi donc se donner tout ce mal? Pourquoi accepter l'ironie? Voyez le président Kennedy : tout ce déploiement d'énergie et d'adresse pour se hisser à la Maison-Blanche, et ensuite une balle dans le crâne. La vie est un gaspillage. Plus vous réussissez, plus la mort est amère. Moi avec mes ambitions, mes impulsions, tout ce que je me préparais, c'était une chute plus grande que la plupart des autres. Puisque de toute façon il me fallait mourir un jour, j'avais résolu de frustrer la Mort en m'en allant volontairement avant de me voir inexorablement entraîné vers la sinistre plaisanterie qui m'attendait au bout.

C'est ce que je me disais quand j'avais seize ans. Je me faisais des listes des différentes façons de passer l'arme à gauche. Me taillader le poignet? Ouvrir le robinet du gaz? Me mettre la tête dans un sac en plastique? Esquinter ma bagnole? Marcher sur de la glace fine en janvier? J'avais cinquante projets différents. Je les classais par ordre de préférence. Je les reclassais. Je mettais d'un côté les morts rapides et violentes, et de l'autre les morts lentes et sans douleur. Pendant la moitié d'une année, peut-être, j'étudiai le suicide comme Eli étudie les verbes irréguliers. Deux de mes grands-parents moururent au cours de ces six mois. Mon chien mourut. Mon frère aîné fut tué à la guerre. Ma mère eut sa première crise cardiaque sérieuse, et le docteur me confia en secret qu'elle n'en avait pas pour un an à vivre. Il ne se trompait pas. Tout cela ne faisait que renforcer ma décision d'en finir. Tire-toi, Oliver; tire-toi avant que la tragédie de la vie se rapproche encore un peu plus! Tu mourras, comme les autres; aussi, pourquoi mendier un sursis? Pars maintenant. Pars maintenant. Épargne-toi un tas d'ennuis.

Assez curieusement, mon intérêt pour le suicide s'étiola rapidement, bien que ma philosophie n'ait jamais réellement changé. Je ne dressais plus de listes des différentes manières de me tuer. Je faisais des projets, au lieu d'envisager ma mort dans les semaines à venir. Je décidai de lutter contre la Mort au lieu de m'abandonner à elle. J'irais à l'université, je deviendrais un savant, j'apprendrais tout ce que je pourrais, et peut-être aurais-je un jour le pouvoir de repousser un peu les frontières de la Mort. Maintenant, je sais que je ne me tuerai jamais. Jamais plus je n'aurai cette idée. Je me battrai jusqu'au bout. Et si la Mort vient me rire au visage, je lui rirai au sien. Et, après tout, si le *Livre des Crânes* n'était pas une plaisanterie? Imaginez qu'il existe vraiment une issue! J'aurais été malin si je m'étais tailladé le poignet il y a cinq ans.

J'ai dû conduire pendant six cents kilomètres aujourd'hui, et il n'est même pas midi. Les routes ici sont formidables : larges, droites, désertes. Amarillo n'est plus très loin. Et, ensuite, Albuquerque. Puis Phoenix. Et, après, c'est la découverte.

XVI

ELI

QUEL drôle d'aspect a le monde par ici. Le Texas. Le
Nouveau-Mexique. Des paysages lunaires. Qu'est-ce qui a
pu pousser des gens à vouloir s'établir dans un pays
semblable? Rien que des plateaux rabougris, marron, des
plantes basses, verdâtres, poussiéreuses. Des montagnes
pelées, mauves, se dressent contre le bleu de l'horizon
comme des chicots érodés. Je croyais que les montagnes
dans l'Ouest étaient plus hautes que ça. Timothy, qui est
allé partout, dit que les vraies montagnes sont au Colorado,
dans l'Utah, en Californie. Là, ce ne sont que des collines,
quinze cents, deux mille mètres d'altitude. Ça m'a fait un
drôle d'effet. La montagne la plus élevée à l'est du
Mississippi est le Mount Mitchell, en Caroline du Nord,
quelque chose comme deux mille deux cents mètres. J'ai
perdu un pari là-dessus quand j'avais dix ans, et je ne
risque pas de l'oublier. La plus haute montagne que j'avais
vue avant de faire ce voyage était le Mount Washington,
deux mille cent mètres, dans le New Hampshire, où mes
parents m'avaient emmené la seule année où nous n'étions
pas allés dans les Catskills. (J'avais parié sur le Mount
Washington, et j'avais perdu.) Et là, autour de moi, j'avais
des montagnes de la même taille, et c'étaient de simples
collines. Peut-être même qu'elles n'ont pas de nom. Le
Mount Washington se dressait dans le ciel comme un arbre

géant sur le point de s'abattre sur moi et de m'écraser. Bien sûr, ici le panorama est plus large, et les montagnes sont rapetissées par la perspective immense.

L'air est vif et glacé. Le ciel est d'un bleu limpide incroyable. C'est le pays de l'Apocalypse. Je m'attends à chaque instant à entendre l'écho d'une sonnerie de trompettes venant des « collines ». Nous pouvons faire cinquante, soixante kilomètres sans voir une seule habitation : rien que des lièvres et des écureuils. Les villes elles-mêmes semblent toutes neuves : les stations d'essence, les alignements de motels, les petites maisons rectangulaires en aluminium dont on croirait qu'elles peuvent être remorquées par une automobile pour être transportées ailleurs (c'est probablement le cas). Par contre, nous avons dépassé deux pueblos, anciens de six ou sept cents ans, et il y en aura davantage. L'idée qu'il y a ici des Indiens, de vrais Indiens en chair et en os, exalte mon esprit d'enfant de Manhattan. Il ne manquait pas d'Indiens dans les films en technicolor que j'allais voir tous les samedis après-midi pendant des années au coin de Broadway et de la 73ᵉ Rue, mais je n'étais pas dupe, je savais que c'étaient des Portoricains, ou même des Mexicains, parés de plumes de pacotille. Les vrais Indiens appartenaient au XIXᵉ siècle, ils étaient morts depuis longtemps, il n'en restait plus aucun, excepté sur les pièces de cinq *cents,* avec le bison de l'autre côté, et où est-ce qu'on en trouve encore? (Où est-ce qu'on trouve encore des bisons?) Les Indiens étaient archaïques, les Indiens étaient une race éteinte, pour moi ils étaient à classer aux côtés des mastodontes, du tyrannosaure, des Sumériens et des Carthaginois. Mais non, me voilà maintenant dans l'Ouest sauvage pour la première fois de ma vie, et l'homme à la figure plate et au teint de parchemin qui nous a vendu une bière tout à l'heure dans une épicerie était un Indien, et le gamin joufflu qui nous a fait le plein était un Indien, et ces huttes de pisé là-bas, de l'autre côté du Rio Grande, sont habitées par des Indiens, même si on aperçoit une forêt d'antennes de télévision qui s'élèvent au-dessus des toits. Regardez les Indiens! Regardez les cactus géants! Regardez l'Indien qui conduit une Volkswagen! Regardez Ned qui fait une queue de poisson à l'Indien! Écoutez l'Indien qui klaxonne comme un dingue!

J'ai l'impression que notre engagement dans cette expédition s'est affermi depuis que nous avons atteint l'orée du désert. Le mien, en tout cas. L'horrible journée de doute, quand nous traversions le Missouri, paraît aussi éloignée maintenant que les dinosaures. Je sais à présent (et comment puis-je le savoir?) que ce que j'ai lu dans le *Livre des Crânes* est réel, et que ce que nous sommes venus chercher en Arizona est réel, et que, si nous persévérons, nous trouverons ce que nous désirons. Oliver le sait, également. Une curieuse intensité est apparue en lui depuis ces derniers jours. Oh! elle a toujours été là, cette tendance à la monomanie! Mais il s'arrangeait mieux pour la dissimuler. Maintenant, assis devant son volant dix ou douze heures par jour, n'arrêtant que lorsque nous l'y forçons virtuellement, il ne peut plus cacher que rien n'est plus urgent et important pour lui que d'atteindre notre destination et de se soumettre aux disciplines des Gardiens des Crânes. Même nos deux incroyants semblent gagnés par la contagion. Ned oscille entre l'acceptation totale et le refus total, comme toujours, et il défend souvent les deux attitudes à la fois; il se moque de nous, il nous excite, et cependant il étudie les cartes et les kilométrages comme si lui aussi était saisi d'impatience. Ned est le seul type que je connaisse qui soit capable d'assister à une messe blanche au lever du soleil et à une messe noire à minuit sans pour autant éprouver un sentiment d'incongruité quelconque, et en se livrant avec une égale ferveur à chacun des deux rites. Timothy seul reste distant, gentiment moqueur, et proteste que c'est seulement pour faire plaisir à ses originaux d'amis qu'il a entrepris ce voyage. Mais dans quelle mesure n'est-ce pas une simple façade, une démonstration de flegme aristocratique? Plus qu'un peu, je suppose, Timothy a peut-être moins de raisons que le reste d'entre nous d'aspirer à des prolongations de vie métaphysiques, car sa propre existence telle qu'elle se présente maintenant lui offre une infinité de possibilités, ses ressources financières étant ce qu'elles sont. Mais l'argent n'est pas tout, et même si vous avez hérité de toute la fortune de Fort Knox, il y a une limite à ce qu'on peut faire dans une courte vie humaine. Je crois qu'il est tenté par la vision du monastère des Crânes. Qui ne le serait pas?

Avant d'arriver à notre destination, demain, après-demain, je crois que nous aurons atteint cette cohésion à quatre côtés que le *Livre des Crânes* désigne sous le nom de Réceptacle : c'est-à-dire, un groupe de candidats. Espérons-le. C'est l'année dernière, je crois, qu'on avait tant parlé de ces étudiants du Middle West qui avaient fait un pacte pour se suicider? Oui. Eh bien, un Réceptacle peut être considéré comme l'antithèse philosophique d'un pacte suicidaire. Tous les deux représentent une manifestation d'aliénation de la société actuelle. Je rejette votre monde répugnant, disent les membres du pacte suicidaire; par conséquent, je choisis de mourir. Je rejette votre monde répugnant, disent les membres du Réceptacle; par conséquent, je choisis de ne jamais mourir, et j'espère que je vivrai pour voir des jours meilleurs.

XVII

NED

ALBUQUERQUE. Ville sinistre, des kilomètres de faubourgs, une file sans fin de motels criards le long de la route 66, une vieille ville touristique minable perdue au bout du monde. Si vous voulez faire du tourisme dans l'Ouest, allez au moins voir Santa Fe, avec ses boutiques d'adobe, ses rues en pente, ses quelques restes authentiques du passé colonial espagnol. Mais nous n'allons pas dans cette direction. Nous quittons ici la route 66, finalement, pour prendre vers le sud par la 85 et la 25, presque à la frontière du Mexique, jusqu'à Las Cruces, où nous rejoignons la route 70, qui nous conduit droit à Phoenix. Combien de temps avons-nous roulé jusqu'ici? Deux jours, trois, quatre? J'ai perdu la notion du temps à force de rester assis à regarder Oliver conduire. Parfois, c'est Timothy qui le relaye, ou moi, et les roues mordent dans mon âme, le carburateur crache dans mes tripes, et la séparation entre véhicule et passagers disparaît. Nous faisons tous partie de ce monstre ronflant qui fonce vers l'ouest. L'Amérique gît, terrassée, derrière nous. Chicago n'est plus qu'un souvenir. Saint Louis un mauvais rêve. Joplin, Springfield, Tulsa, Amarillo... irréels, sans substance. Un continent de visages étroits et d'âmes rétrécies. Cinquante millions de cas de crampes menstruelles aiguës font irruption dans l'Est, et rien ne nous indiffère davantage. Une épidémie d'éjaculations précoces envahit les grandes agglomérations urbaines. Tous les mâles hétérosexuels de plus de dix-sept ans de l'Ohio, de Pennsylvanie, du Michigan et du Tennessee ont été frappés par une crise d'hémorroïdes sanglantes, et Oliver continue de conduire, et tout le monde s'en fout.

J'aime bien ce pays. De grands espaces libres, ouverts, vaguement wagnériens, avec cette atmosphère de l'Ouest : on voit les hommes avec leur cravate de cordelette et leur chapeau de cow-boy, on voit les Indiens assoupis devant les porches des maisons, on voit l'armoise qui pousse au flanc des collines, et on se dit : c'est ça, c'est exactement comme ça que je l'imaginais. J'étais venu ici l'été où j'avais fait mes dix-huit ans. J'étais resté presque tout le temps à Santa Fe, en compagnie d'un négociant en objets d'artisanat indien, gentil, la quarantaine, le teint bronzé. Un véritable membre de la Pédale Club Internationale, lui. On dit qu'il faut en être pour les reconnaître, mais, dans son cas, ce n'était vraiment pas difficile à voir : il avait l'accent, il avait le cheveu sur la langue, il était squaw à cent pour cent. Parmi beaucoup d'autres choses, c'est lui qui m'a appris à conduire. Pendant tout le mois d'août, j'ai passé mon temps à faire la tournée de ses fournisseurs. Il achète de vieilles poteries cinq dollars pour les revendre cinquante aux touristes amateurs d'antiquités. Frais minimes, roulement rapide. J'entreprenais de terrifiants voyages solitaires, au bout desquels je distinguais tout juste mon coude et mon levier de vitesses. J'allais jusqu'à Bernalillo, Farrington, je descendais jusqu'au Rio Puerco; une fois même j'entrepris une vaste expédition chez les Hopis, rendant visite à toutes sortes d'endroits où, en violation avec les réglementations locales en matière d'archéologie, les paysans faisaient des raids dans les pueblos en ruine et raflaient toutes les marchandises qui étaient vendables. Je fis la connaissance de beaucoup d'Indiens, dont un certain nombre (ô surprise!) étaient pédés. Je me souviens avec tendresse d'un certain Navajo vachement chouette. Et d'un glorieux bouc de Taos qui, lorsqu'il se fut assuré de mes lettres de créance, me fit descendre avec lui dans une kiva et m'initia à certains mystères tribaux en me donnant accès à des données ethnographiques pour lesquelles beaucoup de chercheurs vendraient sans aucun doute leur prépuce. Une expérience profonde. Un régal pour l'esprit. Laissez-moi vous dire qu'on ne s'élargit pas seulement le trou de balle quand on est pédé.

Petit accrochage avec Oliver cet après-midi. C'est moi qui étais au volant, fonçant sur la 25 quelque part entre Belen et Socorro, l'esprit léger, pour une fois maître de la voiture et pas seulement une pièce dans un engrenage. J'aperçus une silhouette marchant au bord de la route à cinq cents mètres devant nous, de toute évidence un auto-stoppeur. D'instinct, je ralentis. C'était bien un auto-stoppeur, et même plus que ça, un hippie, le véritable modèle 1967 à la tignasse démesurée, au gilet en peau de mouton sur son torse nu, aux blue-jeans décolorés arborant le drapeau américain en guise de fond de culotte, sac au dos, nu-pieds. Je suppose qu'il allait rejoindre une de ces communautés du désert, errant solitaire de nulle part à nulle part. D'une certaine façon, nous aussi nous allions rejoindre une communauté, et je pensais que nous avions de la place pour lui. La voiture était à sa hauteur, presque arrêtée. Il tourna les yeux vers nous, peut-être saisi soudain d'un réflexe paranoïaque, ayant vu une fois de trop *Easy Rider* et s'attendant à une décharge de chevrotines patriotes, mais, quand il vit que nous étions des jeunes, la peur s'effaça de son visage, il sourit, exhibant ses dents écartées, et j'entendais d'ici ses remerciements grommelés : « Ça c'est chic à vous, les mecs! Ça c'est chic de vous arrêter pour moi, les mecs! Dans le patelin, y sont pas commodes avec les mecs comme moi », lorsque Oliver fit simplement : « Non. »

— Non?

— Accélère.

— Nous avons de la place, dis-je.

— Je ne veux pas qu'on perde de temps.

— Bon Dieu! Oliver! Ce type-là est inoffensif! Et il doit passer une voiture environ toutes les heures par ici. Si tu étais à sa place...

— Qu'est-ce qui te dit qu'il est inoffensif? demanda Oliver.

Le hippie était maintenant à moins de trente mètres derrière la voiture arrêtée.

— Peut-être qu'il fait partie de la famille de Charles Manson? Peut-être qu'il coupe le cou à ceux qui sont trop tendres avec les hippies? ajouta Oliver.

— Mais c'est complètement dingue! dis-je.

— Avance! fit-il d'une voix de mauvais augure, d'une voix présageant la tempête. Je n'aime pas ce genre de type. Je sens d'ici qu'il pue. Je ne le veux pas à côté de moi!

— C'est moi qui conduis, répondis-je. C'est à moi de décider si...

— Avance! dit Timothy.

— Toi aussi?

— Oliver ne le veut pas à côté de lui, Ned. Tu ne vas pas lui imposer cette présence contre sa volonté?

— Mais, Timothy...

— De plus, c'est ma voiture, et je n'en veux pas non plus. Accélère, Ned.

Du siège arrière parvint la voix d'Eli, douce, perplexe :

— Une seconde, les gars, je crois que nous avons là un problème moral à considérer. Si Ned veut...

— *Tu vas démarrer?* fit Oliver dans ce qui se rapprochait plus d'un cri que tout ce que je l'avais entendu émettre jusqu'ici. Je lui jetai un coup d'œil dans le rétroviseur. Son visage était rouge et imbibé de sueur, et une veine saillait de façon effrayante sur son front. Le visage d'un psychotique. Il était capable de n'importe quoi. Je ne pouvais pas risquer de tout compromettre pour un auto-stoppeur hippie. Secouant tristement la tête, je mis le pied sur l'accélérateur et, juste au moment où le hippie mettait la main sur la portière arrière du côté d'Oliver, la voiture démarra en trombe, le laissant stupéfait au milieu d'un nuage de fumées d'échappement. A son crédit, je dois dire qu'il ne nous montra pas le poing, il ne cracha même pas par terre, il se contenta de courber un peu plus les épaules et de se remettre à marcher. Peut-être qu'il s'attendait à un mauvais coup depuis le début. Quand le hippie eut disparu dans le rétroviseur, je regardai de nouveau Oliver. Son visage était plus calme maintenant. La veine était rentrée, le rouge du visage avait reflué. Mais il y avait toujours dans son regard une fixité à vous glacer le sang, et, au milieu de sa joue d'éphèbe, un muscle tressaillait de temps à autre.

Nous roulâmes en silence pendant trente kilomètres avant que l'électricité ait fini de craquer à l'intérieur de la voiture. Puis je demandai :

— Pourquoi as-tu fait ça, Oliver?

— Fait quoi?

— M'obliger à baiser ce hippie.

— Parce que j'ai envie d'arriver à destination. Est-ce que tu m'as déjà vu m'arrêter pour prendre un auto-stoppeur? Les auto-stoppeurs signifient les emmerdements. Ils signifient les pertes de temps. Tu l'aurais conduit jusqu'à sa communauté par une petite route, une heure, deux heures de retard sur l'horaire.

— Ce n'est pas vrai! En outre, tu as fait allusion à son odeur. Tu as eu peur de te faire égorger. Qu'est-ce que ça veut dire, Oliver? Tu n'as pas entendu suffisamment de conneries de ce genre à propos de tes propres cheveux longs?

— Je ne devais pas avoir les idées très claires, répondit

Oliver, qui n'a jamais eu autre chose que des idées claires de toute sa vie. « Peut-être que je suis si pressé d'arriver que ça m'a fait dire des choses que je ne pense pas », ajouta Oliver, qui ne parle jamais que selon un script tout préparé. « Je ne sais pas. Je n'avais pas envie qu'il monte. Ça m'a pris au ventre comme ça », fit encore Oliver, qu'aucune envie n'avait plus pris au ventre depuis qu'il avait appris à ne plus chier dans ses langes. « Désolé de t'avoir forcé la main, Ned », déclara Oliver.

Dix minutes de silence plus tard, il conclut :

– Il y a une chose sur laquelle on devrait se mettre d'accord. D'ici à la fin du voyage, pas d'auto-stoppeurs. D'accord? Pas d'auto-stoppeurs.

XVIII

ELI

COMME ils ont eu raison de choisir ce terrain rabougri et ingrat comme site du monastère des Crânes. Les anciens cultes ont besoin d'un décor de mystère et d'inaccessibilité romantiques s'ils veulent se maintenir malgré les résonances bruyantes et discordantes d'un XXᵉ siècle matérialiste et sceptique. Le désert est un lieu idéal. L'air y est d'un bleu douloureux, le sol n'est qu'une mince croûte brûlée sur un socle de roc, les plantes et les arbres sont contournés, épineux, bizarres. Le temps se fige dans un endroit comme celui-ci. Le monde moderne ne peut s'y immiscer pour le souiller. Là prospèrent les anciens dieux. Les vieux cantiques s'élèvent vers le ciel sans craindre le grondement des voitures ou le fracas des machines.

Ned n'est pas du tout d'accord avec moi là-dessus : il trouve le désert théâtral, surfait même. L'endroit idéal pour des survivants de l'Antiquité comme les Gardiens des Crânes, pense-t-il, est le cœur d'une cité moderne, où le contraste entre leur texture et la nôtre est plus fort. Par exemple, un immeuble bourgeois de la 63ᵉ Rue Ouest, où les prêtres pourraient complaisamment vaquer à leurs rites entre une galerie d'art et un salon de beauté pour caniches. Une autre possibilité, suggère-t-il, serait un atelier en brique et en verre dans un complexe industriel spécialisé dans la fabrication de climatiseurs et d'équipement de bureaux. C'est le contraste qui fait tout, dit-il. L'incongru est indispensable. Le secret de l'art réside dans le sens des juxtapositions adéquates, et qu'est-ce que la religion sinon une catégorie de l'art? Mais je crois que Ned me faisait marcher, comme d'habitude. De toute façon, je ne puis souscrire à ses théories du contraste et de la juxtaposition. Ce désert, ces solitudes, c'est pour moi l'emplacement parfait pour la demeure de ceux qui ne vont pas mourir.

Traversant le Nouveau-Mexique et le sud de l'Arizona, nous avions laissé derrière nous les dernières traces de l'hiver. Du côté d'Albuquerque, l'air était frais, même froid, mais l'altitude y est plus grande. Le terrain est en pente jusqu'à la frontière mexicaine, où nous avons amorcé notre virage en direction de Phoenix. La température s'éleva en flèche, de dix à vingt et un degrés, et même davantage. Les montagnes se firent plus basses, elles semblaient formées de particules de terre brunâtre compressées dans des moules et agglutinées avec de la colle; j'imaginais que je pouvais creuser un trou avec un doigt dans cette sorte de roche. Collines tendres, vulnérables, pratiquement nues. Martiennes. La végétation avait changé aussi. Au lieu de vastes étendues d'armoise et de petits pins noueux, nous traversions maintenant des forêts de cactus largement espacés surgissant ithyphalliquement de la terre écailleuse et brune. Ned se transformait pour nous en professeur de botanique. Voilà les saguaros, nous disait-il, ces cactus aux grands bras plus hauts que des poteaux télégraphiques; et là, ces arbustes bleu-vert, sans feuilles, aux branches épineuses, qui semblent provenir d'une autre planète, c'est le palo verde; et ces bouquets de branches verticales, noueuses, ça s'appelle l'ocotillo. Ned connaît ces régions par cœur. Il s'y sent chez lui, ayant passé un certain temps dans le Nouveau-Mexique il y a deux ou trois ans. Il se sent chez lui partout, Ned. Il aime à parler de la fraternité internationale de la pédale. Partout où il va, il est sûr de trouver un gîte et une compagnie chez ceux de son espèce. Je l'envie, parfois. Peut-être que ça compenserait les traumatismes périphériques de savoir qu'il y a partout des endroits où vous serez bien accueilli simplement parce que vous faites partie de la tribu. Ma tribu à moi n'est pas tout à fait aussi hospitalière.

Après avoir traversé la frontière de l'Arizona, nous filâmes vers l'ouest en direction de Phoenix. Le terrain redevint quelque temps montagneux, un peu moins désolé. Pays indien – les Pimas. Nous entrevîmes le barrage de Coolidge : souvenir des leçons de géographie de la classe de quatrième. Nous étions encore à cent cinquante kilomètres à l'est de Phoenix lorsque nous commençâmes à voir des panneaux nous invitant, ou plutôt nous commandant, de descendre dans un motel en ville : « Passez d'agréables vacances dans la vallée du Soleil. » Le soleil déjà s'imposait partout, en cette fin d'après-midi, en suspens au-dessus du pare-brise, dardant des rayons de feu orangé dans nos yeux. Oliver, conduisant comme un robot, sortit une paire de lunettes souples à monture d'argent et continua. Nous traversâmes en coup de vent une ville appelée Miami. Pas de plages, pas de rombières en manteau de vison. L'air était mauve et rose de vapeurs de cheminées; l'odeur de l'atmosphère était du pur Auschwitz. Qu'est-ce qu'ils faisaient brûler ici? Juste avant de pénétrer dans la partie centrale de la ville, nous vîmes l'énorme tas en forme de cuirassé de résidus gris d'une mine de cuivre accumulés depuis des années. Juste en face, de l'autre côté de la route, était un énorme motel à la devanture clinquante, édifié là, je suppose, pour le plaisir de ceux qui se délectent du spectacle en gros plan du viol écologique. Ce qu'ils font brûler ici, c'est la mère Nature. Écœurés, nous laissâmes ce spectacle derrière nous pour retrouver les territoires inhabités. Saguaro, palo verde, ocotillo. Un long tunnel coupait à travers la montagne. Paysage désolé, sans villes. Les ombres s'allongeaient.

Chaleur, chaleur, chaleur. Et puis, abruptement, les tentacules de la vie urbaine nous atteignent d'une encore lointaine Phoenix : faubourgs, centres commerciaux, stations-service, comptoirs d'échanges vendant des souvenirs indiens, motels, néons, restaurants-minute proposant des tacos, hot-dogs, poulet frit, sandwiches. Nous persuadâmes Oliver d'arrêter, et nous mangeâmes des tacos à la lumière jaune irréelle des lampadaires publics. Puis on reprend la route. Façades sans fenêtres des grands supermarchés au milieu des parkings. C'est le pays du fric, la demeure des nantis. J'étais un étranger en terre étrangère, moi, pauvre Juif désorienté de Manhattan fonçant à travers les cactus et les palmiers. Tellement loin de chez moi. Ces villes plates, ces banques sans étages aux vitres vertes et aux devantures de plastique psychédélique. Ces maisons pastel, en stuc vert et rose. Un pays qui n'a jamais connu la neige. Drapeaux américains flottant partout. *Love it or leave it!* Main Street, Mesa, Arizona. La ferme expérimentale de l'Université de l'Arizona se dressant juste au bord de la route! Les montagnes lointaines luisant au crépuscule bleuté. Nous sommes maintenant sur Apache Boulevard, dans la ville de Tempe. Crissement de pneus. La route tourne. Soudain, nous sommes à nouveau dans le désert. Plus de rues, plus d'enseignes, plus rien. Un no man's land. Des masses sombres à notre gauche : des collines et des montagnes. Lumières de phares visibles au loin. Encore quelques minutes, et c'est la fin de la désolation. Nous sommes passés de Tempe à Phoenix, et nous sommes maintenant dans Van Buren Street. Boutiques, maisons, motels. « Continue jusqu'au centre », dit Timothy. Sa famille, paraît-il, a des actions dans un des motels de la ville. C'est là que nous descendrons. Dix minutes de plus, dans un quartier de bouquinistes et de *motor lodges* à cinq dollars la nuit, et nous voilà au centre. Des gratte-ciel : dix ou douze étages. Des banques. Le bâtiment d'un journal, de grands hôtels. La chaleur est fantastique, près de trente-trois degrés. Et nous sommes fin mars. Qu'est-ce que ça doit être en août? Voilà notre motel. Statue de chameau à la devanture. Grand palmier. Hall exigu, peu accueillant. Timothy va remplir les fiches. Nous aurons une suite. Premier étage, au fond du couloir. Il y a une piscine. « Qui veut nager? » demande Ned. « Et ensuite, un dîner mexicain », propose Oliver. Les esprits sont échauffés. Nous sommes à Phoenix, après tout. Nous sommes presque arrivés. Demain, nous partons vers le nord à la recherche de la retraite des Gardiens des Crânes.

Il semble qu'il y ait des années que tout cela a commencé. Une brève allusion, anodine, passagère, dans le journal du dimanche :

Un « monastère » dans le désert, pas très loin au nord de Phoenix, où douze ou quinze « moines » pratiquent leur propre version d'une sorte de christianisme. « Ils sont arrivés du Mexique il y a une vingtaine d'années, et on pense qu'ils sont passés d'Espagne au Mexique à l'époque de Cortés. Économiquement indépendants, ils vivent repliés sur eux-mêmes et n'encouragent pas les visiteurs, bien qu'ils se montrent polis et courtois envers quiconque met le pied dans leur retraite solitaire environnée de cactus. Le décor est étrange et représente une combinaison de style chrétien médiéval avec ce qui ressemble à des motifs aztèques. Un symbole prédominant, qui donne au monastère une apparence austère, un peu grotesque, est le crâne humain. Il y a des crânes dans tous les coins, grimaçants, menaçants, en haut-relief ou en ronde-bosse. Une longue frise représentant des têtes de morts semble être inspirée de motifs que l'on peut voir à Chichén, Itzá, Yucatán. Les moines sont maigres, débordants de vie intérieure, leur peau est durcie et bronzée par le soleil et le vent du désert. Ils ont, curieusement, un aspect à la fois jeune et vieux. Celui à qui j'ai parlé, et qui a refusé de me donner son nom, aurait pu avoir trente ans comme trois cents ans. Impossible à dire... »

C'est par accident que j'avais lu cela dans la page voyages du journal. Par accident que ces fragments d'imagerie étrange – cette frise de crânes, ces visages jeunes et vieux – s'étaient logés dans ma mémoire. Et c'est par accident que quelques jours plus tard je tombai sur le manuscrit du *Livre des Crânes* dans la bibliothèque de l'université.

Notre bibliothèque a une *genizah,* une réserve de vieux livres inutilisés, déchets, manuscrits apocryphes ou laissés pour compte que personne n'a voulu se donner la peine de traduire, déchiffrer, classer ou même examiner en détail. Je suppose que dans chaque université il doit y avoir une salle semblable, emplie de documents acquis par donation ou découverts à l'occasion de fouilles, et qui attendent patiemment (vingt ans, cinquante ans?) qu'un érudit jette son dévolu sur eux. La nôtre est plus copieusement fournie que la plupart, sans doute parce que trois générations de bibliothécaires avides ont empilé tous ces trésors de l'Antiquité plus vite que notre bataillon de chercheurs ne pouvait les assimiler. Dans un tel système, certains articles sont nécessairement laissés de côté, inondés par le torrent des nouvelles acquisitions, et demeurent finalement oubliés, cachés, perdus. Nous avons des rayons entiers de documents cunéiformes, sumériens ou babyloniens, la plupart d'entre eux mis au jour lors de nos fameuses fouilles de Mésopotamie, de 1902 à 1905; nous avons des quantités de papyrus intouchés des dernières dynasties, des kilos de matériaux provenant de synagogues irakiennes, et pas seulement des rouleaux de Torah, mais aussi des contrats de mariage, des décisions judiciaires, des baux, de la poésie; nous avons des baguettes gravées en bois de tamaris des cavernes de Tun-Huang, ancien don négligé d'Aurel Stein; nous avons des caisses d'archives paroissiales des châteaux du Yorkshire; nous avons des fragments de manuscrits précolombiens, et des liasses de cantiques et de messes ayant appartenu aux monastères pyrénéens du

XIVᵉ siècle. Si ça se trouve, notre bibliothèque possède peut-être la pierre de Rosette qui permet de déchiffrer les secrets du manuscrit de Mohenjo-Daro, ou bien le manuel de grammaire étrusque de l'empereur Claude. Elle contient peut-être, incognito, les mémoires de Moïse ou le journal de saint Jean-Baptiste. Ces découvertes, si elles sont faites un jour, reviendront à d'autres fouineurs dans les caves obscures du bâtiment central de la bibliothèque. Moi, je me contente d'avoir trouvé le *Livre des Crânes*.

Je ne le cherchais pas du tout. Je n'en avais jamais entendu parler, même. J'avais réussi à obtenir la permission de fouiller dans les caves à la recherche d'une collection de manuscrits catalans de poésie mystique du XIIIᵉ siècle, achetés en principe au fournisseur d'antiquités barcelonais Jaime Maura Gudiol en 1893. Le professeur Vasquez Ocaña, avec qui je suis censé collaborer pour une série de traductions du catalan, avait entendu parler du trésor de Maura par son professeur à lui, trente ou quarante années auparavant, et il avait le vague souvenir d'avoir eu en main quelques-uns des manuscrits authentiques. En consultant des fiches de bibliothèque à l'encre sépia à moitié délavée, je réussis par découvrir à quel endroit de la réserve la collection Maura avait des chances de se trouver, et je descendis explorer les caves. Lumière parcimonieuse. Coffres cadenassés. Une infinité de classeurs en carton. La poussière me fait tousser. J'ai les doigts noirs, le visage souillé. Encore un carton, et je laisse tomber. Et puis : une reliure de carton rouge contenant un manuscrit finement enluminé sur vélin de belle qualité. Un titre richement orné : *Liber Calvarium. Livre des Crânes.* Sinistre, fascinant, romantique. Je tournai la première page. Élégantes lettres onciales, dans l'écriture nette et détachée du Xᵉ ou du XIᵉ siècle, les mots non pas en latin mais en un catalan lourdement latinisé que je traduisais automatiquement. *Écoute, ô Noble-né : la vie éternelle nous t'offrons.* L'incipit le plus fou que j'aie jamais

111

rencontré. Avais-je mal interprété le texte? Non. *La vie éternelle nous t'offrons.*

La page contenait le premier paragraphe du texte, dont les autres lignes n'étaient pas aussi faciles à déchiffrer que l'incipit. Au bas de la page et le long de la marge gauche s'alignaient huit crânes humains magnifiquement enluminés, chacun séparé du voisin par une bordure de colonnes et une petite voûte romane. Un seul crâne avait sa mâchoire inférieure. Un autre était incliné sur le côté. Mais tous étaient grimaçants, et il y avait quelque chose de mauvais dans leurs orbites sombres. Ils semblaient dire, d'au-delà de la tombe : *cela vous serait fort utile d'apprendre ce que nous avons connu.*

Je m'assis sur un coffre de vieux parchemins et commençai à feuilleter le manuscrit. Une douzaine de pages, toutes ornées des grotesqueries de la tombe − fémurs croisés, pierres tombales renversées, un ou deux pelvis, et partout des crânes, des crânes, des crânes. Le traduire comme ça était une tâche hors de portée pour moi; une grande partie du vocabulaire m'était obscure, car elle n'était ni en latin ni en catalan, mais dans une espèce de langage intermédiaire et flou. Cependant, la signification générale de ma découverte s'imposa rapidement à moi. Le texte était adressé à un quelconque prince par le supérieur d'un monastère placé sous sa protection et consistait essentiellement en une invitation à se retirer des affaires mondaines pour partager les « mystères » de l'ordre monastique. Les disciplines des moines, disait le supérieur, étaient toutes orientées vers la défaite de la Mort, par quoi il entendait non le triomphe de l'esprit dans l'autre monde, mais bien le triomphe du corps dans celui-ci. *La vie éternelle nous t'offrons.* La contemplation, l'exercice physique et spirituel, un régime adéquat et ainsi de suite, telles étaient les portes de la vie éternelle.

Une heure de labeur acharné me livra les passages suivants :

« *Tel est le Premier Mystère : que le crâne se trouve derrière le visage comme la mort se trouve à côté de la vie. Mais sachez, ô Nobles-nés! qu'il n'y a là aucun paradoxe, car la mort est le compagnon de la vie, et la vie la messagère de la mort. Si l'on pouvait atteindre le crâne à travers le visage et le traiter en ami, il serait possible...* [illisible].

» *Tel est le Sixième Mystère : que notre don soit toujours méprisé, que nous soyons des fugitifs parmi les hommes, afin que nous fuyions de lieu en lieu, des cavernes du nord aux cavernes du sud, du* [incertain] *des champs au* [incertain] *de la cité, comme il en est allé pendant les centaines d'années de ma vie et les centaines d'années de la vie de mes ancêtres...*

» *Tel est le Neuvième Mystère : que le prix d'une vie soit exigé en échange d'une vie. Sachez, ô Nobles-nés! que chaque éternité doit être compensée par une extinction et que nous requérons de vous que l'équilibre ordonné soit atteint dans la sérénité. Deux parmi vous nous acceptons d'admettre en notre sein. Deux doivent rejoindre l'obscurité. De même que par le fait de notre vie nous mourons chaque jour, de même par le fait de notre mort nous vivrons éternellement. Y en a-t-il un parmi vous qui renoncera de plein gré à l'éternité au bénéfice de ses frères de la figure à quatre côtés afin qu'ils gagnent la compréhension de l'abnégation authentique? Y en a-t-il un parmi vous que ses camarades sont prêts à sacrifier afin qu'ils gagnent la compréhension de l'exclusion? Que les victimes se choisissent. Qu'elles définissent la qualité de leur vie par la qualité de leur départ...* »

Il y en avait encore : dix-huit Mystères en tout, plus une péroraison en vers absolument opaques. J'étais captivé. C'était la fascination intrinsèque du texte qui me saisissait, sa sombre beauté, ses sinistres enluminures, ses rythmes de gong, plutôt qu'un rapprochement immédiat avec ce monastère de l'Arizona. Sortir le manuscrit de la bibliothèque était chose impossible, bien sûr, mais je le remontai, émergeant des souterrains tel le fantôme poussiéreux de Banquo, et pris mes dispositions pour qu'on me réserve une table privée dans un coin tranquille. Puis je rentrai et me douchai sans dire un mot à Ned de ce que j'avais découvert, bien que mon trouble lui fût certainement visible. Je retournai ensuite à la bibliothèque, armé d'une liasse de papier, d'un stylo et de mes dictionnaires personnels. Le manuscrit était déjà posé sur la table que j'avais réservée. Jusqu'à dix heures ce soir-là, l'heure de la fermeture, je m'échinai sur mon texte à la lueur d'une méchante ampoule. Il n'y avait pas le moindre doute : ces Espagnols prétendaient posséder une technique ouvrant la porte de l'immortalité. Le manuscrit ne faisait aucune allusion à la méthode utilisée, mais insistait pour dire qu'elle était efficace. Une grande partie du symbolisme tournait autour du crâne-derrière-le-visage. Pour un culte orienté vers la vie, je trouvais qu'ils attachaient beaucoup d'importance à l'imagerie de la tombe. Peut-être était-ce là la discontinuité nécessaire, le sens des juxtapositions choquantes dont Ned fait tellement état dans ses théories esthétiques. Le texte laissait clairement entendre que certains moines adorateurs des crânes, sinon tous, avaient vécu pendant des siècles (voire des millénaires? Un passage ambigu du Seizième Mystère semblait impliquer une lignée plus ancienne que celle des pharaons). Cette longévité leur avait évidemment attiré les ressentiments des mortels autour d'eux, les paysans, bergers et barons, et, à plusieurs reprises, ils avaient été obligés d'établir ailleurs leur quartier général, toujours à la recherche d'un endroit où pratiquer en paix leurs exercices.

Trois jours de pénible travail me donnèrent finalement une traduction à peu près sûre d'environ 85 pour 100 du texte, et une connaissance suffisante du reste. Je menai tout seul le travail à bien, à l'exception de quelques phrases particulièrement indéchiffrables pour lesquelles je dus demander l'avis du professeur Vasquez Ocaña, sans toutefois lui révéler la nature exacte de mon travail. (Quand il me demanda si j'avais trouvé les manuscrits de Maura Gudiol, je répliquai vaguement n'importe quoi.) Arrivé à ce stade, je considérais encore toute l'histoire comme un conte de fées charmant. J'avais lu *les Horizons perdus* dans mon enfance, et je n'avais pas oublié Shangri-la, le monastère secret de l'Himalaya où les moines s'entraînaient au yoga et à respirer de l'air pur, ni cette ligne qui m'avait impressionné : « *Que vous être encore en vie, Père Perrault.* » On ne pouvait pas prendre ces choses-là au sérieux. Je m'imaginais publiant ma traduction dans *Speculum,* par exemple, avec un commentaire approprié sur la croyance médiévale à l'immortalité et des références au mythe de Prester John, à Sir John Mandeville et aux romans d'Alexandre. La Fraternité des Crânes, les Gardiens qui en sont les grands-prêtres, l'Épreuve qui doit être subie par quatre candidats à la fois, parmi lesquels deux seulement ont le droit de survivre, l'allusion aux anciens mystères transmis au cours des millénaires – tout cela aurait pu être le sujet d'un conte de Schéhérazade, vous ne trouvez pas? Je pris la peine d'éplucher soigneusement la version de Burton en seize volumes des *Mille et Une Nuits,* pensant que c'étaient peut-être les Maures qui avaient introduit cette histoire de crânes en Catalogne aux environs du VIIIe ou du IXe siècle. Mais non. Quelle que soit ma découverte, elle ne constituait pas un fragment flottant des *Mille et Une Nuits.* Peut-être une partie du cycle de Charlemagne? Ou quelque récit-roman anonyme? Je consultai d'énormes répertoires de la mythologie médiévale. Sans résultat. Je remontai les siècles. Je devins, en l'espace d'une semaine, un expert sur la littérature de l'immortalité et de la longévité. Tithon, Mathusalem, Gilgamesh, l'Uttarakurus et l'arbre de Jambu, le pêcheur Glaukus et les immortels taoïstes. Oui, toute la bibliographie. Et puis, l'éclair d'intuition, le coup de poing sur le front, le cri qui fit tourner toutes les têtes dans la salle de lecture. L'Arizona! Des moines venus du Mexique, et avant d'Espagne! Les frises de têtes de morts! J'allai chercher de nouveau cet article paru dans le supplément du dimanche. Je le relus dans un état tout proche du délire. C'est bien ça.

« *Il y a des crânes dans tous les coins, grimaçants, menaçants, en haut-relief ou en ronde-bosse... Les moines sont maigres, débordants de vie intérieure... Celui à qui j'ai parlé... aurait pu avoir trente ans comme trois cents ans. Impossible à dire.* »

« *Que vous êtes encore en vie, père Perrault.* » Mon âme stupéfaite se rétracta. Pouvais-je croire à de telles choses? Moi, le sceptique, le railleur, le matérialiste, le pragmatiste? L'immortalité? Un culte vieux comme le temps? Une chose pareille pouvait-elle exister? Les Gardiens des Crânes vivant au milieu des cactus. Ni un mythe médiéval, ni une légende, mais une institution qui a survécu même à notre époque mécanisée, à la portée de n'importe qui désireux d'entreprendre le voyage. Je pouvais être candidat si je voulais. Eli Steinfeld, vivant pour assister à l'aube du XXXVIe siècle. La chose était au-delà de toute plausibilité. Je rejetai le rapprochement entre le manuscrit et l'article de journal comme une folle coïncidence; puis, à force de méditer, je rejetai mon refus, et je m'acheminai peu à peu vers l'acceptation. Il m'était nécessaire d'accomplir un acte de foi formel, le premier que j'aie jamais accompli, pour commencer à accepter une telle idée. Je m'obligeai à admettre l'idée de l'existence de puissances extérieures à la compréhension de la science contemporaine. Je m'obligeai à me défaire d'une vieille habitude d'ignorer l'inconnu tant qu'il n'a pas été officiellement étayé par des preuves rigoureuses. Je rejoignis joyeusement les rangs des soucoupistes, des atlantéistes et des scientologistes, celui des défenseurs de la terre plate et de Charles Fort, celui des macrobioticiens et des astrologues, celui des légions de crédules dont la compagnie m'avait rarement mis à l'aise jusqu'à présent. Au moins, j'acquis la foi. Une foi totale, mais qui n'excluait pas la possibilité d'une erreur. J'y croyais. J'en parlai à Ned, puis quelque temps après à Oliver, et à Timothy. Agitant la carotte sous le bout de leur nez. La vie éternelle nous t'offrons. Et maintenant nous sommes à Phoenix. Les palmiers, les cactus, le chameau devant le motel. Nous sommes arrivés. Demain, nous commençons la phase finale de notre quête du monastère des Crânes.

XIX

OLIVER

PEUT-ÊTRE que j'ai un peu exagéré avec cette histoire d'auto-stoppeur. Je ne sais pas. Je n'y comprends plus rien. Habituellement, mes motivations sont toujours limpides, claires comme du cristal. Mais pas cette fois-ci. Le pauvre Ned ne devait plus savoir ce qui lui arrivait quand j'ai commencé à hurler. Eli m'a engueulé, ensuite, disant que je n'avais pas le droit de m'opposer à sa libre décision de venir en aide à un être humain. C'est Ned qui conduisait, c'était son droit de s'arrêter. Même Timothy, qui m'a soutenu sur le moment, m'a dit plus tard qu'il pensait que j'étais allé trop loin. Le seul qui n'ait fait aucun commentaire ce soir-là, c'est Ned, mais je savais qu'il y pensait encore.

Pourquoi ai-je fait ça, je me le demande. Je ne pouvais pas être à ce point pressé d'arriver au monastère. Même si l'auto-stoppeur nous avait déviés d'un quart d'heure de notre route, qu'est-ce que ça pouvait faire? Piquer une crise pour un quart d'heure, alors que nous avions l'éternité qui nous attendait? Non, ce n'était pas la perte de temps qui m'emmerdait. Ce n'était pas non plus ces conneries de Charles Manson. C'était quelque chose de plus profond, et je le sais bien.

Juste au moment où Ned ralentissait pour faire monter le hippie, j'ai eu une intuition. *Ce hippie est une tante,* me suis-je dit. Juste comme ça. *Ce hippie est une tante.* Ned l'a repéré, avec ce sixième sens que ceux de son espèce semblent posséder. Ned l'a repéré, me suis-je dit, et il veut l'emmener au motel avec lui ce soir. Je dois être honnête avec moi-même. C'est ce que j'ai pensé. Avec l'image de Ned et du hippie au lit ensemble, s'embrassant, haletant, roulant l'un sur l'autre, se caressant, faisant tout ce que les homosexuels aiment faire. Je n'avais aucune raison de penser une chose pareille. Le hippie était semblable aux cinq millions d'autres : pieds nus, cheveux démesurés, gilet bouclé, jeans décolorés. Qu'est-ce qui me faisait croire que c'était une tante? Et même si c'en était une? Est-ce que Timothy et moi nous n'avons pas racolé des filles à New York et à Chicago? Pourquoi Ned n'aurait-il pas le droit de se livrer à son sport favori? Est-ce que j'ai quelque chose contre les homosexuels? Un de mes camarades de chambre n'en est-il pas un? Un de mes meilleurs copains. Je savais à quoi m'en tenir sur Ned quand il est venu vivre avec nous. Je m'en foutais, du moment qu'il ne me faisait pas d'avances. Je l'aimais pour lui-même, je ne m'intéressais pas à ses goûts sexuels. Et pourquoi cet accès soudain de bigoterie sur la route? Réfléchis-y, Oliver. Penses-y.

Tu étais jaloux, peut-être. Hein? As-tu songé à cette possibilité, Oliver? Peut-être que tu ne voulais pas voir Ned aller avec quelqu'un d'autre? Voudrais-tu examiner cette idée un instant?

D'accord. Je sais qu'il s'intéresse à moi. Depuis longtemps. Ce regard de petit chien quand il me dévisage à la dérobée, cet air songeur – je sais ce que ça signifie. Non pas qu'il m'ait jamais fait des propositions. Il a trop peur pour ça, trop peur de briser une amitié utile en franchissant la barrière. Mais tout de même, le désir est là. Est-ce que j'ai fait le chien du jardinier, alors, en n'accordant pas à Ned ce qu'il veut de moi, et en l'empêchant aussi de l'avoir de ce hippie? Quel foutu bordel, cette histoire. Il va falloir que je repense à tout ça en détail. Ma réaction quand Ned a commencé à ralentir. Les hurlements. L'hystérie. Visiblement, un mécanisme s'est déclenché en moi. Il faut que j'y repense. Que je mette tout ça au clair. Ça me fait peur. J'ai peur de découvrir sur moi quelque chose que je ne tiens pas à savoir.

XX

NED

Nous voilà transformés en détectives. Ratissant Phoenix pour essayer de découvrir la trace du monastère. Je trouve ça amusant : venir de si loin pour être incapable d'opérer la jonction finale. Mais tout ce qu'Eli possède, c'est cette coupure de journal qui situe le monastère « pas très loin au nord de Phoenix ». C'est grand, ça, tout de même, « pas très loin au nord de Phoenix ». Ça couvre tout le territoire entre ici et le Grand Canyon, d'un bout de l'État à l'autre. Nous ne pouvons pas nous en sortir tout seuls. Après le petit déjeuner, ce matin, Timothy est allé montrer la coupure d'Eli à l'employé de la réception. Eli se sentait trop timide, trop étranger, pour y aller lui-même. Le type n'avait jamais entendu parler d'aucun monastère nulle part, mais il nous conseillait de nous adresser aux bureaux du journal, juste en face de l'autre côté de la rue. Ledit journal, paraissant l'après-midi, n'ouvrait pas boutique avant neuf heures, et comme nous vivions encore sur l'heure de l'Est, nous nous étions levés très tôt ce matin. Il n'était que huit heures et quart. Nous musâmes dans les rues de la ville pour tuer les quarante-cinq minutes qui manquaient, regardant les boutiques de barbiers, les kiosques à journaux, les devantures des magasins où l'on vendait des poteries indiennes et des accessoires pour cow-boys. Le soleil était déjà fort, et le thermomètre d'un gratte-ciel bancaire annonçait une température de 22 degrés. La journée s'annonçait étouffante. Le ciel avait cette féroce coloration bleue du désert; les montagnes juste à la lisière de la ville étaient d'un brun pâle. La ville était silencieuse, à peine quelques voitures dans les rues.

Nous ne parlions guère. Oliver semblait encore bouder à cause du cirque qu'il nous avait fait pour cet auto-stoppeur. Il se sentait sans doute gêné, avec quelque raison. Timothy jouait au blasé en prenant son air supérieur. Il s'était attendu à trouver un Phoenix beaucoup plus dynamique : la métropole active au centre de l'économie d'un Arizona en pleine expansion, et le calme qui régnait ici le désappointait. (Plus tard, nous devions découvrir que le véritable dynamisme se situe à deux ou trois kilomètres dans le nord de la ville, là où se joue l'expansion.) Eli était tendu et réservé; sans doute se demandait-il s'il ne nous avait pas fait traverser pour rien la moitié du continent. Et moi? Nerveux, les lèvres sèches, la gorge aride. Un tiraillement du scrotum qui ne me vient que quand je suis très, très anxieux. Crispant et décrispant mes muscles fessiers. Et si le monastère n'existait pas? Pis, s'il existait? La fin de mes oscillations élaborées. J'allais devoir prendre parti enfin, m'insérer dans la réalité de la chose, m'abandonner au rite des Gardiens des Crânes, ou bien alors, sceptique, m'en aller. Comment allais-je réagir? Toujours, la menace du Neuvième Mystère était tapie dans la coulisse, ténébreuse, sournoise, tentante. *Chaque éternité doit être compensée par une extinction.* Deux vivent pour l'éternité, deux meurent tout de suite. Cette proposition recèle une musique tendre, vibrante; je la vois miroiter au loin, je l'entends résonner, séductrice, dans les collines nues. Je la redoute, et cependant je ne puis résister au pari qu'elle offre.

A neuf heures précises, nous étions au bureau du journal. C'est Timothy qui parla; ses manières aisées, sûres, de la haute société, lui permettent de se tirer de n'importe quelle situation. Il nous présenta comme des étudiants en train de préparer une thèse sur la vie monastique contemporaine, ce qui nous permit de franchir la porte d'une secrétaire et d'un reporter pour être introduits dans le bureau d'un rédacteur qui examina notre coupure de journal et déclara qu'il ignorait tout d'un tel monastère au milieu du désert (découragement!) mais qu'il y avait un type dans son équipe qui était spécialisé dans les communautés, les cultes secrets et autres établissements en marge de la ville (espoir!). Où se trouvait cet homme en ce moment?

— Oh! il est en congé, déclara le rédacteur.

(Découragement!)

— Et quand rentrera-t-il?

— Il n'a pas quitté la ville, à la vérité.

(Re-espoir!)

— Il passe son congé chez lui. Peut-être qu'il acceptera de vous parler.

Sur notre requête, le rédacteur donna un coup de téléphone et nous fit inviter chez ce spécialiste des loufoques en tous genres.

— Il habite derrière Bethany Home Road, tout juste après Central Street, au numéro 64 000. Vous voyez où c'est? Vous remontez Central Street, vous dépassez Camelback et Bethany Home...

Dix minutes en bagnole. Nous laissâmes derrière nous la ville assoupie, filant au nord par les quartiers industriels, les gratte-ciel tout en verre et les gigantesques centres commerciaux. Nous traversâmes un quartier impressionnant de maisons modernes à moitié dissimulées par leurs jardins exubérants de végétation tropicale. Après cela, une zone résidentielle un peu plus modeste, et nous arrivâmes chez celui qui avait nos réponses. Il s'appelait Gilson. La quarantaine, bronzé, les yeux bleus et le front dégagé et brillant. Type agréable. S'occuper des communautés en marge était pour lui une marotte, et pas une obsession. Ce n'était pas le genre de type à avoir des obsessions. Oui, il avait entendu parler de la Fraternité des Crânes, même s'il ne l'appelait pas comme ça. « Les Pères mexicains », tel était le nom qu'il leur donnait. Il n'y était jamais allé lui-même, mais il avait parlé à quelqu'un qui les avait vus, un visiteur du Massachusetts, peut-être celui-là même qui avait écrit l'article. Timothy demanda si Gilson pouvait nous indiquer l'emplacement du monastère. Gilson nous fit entrer : petite maison coquette, décor typique du Sud-Ouest. Tapisseries navajo accrochées au mur, une demi-douzaine de poteries hopi dans le rouge et le crème occupant des étagères. Il sortit une carte de Phoenix et des environs.

— Voilà où vous êtes, dit-il en tapant du doigt sur la carte. Pour sortir de la ville, vous filez comme ça : Black Canyon Highway, c'est une autoroute; vous la prenez là et vous roulez vers le nord en suivant les indications pour Prescott, bien que vous n'alliez pas si loin que ça. A cet endroit, vous voyez? Pas très loin de la limite de la ville, deux ou trois kilomètres, vous quittez l'autoroute – vous avez une carte? Tenez, je vous fais une croix. Et vous suivez cette route-ci... Ensuite, il faut prendre celle-là, vous voyez, en direction du nord. Vous faites dix kilomètres environ... – Il traça une série de zigzags sur notre carte, puis finalement fit une seconde croix. – Non, dit-il. Ce n'est pas encore là qu'est le monastère. Là, il faut laisser la voiture et continuer à pied. Vous verrez que la route devient un simple sentier où aucune voiture, pas même une jeep, ne pourrait passer. Mais pour des jeunes comme vous ça ne pose aucun problème. Il y a cinq ou six kilomètres à faire, toujours droit vers l'est.

— Et si nous ne trouvons pas? demanda Timothy. Je ne parle pas de la route, mais du monastère.

— Vous ne risquez rien, répondit Gilson. Mais si vous arrivez à la Réserve indienne du Fort McDowell, vous saurez que vous êtes allés trop loin. Et si vous voyez le lac

Roosevelt, c'est que vous serez allés beaucoup, beaucoup trop loin.

Il nous demanda, quand nous prîmes congé, de nous arrêter chez lui en repassant par Phoenix pour lui dire ce que nous aurions découvert là-bas.

— J'aime bien tenir mes petites fiches à jour, expliqua-t-il. Ça fait longtemps que j'ai l'intention d'aller y jeter un coup d'œil, mais vous savez comment c'est, il y a toujours des tas de choses à faire, et on a si peu de temps.

— Bien sûr, répondîmes-nous. On vous racontera tout.

Tous en voiture. C'est Oliver qui conduit et Eli qui trace la route, la carte étalée devant lui. Black Canyon Highway à l'ouest. Une autoroute à six voies, écrasée sous le soleil du matin. Peu de circulation, à part quelques énormes poids lourds. Nous prenons la direction nord. Bientôt, toutes nos questions trouveront une réponse; sans doute d'autres se poseront-elles à leur tour. Notre foi, ou notre naïveté peut-être, sera récompensée. Malgré la chaleur torride, je sentis un frisson me parcourir. Je percevais, montant de la fosse d'orchestre, les sombres accents wagnériens des trombones et des tubas de mauvais augure. Le rideau se levait, mais j'ignorais si c'était le début du premier ou du dernier acte que nous allions jouer. Je ne doutais plus à présent de l'existence du monastère. Gilson n'avait pas fait de mystères. Ce n'était pas un mythe, mais la manifestation de ce besoin de spiritualité que le désert semble éveiller chez l'homme. Nous trouverions bientôt le monastère, et ce serait le bon, le descendant de celui qui est décrit dans le *Livre des Crânes*. Un autre frisson délicieux : et si nous nous trouvions face à face avec l'auteur de cet ancien manuscrit, millénaire, hors du temps? Tout est possible, quand on a la foi.

La foi. Quelle proportion de mon existence a été marquée par ce petit mot de trois lettres? Portrait de l'artiste jeune morveux. L'école paroissiale, le toit qui fuit, le vent qui siffle à travers les fenêtres qui ont besoin d'être

remastiquées, les pâles sœurs qui nous regardent sévère-
ment avec leurs lunettes austères tandis que nous jouons
dans la cour. Le catéchisme. Les petits garçons bien
soignés, chemise blanche et cravate rouge. Le Père Burke
nous faisant la classe. Jeune, grassouillet, le visage rose,
toujours des gouttes de sueur au-dessus de sa lèvre, une
masse de chair molle pendant par-dessus son col empesé. Il
devait avoir vingt-cinq, vingt-six ans, ce jeune prêtre voué
au célibat, à la queue pas encore desséchée. Il devait se
demander, le soir, si ça en valait bien la peine. Pour le petit
Ned, âgé de sept ans, il incarnait les Écritures, imposantes,
sacrées. Toujours une baguette d'osier à la main, et il s'en
servait : il avait lu son Joyce, il jouait le rôle, il faisait de
terribles moulinets avec. C'est mon tour d'être interrogé.
Je me lève, tremblant, j'ai envie de faire dans ma culotte.
J'ai le nez qui coule (j'ai toujours eu la morve au nez
jusqu'à l'âge de douze ans; mes souvenirs d'enfance sont
entachés de l'image d'une stalactite crasseuse, une mous-
tache dégoulinante et poisseuse. Le robinet ne s'est fermé
qu'avec la puberté.) Le dos de ma main se porte vivement à
mon museau. Le geste réflexe.

— Ne soyez pas répugnant! dit le Père Burke, dont les
yeux bleus lancent des éclairs. Dieu est amour, Dieu est
amour; et le Père Burke, qu'est-il donc? La baguette fend
l'air avec un sifflement. Il fait un geste irrité dans ma
direction :

— Le Symbole des Apôtres, maintenant, tout de suite!
Je commence en bredouillant :

— Je crois à Dieu tout-puissant, créateur du Ciel et de la
Terre, et à Jésus-Christ, et à Jésus-Christ...

C'est le trou. De derrière moi, un chuchotement rauque,
Sandy Dolan :

— Son unique fils, Notre Seigneur.

J'ai les genoux tremblants, j'ai l'âme frémissante.
Dimanche dernier, après la messe, Sandy Dolan et moi
nous sommes allés épier à travers les carreaux sa grande

sœur qui se changeait, quinze ans, petits seins au bout rose, poils bruns. Nous aussi, on aura des poils là, me chuchote Sandy. Est-ce que Dieu nous a vus épier sa sœur? Le jour du Seigneur, un péché pareil! La baguette tournoie à présent de façon menaçante.

— ... son unique fils, Notre Seigneur, qui a été conçu du Saint-Esprit, est né de la Vierge Marie... — Oui, maintenant je suis lancé, on arrive à la partie mélodramatique que j'aime bien. Je regagne confiance, ma voix acquiert de l'assurance. — ... a souffert sous Ponce Pilate, a été crucifié, est mort, a été enseveli, est descendu aux enfers, le troisième jour est ressuscité des morts, est monté aux cieux... monté aux cieux...

J'étais de nouveau perdu. Sandy, aide-moi! Mais le Père Burke est trop près. Sandy n'ose pas parler.

— ... est monté aux cieux...

— Il y est déjà, mon garçon, lance sarcastiquement le prêtre. Achevez donc! Est monté aux cieux...

Ma langue est collée à la voûte de mon palais. Toutes les têtes se sont tournées vers moi. Est-ce que je ne peux pas m'asseoir? Est-ce que Sandy ne peut pas continuer pour moi? Sept ans seulement, Seigneur, et il faut que je sache tout ton credo?

La baguette... la baguette...

Chose incroyable, c'est le Père qui me souffle : « Siège à la droite... »

Phrase bénie. Je m'y agrippe :

— Siège sur la droite...

— A la droite! — Et ma main gauche reçoit le coup de baguette. Le choc vibrant, sonore, fait se recroqueviller ma main comme une feuille d'arbre au contact du feu. Des larmes amères me montent aux yeux. Je peux m'asseoir, maintenant? Non; il faut que je continue. Ils attendent cela de moi. La vieille sœur Marie-Josèphe, au visage couvert de rides, lisant à haute voix un de mes poèmes dans l'auditorium, une ode au dimanche pascal, me disant ensuite qu'elle me trouve très doué. Continue, maintenant. Le credo, le credo! Ce n'est pas juste. Tu m'as frappé; maintenant, je devrais avoir le droit de m'asseoir.

– Poursuivez! fait l'inexorable prêtre. Siège à la droite...

J'acquiesce. « Siège à la droite de Dieu, le Père tout-puissant, d'où il viendra juger les vivants et les morts. » Ouf! ça y est, le pire est passé. Le cœur battant, je débite le reste à toute allure. « Je crois au Saint-Esprit, à la sainte Église catholique, à la communion des saints, à la rémission des péchés, à la résurrection de la chair et à la vie éternelle. Amen! »

Fallait-il finir par amen? Je m'embrouille tellement que je ne sais plus. Le Père Burke me fait un sourire doux-amer. Je me laisse tomber sur ma chaise, vidé. Voilà ce que ça représente pour moi, la foi. La Foi. L'Enfant Jésus dans la crèche et la baguette s'abattant sur vos doigts. Les corridors glacés. Les visages sinistres. L'odeur sèche et poussiéreuse du sacré. Un jour, le cardinal Cushing nous rendit visite. Toute l'école était terrorisée; nous n'aurions pas été plus épouvantés si le Sauveur lui-même était sorti tout à coup d'une armoire. Les regards furieux, les avertissements chuchotés : « Restez en rangs », « Chantez juste », « Ne parlez pas », « Soyez respectueux ». Dieu est amour, Dieu est amour. Et les chapelets, les crucifix, les portraits pastel de la Vierge, le vendredi maigre, le cauchemar de la première communion, la terreur à l'idée de pénétrer dans le confessionnal – tout l'appareil de la foi, le dépotoir des siècles. Bien sûr, il fallait que je me débarrasse de ça au plus vite. Échapper aux jésuites, échapper à ma mère, aux apôtres et aux martyrs, à saint Patrick, à saint Brendan, à saint Dionysius, à saint Ignace, à saint Antoine, à sainte Thérèse, à sainte Thaïs, la courtisane pénitente, à saint Kevin, à saint Ned. Je devenais un apostat puant, mais je n'étais pas le premier de la famille à dévier du droit chemin. Quand j'irai en enfer, je rejoindrai mes oncles et mes cousins, tournant sur leurs broches. Et, maintenant, voilà qu'Eli Steinfeld me demande d'avoir à nouveau la foi. « Comme nous le savons tous », explique Eli, « Dieu est anachronique, embarrassant; admettre à notre époque moderne que vous avez foi en Son existence équivaut à admettre que vous avez des boutons au cul. Nous, les sophistiqués, nous qui avons tout vu et qui savons à quel point c'est de la frime, nous ne pouvons pas nous résoudre à nous en remettre à Lui, bien que ce ne soit pas l'envie qui nous manque de laisser ce vieux salaud archaïque prendre toutes les décisions difficiles à notre place ». « Mais une seconde! » s'écrie Eli! « Laisse tomber ton cynisme, laisse tomber ta défiance envers l'invisible! Einstein, Bohr et Thomas Edison ont détruit notre capacité d'embrasser l'Au-Delà, mais n'es-tu pas prêt à embrasser gaiement l'Ici-même? Crois », dit Eli. « Crois en l'impossible. Crois *parce que* c'est impossible. Crois que l'histoire du monde que nous avons reçue est un mythe, et que ce mythe est la seule chose qui survit de l'histoire réelle. Crois aux Crânes et à leurs Gardiens. Crois. Fais un acte de foi, et la vie éternelle sera ta récompense. » Ainsi parlait Eli. Et nous roulons vers le nord, l'est, le nord, encore vers l'est, zigzaguant dans le désert broussailleux, et il faut que nous ayons la foi.

XXI

TIMOTHY

J'ESSAIE de faire bonne figure. J'essaie de ne pas me plaindre, mais il ne faut pas pousser. Cette marche dans le désert en plein midi, par exemple. Il faut être masochiste pour s'imposer une épreuve pareille, même si c'est pour vivre dix mille ans. Mais ça, c'est de la connerie, bien sûr; complètement irréel. Ce qui est bien réel, par contre, c'est la chaleur. J'estime qu'il doit faire trente-cinq, trente-huit, ou même quarante degrés. On n'est même pas en avril, et on se croirait dans une fournaise. Cette fameuse chaleur sèche de l'Arizona dont on parle tant. Bien sûr, il fait chaud, mais c'est une chaleur sèche, vous ne la sentez pas. Mes couilles! Moi, je la sens. J'ai ôté ma veste et ma chemise est ouverte, et je suis en train de rôtir. Si je n'avais pas la peau si blanche, j'enlèverais complètement ma chemise, mais je deviendrais comme une écrevisse. Oliver est déjà torse nu, et il est plus blond que moi; mais peut-être qu'il ne craint pas les coups de soleil. Peau de paysan, peau du Kansas. Chaque pas est un martyre. Et combien avons-nous encore à faire? Huit kilomètres? Seize?

La voiture est loin derrière nous. Il est midi et demi, et nous marchons depuis midi, midi moins le quart. Le sentier n'a que cinquante centimètres de large, et il y a des endroits où il est encore plus étroit. Il y a des endroits, en fait, où il n'y a pas de sentier du tout, et où nous avons encore à nous frayer un chemin parmi les buissons épineux. Nous marchons l'un derrière l'autre, comme quatre Navajos complètement paumés en train de pister l'armée de Custer. Même les lézards se fichent de nous. Seigneur! je me demande comment il peut y avoir de la vie dans ces coins! Les lézards et les plantes doivent être cuits et recuits par le soleil! Le sol n'est pas vraiment de la terre, et pas vraiment du sable; c'est quelque chose de sec et de friable, qui crisse doucement sous nos pieds. Le silence qui règne amplifie les bruits. Un silence effrayant. Nous ne parlons pas depuis un moment. Eli ouvre la voie, comme s'il allait trouver le Saint-Graal au bout du chemin. Ned s'essouffle et peine : il n'est pas très robuste et cette marche met sa résistance à rude épreuve. Oliver, qui complète la file, est, comme d'habitude, entièrement replié sur lui-même. Il pourrait être un astronaute faisant la traversée de la Lune. De temps à autre, Ned s'arrête pour nous dire quelque chose à propos d'une plante. Je n'avais jamais réalisé à quel point il est mordu de botanique. Il y a peu de ces impressionnants cactus verticaux, les saguaros, par ici, bien qu'on en aperçoive quelques-uns de quinze, et même de vingt mètres de haut à quelque distance en arrière du chemin. Ce qu'il y a à leur place, par milliers, c'est un truc inquiétant, d'environ deux mètres, avec un tronc gris, biscornu et noueux garni de longs bouquets d'épines et de grosses boules vertes qui pendent. Ned appelle ça le cholla à guirlandes, et nous avertit de ne pas nous en approcher à cause de ses épines acérées. Aussi l'évitons-nous, mais il y a un autre cholla, le cholla à peluche, qui n'est pas facile à éviter. Et c'est un véritable emmerdement. De petites plantes duveteuses de quarante à cinquante centimètres, couvertes de milliers de piquants de couleur paille. Vous les regardez de travers, et ils vous sautent dessus. Je vous assure que c'est vrai. J'ai les bottes couvertes de piquant. Le cholla à peluche se casse facilement, et il y a des morceaux qui se détachent et qui roulent un peu partout, en particulier au milieu du chemin. Ned dit que chaque fragment prendra racine là où il est tombé et deviendra une nouvelle plante. Il faut que nous fassions attention à chacun de nos pas pour éviter de marcher dessus. Et ne croyez pas qu'il suffit d'envoyer rouler les morceaux d'un coup de pied pour s'en débarrasser. J'ai essayé, et le cactus s'est collé à ma botte, et, quand je me suis baissé pour le décrocher, il est resté collé au bout de mes doigts. Une centaine d'épines à la fois. Des aiguilles de feu. J'ai crié. Ned a dû me l'enlever en utilisant deux brindilles en guise de pince. Mes doigts me brûlent encore. Des épines minuscules font des trous noirs dans ma chair. Je me demande si ça va s'infecter. Il y a plein d'autres sortes de cactus dans le coin – des cactus-tonneaux, des figuiers de Barbarie et six ou sept autres dont Ned ne connaît pas le nom. Et des arbres aux feuilles épineuses, des mesquites, des acacias. Toutes les plantes sont hostiles ici. « Ne me touchez pas », disent-elles. « Ne me touchez pas, ou vous le regretterez. » J'aurais voulu me trouver autre part. Mais nous marchons, nous marchons, nous marchons. J'échangerais l'Arizona contre le Sahara, donnant, donnant, avec en prime la moitié du Nouveau-Mexique pour adoucir le marché. Combien de temps encore? Combien de degrés? Merde, merde, merde, merde, merde!

– Hé! regardez! s'écrie Eli en montrant quelque chose du doigt. A gauche du sentier, à moitié caché derrière un enchevêtrement de chollas : un gros rocher rond, aussi large que le torse d'un homme, une pierre rugueuse et sombre qui diffère par sa texture et sa composition du grès local couleur de chocolat. C'est de la roche volcanique, du balsate, du granit ou de la diabase, une des quatre. Eli s'accroupit à côté du rocher, ramasse un

132

morceau de bois mort et commence à repousser le cactus. « Vous voyez? » dit-il. « Les yeux? Le nez? » Il a raison. On distingue des orbites creuses, la cavité triangulaire du nez et, au niveau du sol, une rangée d'immenses dents, le maxillaire supérieur, à demi enfoncé dans le sol sablonneux.

Un crâne.

Il semble vieux d'un millier d'années. On voit les traces d'un travail délicat, indiquant les pommettes, les arcades sourcilières et d'autres traits; mais la plupart ont été oblitérés par le temps. C'est bien un crâne, cependant. Cela ne fait aucun doute. C'est un repère qui nous indique que ce que nous cherchons n'est plus très loin – ou peut-être qui nous avertit de nous en retourner maintenant, avant qu'il ne soit trop tard. Eli reste un long moment à étudier le crâne. Oliver et Ned également. Ils semblent fascinés. Un nuage passe au-dessus de nos têtes, assombrissant le rocher, changeant ses contours, et j'ai l'impression maintenant que les yeux vides se sont tournés vers nous et nous contemplent. La chaleur doit me faire divaguer. Eli commente :

– Il est probablement précolombien. Ils l'ont amené avec eux du Mexique, j'imagine.

Nous scrutons la brume de chaleur. Les grands saguaros, comme des colonnes, nous barrent l'horizon. Il faut passer au milieu d'eux. Et plus loin? Le monastère lui-même, sans doute. Soudain, je me demande ce que je fais ici, comment j'ai pu me laisser convaincre de participer à cette folie. Ce qui me paraissait une plaisanterie, un canular, semble beaucoup trop réel, maintenant.

Ne jamais mourir. Quelle connerie! Comment de telles choses peuvent-elles exister? Nous allons perdre des jours entiers ici pour essayer de le découvrir. Une aventure complètement cinglée. Des crânes au milieu de la route. Des cactus. La chaleur étouffante. La soif. Deux doivent mourir pour que deux puissent vivre. Tout le fatras mystique d'Eli se trouve maintenant condensé pour moi dans ce gros bloc de pierre noire, si tangible, si indéniable. Je me suis engagé dans quelque chose qui échappe totalement à mon entendement, et qui recèle peut-être du danger pour moi. Mais maintenant, il est trop tard pour reculer.

XXII

ELI

Et s'il n'y avait pas eu de monastère? Si nous étions arrivés au bout du chemin pour ne trouver qu'un mur impénétrable d'épines et de cactus? J'avoue que je m'attendais un peu à ça. Toute l'expédition un échec, un fiasco de plus à porter au compte d'Eli, le *schmeggege*. Le crâne au bord du chemin, un faux indice; le manuscrit, une fable insensée; l'article dans le journal, un canular; la croix sur notre carte, une bonne farce. Rien d'autre devant nous que des cactus et des mesquites, un désert tourmenté, une fosse où même les cochons ne daignent pas chier, qu'est-ce que j'aurais fait, alors? Je me serais tourné avec beaucoup de dignité vers mes trois compagnons fatigués, et je leur aurais dit : « Messieurs, je me suis trompé, et vous avez été induits en erreur. Nous avons pourchassé une chimère. » Avec un demi-sourire d'excuse au coin des lèvres. Et ils se saisissent de moi tranquillement, sans méchanceté, ayant su depuis le début que ça devait inévitablement finir comme ça, et ils me déshabillent et m'enfoncent l'épieu de bois dans le cœur, ils me clouent à un saguaro géant, ils m'écrasent entre deux rochers plats, ils m'enfoncent des chollas dans les yeux, ils me font brûler vivant, ils m'enterrent jusqu'aux épaules dans une fourmilière, ils me châtrent avec leurs ongles, tout en murmurant solennellement : *Schmeggege, schlemihl, schlemazel, schmen-*

drick, schlep! Patiemment, j'accepte mon châtiment mérité. L'humiliation, ça me connaît. Le désastre ne me surprend jamais.

L'humiliation? Le désastre? Comme pour le fiasco de Margo, ma plus récente débâcle. Ça me cuit encore. Octobre dernier, le début du semestre. Un soir de pluie, de brouillard. Nous avions du hasch de première, du soi-disant Panama Red que Ned avait eu par une prétendue filière homosexuelle underground, et nous faisions tourner la pipe, Timothy, Ned et moi, tandis qu'Oliver, comme toujours, s'abstenait et sirotait pieusement un quelconque vin rouge à bon marché. Un des quartettes de Rasoumovsky se faisait entendre à l'arrière-plan, s'élevant éloquemment au-dessus du tambourinement de la pluie; nous planions de plus en plus haut, et Beethoven nous donnait un support mystique avec un second violoncelliste qui semblait s'être inexplicablement joint au groupe, et même un hautbois à des moments bizarres, ou un basson transcendantal derrière les cordes. Ned ne nous avait pas roulés : la came était superbe. Peu à peu, je dérivai, dérivai dans un voyage conversationnel, confessionnel, me libérant de tout ce que j'avais sur le cœur, disant soudain à Timothy que ce que je regrettais le plus c'était de n'être jamais allé de ma vie avec ce que j'appellerais une fille vraiment belle.

Timothy, compatissant, me demande de citer un exemple de ce que j'appelle une fille vraiment belle. Je réfléchis, examinant mes options. Ned suggère Raquel Welch, Catherine Deneuve, Lainie Kazan. Finalement, avec une merveilleuse ingénuité, je lâche : « Je considère que Margo est une fille vraiment belle. » La Margo de Timothy. La déesse *goyishe* de Timothy, sa *shikse* aux cheveux d'or. Ayant dit cela, je sentais une série de dialogues hâtivement esquissés résonner dans mon esprit imbibé de cannabis, un lent passage de mots, puis le temps, comme il arrive souvent quand on est sous l'influence de la marihuana, s'inversa, de sorte que j'entendis jouer mon scénario tout entier, chaque réplique arrivant strictement en son temps. Timothy me demandait, le plus sérieusement du monde, si Margo m'excitait. Je lui répondais, non moins sérieusement, que oui. Il voulait savoir, alors, si je me sentirais moins inadéquat, plus épanoui, après être allé avec elle. Hésitant maintenant, me demandant à quel jeu il jouait, je répondais en vagues circonlocutions, pour l'entendre avec stupeur déclarer qu'il allait arranger tout ça pour demain soir. « Arranger quoi? » demandai-je.

— Margo, disait-il. Il me prêterait Margo par charité chrétienne.

— Et elle voudra...

— Bien sûr qu'elle voudra. Elle te trouve formidable.

— On te trouve tous formidable, Eli. — Ça, c'était Ned.

— Mais je ne peux pas... elle ne... comment...

— Je te la confie, dit Timothy magnifiquement. Avec un geste de grand seigneur. — Je ne peux pas laisser mes amis dans un état de frustration et de désirs non assouvis. Demain soir huit heures, dans sa piaule. Je lui dirai de t'attendre.

— Ce serait tricher, fis-je, devenant morose. Trop facile, trop irréel.

— Ne sois pas idiot. Accepte ça comme une expérience indirecte. Comme d'aller au cinéma, en plus intime.

— Et plus tactile, ajouta Ned.

— Tu me fais marcher, dis-je à Timothy.

— Parole de scout! Elle est à toi.

Il se mit à décrire les préférences de Margo au lit, ses zones érogènes spéciales, les petits signes qu'ils utilisaient. Je saisissais l'esprit de la chose, je planais de plus en plus, je me lançais dans un trip de rigolade, je complétais les descriptions explicites de Timothy par des fantaisies scabreuses de mon cru. Naturellement, quand je redescendis une ou deux heures plus tard, j'étais persuadé qu'il m'avait fait marcher, et cela me précipita dans un abîme de morosité. Car j'étais depuis toujours convaincu que les Margo de ce monde ne sont pas pour moi. Les Timothy pouvaient baiser des cohortes entières de Margo, mais moi je n'en aurais jamais une seule. En vérité, je la vénérais à distance. Le prototype de la *shikse,* la fleur de la féminité aryenne, mince, les jambes longues, cinq centimètres de plus que moi (qui paraissent tellement plus quand une fille est à côté de vous!), les cheveux blonds et soyeux, les yeux bleus, le nez retroussé, les lèvres larges et agiles. Une fille vive, athlétique, une championne de basket (même Oliver respectait ses capacités sur le terrain, une étudiante brillante, un esprit souple et mordant). En fait, elle était d'une perfection étourdissante, épouvantable : une de ces créatures sans défaut que notre aristocratie produit de temps à autre au milieu de la multitude, faite pour régner sereinement sur des propriétés agrestes ou pour promener majestueusement des caniches dans la IIe Avenue. Margo, à moi? Mon corps poilu et transpirant contre le sien? Ma joue rugueuse contre sa peau de satin? La grenouille s'accouplant avec une comète. Aux yeux de Margo, je devais être quelque chose de vil et de répugnant, le représentant pathétique d'une espèce inférieure. Tout commerce entre nous ne pouvait être que contraire à la nature, l'alliage de l'argent avec le cuivre, le mélange de l'albâtre avec le charbon. Je m'efforçai de ne plus y penser. Mais, à midi, Timothy me rappela mon rendez-vous. « C'est impossible », dis-je en inventant trente-six excuses : des études, un devoir à rendre, une traduction difficile, et ainsi de suite. Il écarta d'un geste mes faibles prétextes.

— Trouve-toi chez elle à huit heures, dit-il.

Une vague de terreur s'empara de moi :

— Je ne peux pas, insistai-je. Tu la prostitues, Timothy. Que suis-je censé faire? Entrer, déboutonner ma braguette, lui sauter dessus? Ça ne peut pas marcher. Tu ne peux pas rendre un rêve réel rien qu'en agitant ta baguette magique.

Timothy haussa les épaules.

Je supposai que c'était terminé avec cette histoire. Oliver avait un entraînement de basket ce soir-là. Ned sortit pour aller au cinéma. Vers sept heures et demie, Timothy s'excusa. « Du travail à la bibliothèque, dit-il. Je serai de retour à dix heures. » Je restai seul dans l'appartement que nous partagions. Sans rien soupçonner. Je commençai à travailler. A huit heures, un bruit de clé dans la serrure; Margo entre. Sourire éblouissant, or fondu. Chez moi, panique, consternation.

— Timothy est là? demande-t-elle, en refermant négligemment la porte à clé derrière elle. Coup de tonnerre dans ma poitrine.

— A la bibliothèque, dis-je. De retour à dix heures.

Aucun endroit où me cacher. Margo fait une moue chagrinée :

— J'étais sûre de le trouver ici. Enfin, tant pis pour lui. Tu es très occupé, Eli? – Un clin d'œil étincelant. Elle s'allonge sereinement sur le canapé.

— Je prépare un devoir, dis-je. Sur les formes irrégulières du verbe...

— Comme c'est fascinant! Tu fumes?

Je compris tout. Ils avaient tout combiné. Un traquenard pour me rendre heureux, que ça me plaise ou non. Je me sentais roulé, utilisé, paternalisé. Devais-je lui demander de sortir? Non, *schmendrick,* ne fais pas l'idiot. Elle est à toi pendant deux heures. Au diable la délicatesse. La fin justifie les moyens. Ta chance est là. Tu n'en auras pas d'autre. Je marchai en crânant vers le canapé. Eli, crânant, oui! Elle avait deux gros clopes, professionnellement roulés. Calmement, elle en alluma un, inhala profondément et me le passa. Mon poignet tremblait, je faillis faire tomber le bout embrasé du clope sur son bras tellement le mien était secoué. C'était fort; je toussai. Elle me donna des tapes dans le dos. *Schlemihl. Schlep.* Elle reprit le clope, aspira et écarta les sourcils dans un « mmm! »

langoureux. Le hasch n'avait aucun effet sur moi; j'étais trop tendu, et l'adrénaline neutralisait les effets au fur et à mesure. J'étais conscient de l'odeur aigre de ma transpiration. Rapidement, le clope ne fut plus qu'un mégot. Margo, déjà apparemment en pleine vape, proposa d'allumer le second clope. Je secouai la tête : « Plus tard », dis-je.

Elle se leva et se mit à marcher dans la pièce.

– Il fait horriblement chaud ici, tu ne trouves pas?

Le truc éculé! Une fille habile comme Margo aurait dû être capable de trouver mieux. Elle s'étira. Bâilla. Elle portait une courte jupe serrée et un minuscule corsage qui laissaient nu son ventre doré. Ni soutien-gorge ni culotte, c'était visible. Les petites protubérances des bouts de ses seins étaient apparentes, et la jupe, étroitement collée à ses fesses rondes, ne laissait voir aucun pli révélateur. Ah! Eli! démon observateur, manipulateur suave et habile de chair féminine!

– Comme il fait chaud! murmura-t-elle, perdue dans sa vape.

Elle ôte son corsage. En me lançant un sourire innocent, comme pour dire : nous sommes de vieux amis, nous n'avons pas besoin de nous embarrasser de tabous imbéciles, pourquoi les nénés seraient-ils plus sacrés que le coude? Ses seins étaient moyennement gros, hauts, épanouis, merveilleusement fermes. Probablement la poitrine la plus réussie qu'il m'ait été donné de contempler. Je cherchais une manière de les regarder sans en avoir l'air. Au cinéma, c'est plus facile : il n'y a pas de relation toi-moi avec ce qui se passe sur l'écran. Elle commença un truc d'astrologie, histoire de me mettre à l'aise, je suppose. Des tas de choses sur la conjonction des planètes dans la maison de je ne sais pas quoi. Je ne pouvais que bredouiller des réponses. Puis elle se mit à me lire les lignes de la main. C'était sa nouvelle marotte, le mystère des plis.

– Les diseuses de bonne aventure se moquent du public,

déclara-t-elle sérieusement, mais ça ne veut pas dire qu'il n'y ait pas de substance à la base. Vois-tu, tout ton avenir est programmé dans les molécules d'A.D.N., et ce sont elles qui gouvernent la configuration des lignes de ta main. Attends, laisse-moi regarder.

Prenant ma main, elle m'attira près d'elle sur le canapé. Je me sentais idiotement puceau dans mon attitude, sinon dans mon expérience réelle. Elle se pencha sur la paume de ma main. Elle me chatouillait.

– Ça, tu vois, c'est ta ligne de vie – oh! comme elle est longue! Très très longue!

Je lançais des regards en coulisse à ses nichons tandis qu'elle faisait son numéro de chiromancienne.

– Et ça, c'est le mont de Vénus. Tu vois cette petite ligne qui part d'ici? Elle indique que tu as de très fortes passions, mais que tu les restreins, tu les réprimes énormément. C'est vrai?

D'accord, Margo, je vais jouer le jeu. Mon bras soudain se lance autour de ses épaules, ma main part à la recherche de ses seins.

– Oh! oui, Eli, oui, oui!

Elle en fait trop. Elle m'étreint. Un baiser malhabile. Ses lèvres étaient entrouvertes. Je fis ce qu'il fallait. Mais je ne ressentais aucune passion, ni forte ni autre. Tout ça me paraissait formel, comme un menuet programmé de l'extérieur. Je ne pouvais pas assumer l'idée de faire ça avec Margo. Irréel, irréel, irréel. Même quand elle se dégagea souplement et fit glisser sa jupe, révélant ses hanches pointues, ses fesses fermes de garçon, sa toison drue couleur de chaume, je ne ressentis aucun désir. Elle me fit un geste, un sourire invitant. Pour elle, tout ça n'était pas plus apocalyptique qu'une poignée de main, un bécot sur la joue. Pour moi, les galaxies se soulevaient. Comme cela aurait dû être facile, pourtant. Baisser le pantalon, grimper sur elle, dans elle, le jeu de hanches, oh! Ah! Oh! Ah! Youpee! Mais je souffrais de la maladie du

sexe dans la tête; j'étais trop préoccupé par l'idée de
Margo en tant que symbole inaccessible de la perfection
pour réaliser que Margo était parfaitement accessible, et
pas si parfaite que ça – pâle cicatrice d'appendicite, légers
plis aux hanches, vestiges d'une pré-adolescence beaucoup
plus boulotte; cuisses un peu trop maigres.

Ainsi, je foirai. Oui, je me déshabillai; oui, je me fourrai
dans le lit avec elle; oui, je ne pouvais pas me dresser, et
Margo dut me venir en aide, et à la fin la libido prit le
dessus sur la mortification et je devins suffisamment raide
et vibrant et, taureau des pampas, je me jetai sur elle,
agrippant, griffant, l'effrayant de férocité, la violant
pratiquement, tout cela pour mollir soudain au moment
critique de l'insertion, puis – oh! oui, gaffe sur gaffe,
gaucherie sur gaucherie, Margo alternativement terrifiée,
amusée et emplie de sollicitude, jusqu'à ce qu'enfin
survienne la consommation, suivie presque instantanément
par l'éruption, suivie par des gouffres d'auto-mépris, suivis
par des cratères de révulsion. Je ne pouvais plus la
regarder. Je me dégageai, me cachai sous l'oreiller, me
vitupérai, vitupérai Timothy, vitupérai D. H. Lawrence.

– Je peux t'aider? demanda Margo en caressant mon
dos mouillé de transpiration.

– S'il te plaît, va-t'en, dis-je, et n'en parle à personne.

Mais elle en parla, bien sûr. Tout le monde sut. Ma
balourdise, mon incompétence absurde, mes sept variétés
d'ambiguïtés culminant finalement en sept variétés d'im-
puissance. Eli le *schmeggege,* loupant sa plus grande
chance avec la fille la plus sensationnelle qu'il aura jamais
l'occasion de toucher. Encore un autre fiasco dans une
série collectionnée avec amour. Et nous aurions pu en
connaître un pire ici même, au milieu des cactus, et les
trois autres auraient dit : « Il fallait s'y attendre, de la part
d'un type comme Eli. »

Mais le monastère était bien là.

Le sentier se mit à monter légèrement parmi des touffes

de chollas et de mesquites de plus en plus denses, jusqu'à ce que nous débouchions, abruptement, sur un large espace sablonneux. Alignés de droite à gauche, il y avait une série de crânes de basalte semblables à celui que nous avions trouvé plus bas, mais beaucoup plus petits, la taille d'un ballon de basket, posés dans le sable à intervalles de cinquante centimètres environ. De l'autre côté de la rangée de crânes, une soixantaine de mètres plus loin, se trouvait le monastère des Crânes, tel un sphinx accroupi dans le désert : un bâtiment sans étage, relativement grand, surmonté d'une terrasse, aux murs de stuc jaune-brun. Sept piliers de pierre blanche décoraient sa façade aveugle. L'effet produit était d'une simplicité remarquable, rompue seulement par la frise qui courait le long du fronton : des crânes en bas-relief, présentant leur profil gauche. Des joues enfoncées, des narines creuses, des orbites démesurées. Les bouches béaient en des sourires sinistres. Les longues dents pointues, soigneusement profilées, semblaient prêtes à se refermer en un claquement féroce. Et les langues – quelle touche sinistre, des crânes avec des langues! – les langues étaient tordues en d'horribles et élégantes courbes en forme d'S, et pointaient juste au-delà des dents comme le dard fourchu d'un serpent. Il y avait des douzaines de crânes, identiques à un point qui confinait à l'obsession, figés dans une attitude grotesque, l'un à côté de l'autre, jusqu'aux coins visibles du bâtiment. Ils avaient cette allure de cauchemar que je décèle dans la plus grande partie de l'art mexicain précolombien. Ils auraient été plus à leur place, pensais-je, en bordure de quelque autel sacrificiel où des couteaux d'obsidienne découpent à vif le cœur d'animaux pantelants.

Le bâtiment était apparemment en forme d'S, avec deux longues ailes annexes rattachées à la section principale. Je n'apercevais aucune porte. Mais, à une quinzaine de mètres de la façade, s'ouvrait la voûte d'accès d'un souterrain, isolée au milieu d'un espace libre. Elle béait, sombre et mystérieuse, comme l'entrée d'un autre monde. Je réalisai immédiatement que ce devait être un passage conduisant au monastère. Je me dirigeai vers la voûte et passai la tête à l'intérieur. L'obscurité était complète. Oserions-nous entrer? Fallait-il attendre que quelqu'un se montre et nous appelle? Mais personne ne se montra; et la chaleur était insupportable. Je sentais la peau de mon nez et de mes joues s'étirer et se boursoufler, devenir rouge et brillante après une exposition d'une demi-journée au soleil du désert. Nous nous dévisageâmes. Le Neuvième Mystère embrasait mon esprit, et probablement le leur. Nous allions peut-être entrer là pour ne plus jamais ressortir. Qui doit mourir, et qui doit vivre? Malgré moi, je me surprenais à supputer les candidats à l'annihilation, mettant tour à tour mes amis dans la balance, livrant Timothy et Oliver à la mort, puis reconsidérant mon jugement trop hâtif, mettant Ned à la place d'Oliver, Oliver à la place de Timothy, Timothy à la place de Ned, moi-même à la place de Timothy, et ainsi de suite, sans fin, tournant en rond. Ma foi dans la véracité du *Livre des Crânes* n'avait jamais été plus intense. L'impression que j'avais de me trouver au bord de l'infini n'avait jamais été plus forte ni plus terrifiante.

— Allons-y, fis-je d'une voix rauque en faisant quelques pas hésitants en avant. Un escalier de pierre conduisait dans les profondeurs du souterrain. Je descendis un ou deux mètres, et je me retrouvai dans un tunnel obscur, assez large mais bas, au plus un mètre cinquante de plafond. Il y faisait frais. Lorsque mes yeux se furent un peu habitués à l'obscurité, je distinguai des fragments de décorations sur les murs; des crânes, des crânes, rien que des crânes. Pas un brin d'imagerie chrétienne visible dans ce soi-disant monastère, mais le symbole de la mort était partout. D'en haut, Ned cria :

— Tu vois quelque chose?

Je leur décrivis le tunnel et leur demandai de me

144

suivre. Ils arrivèrent, hésitants, incertains : Ned, Timothy, Oliver. Tête courbée. Je continuai d'avancer. L'air devint plus frais. On ne voyait rien d'autre que la faible clarté mauve de l'entrée. J'essayais de compter mes pas. Dix, douze, quinze. Nous devrions déjà être sous le bâtiment. Brusquement, je me trouvai devant une barrière de pierre polie, un bloc unique qui obstruait totalement le tunnel. Je me rendis compte de sa présence au tout dernier moment, grâce à un reflet glacé dans l'obscurité quasi totale, et je m'arrêtai juste avant de me cogner dedans. Un cul-de-sac? Oui, évidemment, et dans quelques secondes nous entendrions le fracas d'un bloc de vingt tonnes s'écroulant à l'entrée du tunnel, où nous serions pris au piège, murés, condamnés à périr de faim ou d'asphyxie tandis que des éclats de rire monstrueux résonneraient à nos oreilles. Mais rien de si mélodramatique ne se produisit. J'essayai de presser la paume de ma main sur le bloc de pierre froide qui nous barrait la route, et – miracle digne d'Ali Baba – la dalle pivota avec douceur. Elle était parfaitement équilibrée, une simple pression suffisait à l'ouvrir. Ça cadre tout à fait, me dis-je, que nous entrions dans le monastère des Crânes de cette manière théâtrale. Je m'attendais à un chœur mélancolique de trombones et de cors de bassets, accompagnés de voix de basses entonnant le Requiem à l'envers : *Pietatis fons, me salva, gratis salvas salvandos qui, majestatis tremendae rex.*

Une issue brillait plus haut. Les genoux ployés, nous nous dirigeâmes vers elle. Encore des marches. Vers le haut. Nous émergeons, un par un, dans une énorme pièce carrée aux murs de grès rugueux et pâles, sans plafond, seulement une douzaine de poutres épaisses espacées d'un mètre environ l'une de l'autre, laissant passer la lumière du jour et la chaleur écrasante. Le sol était en ardoise violette, de texture lisse et brillante. Au milieu de cette sorte de cour se dressait une fontaine de jade vert surmontée par une silhouette humaine d'un mètre de haut environ. La tête de la statue était une tête de mort, et un mince filet d'eau dégoulinait de la mâchoire pour tomber dans le bassin au-dessous. Aux quatre coins de la cour, il y avait des statuettes de pierre de style maya ou aztèque, représentant des personnages au nez anguleux et busqué, aux lèvres fines et cruelles et aux boucles d'oreilles immenses. Une porte s'ouvrait dans le mur opposé à la sortie du souterrain, et dans l'encadrement de cette porte se tenait un homme, si immobile que je le pris tout d'abord pour une statue également. Quand nous fûmes tous les quatre dans la cour, il nous dit d'une voix profonde et résonnante :

— Bonjour. Je m'appelle frater Antony.

C'était un homme trapu et court, pas plus d'un mètre soixante, qui ne portait qu'une paire de blue-jeans délavés et coupés à mi-cuisses. Il avait une peau cuivrée, presque acajou, qui semblait avoir la texture du cuir très fin. Son crâne large, en coupole, était complètement dégarni, sans même une frange de cheveux sur la nuque. Son cou était épais et court, ses épaules larges et puissantes, sa poitrine profonde, ses bras et ses jambes musclés. Il donnait une impression de force et de vitalité écrasante. Son aspect général et ses vibrations de puissance et de compétence me rappelaient d'une manière extraordinaire Picasso : un petit homme solide, hors du temps, capable d'endurer n'importe quoi. Je n'avais aucune idée de l'âge qu'il pouvait avoir. Pas jeune, certainement, mais loin d'être décrépit. Cinquante? Soixante? Soixante-dix bien conservés? L'impossibilité de lui attribuer un âge était ce qu'il y avait de plus déconcertant chez lui. Il semblait intouché par le temps, totalement épargné. C'était bien là l'idée que je me faisais d'un immortel.

Il sourit chaleureusement, révélant une large denture sans défaut, et déclara :

— Je suis seul ici pour vous souhaiter la bienvenue. Nous

avons très peu de visites, et nous n'en attendons aucune. Les autres fraters sont aux champs et ne reviendront pas avant les dévotions du soir.

Il parlait un anglais parfait, d'une espèce particulièrement dépourvue de vie et d'intonation : un accent I.B.M. pour ainsi dire. Sa voix était monotone et musicale, son phrasé assuré et sans précipitation.

— Veuillez vous considérer comme les bienvenus pour autant de temps qu'il vous plaira de rester. Nous disposons d'installations pour nos invités, et nous vous prions de partager notre retraite. Resterez-vous plus d'un après-midi?

Oliver se tourna vers moi. Puis Timothy, puis Ned. C'était à moi de faire le porte-parole, donc. J'avais un goût d'airain dans la gorge. L'absurdité, l'irrationalité de ce que j'avais à dire me scella les lèvres. Je sentis mes joues bronzées embrasées de honte. « *Retourne-toi et fuis, retourne-toi et fuis* », me criait une voix intérieure. « *Plonge sous terre et cours, cours, tant qu'il en est encore temps.* » Je réussis à émettre une seule syllabe grinçante :

— Oui.

— Dans ce cas, je vais vous montrer vos chambres. Voulez-vous me suivre, s'il vous plaît?

Il s'apprêta à quitter la cour. Oliver me lança un regard furieux.

— Dis-lui! chuchota-t-il d'un ton sifflant.

Dis-lui. Dis-lui. Dis-lui! Allez, vas-y! Qu'est-ce qui peut t'arriver? Au pire, on te rira au nez. Ce ne sera pas nouveau, n'est-ce pas? Alors, dis-lui. Tout converge vers cet instant, toute ta rhétorique, toutes tes hyperboles autopersuasives, tous tes débats philosophiques, tous les doutes et les contre-doutes. Tu es ici. Tu crois que c'est le bon endroit. Alors, dis-lui, dis-lui, dis-lui!

Frater Antony, entendant le chuchotement d'Oliver, s'arrêta et se retourna vers nous :

– Oui? dit-il d'une voix douce.

Je cherchai confusément mes mots, et finis par trouver les bons :

– Frater Antony, il faut que vous sachiez... que nous avons tous lu le *Livre des Crânes*...

Voilà !

Le masque d'équanimité inébranlable de frater Antony glissa l'espace d'un bref instant. Dans ses yeux sombres et énigmatiques, j'entrevis un éclair de... Était-ce de la surprise, de l'étonnement, de la confusion ? Je ne sais... Mais il se reprit rapidement.

– Vraiment ? fit-il d'une voix aussi ferme que précédemment. Le *Livre des Crânes* ? Quel étrange nom. Je me demande ce que c'est que ce *Livre des Crânes* ?

La question était purement rhétorique. Il m'adressa un sourire brillant et fugace, comme le pinceau d'un phare coupant momentanément un brouillard épais. Mais, à la manière d'un Pilate enjoué, il ne voulut pas rester pour entendre la réponse. Calmement, il sortit, indiquant d'un geste du doigt que nous devions le suivre.

XXIII

NED

NOUS avons de quoi mijoter maintenant, mais au moins ils nous laissent mijoter chacun en privé. Nous avons tous une chambre séparée, austère mais agréable et avec suffisamment de confort. Le monastère est beaucoup plus vaste qu'il ne le paraissait de l'extérieur : les deux ailes annexes sont extrêmement longues, et il y a peut-être cinquante ou soixante chambres dans le bâtiment tout entier, sans tenir compte de l'existence possible d'autres installations souterraines. Aucune des chambres que j'ai visitées n'est munie de fenêtre. Les pièces centrales, celles que j'intitule les « salles publiques », sont à toit ouvert, mais les cellules latérales où habitent les fraters sont complètement fermées. J'ignore s'il y a un système de climatisation, n'ayant vu ni tuyaux ni bouches d'air, mais, quand on passe d'une pièce ouverte à une pièce fermée, on sent une baisse très sensible de température, de la chaleur du désert au confort d'un motel. L'architecture est simple : pièces nues et rectangulaires, murs et plafonds en grès marron, sans plâtre, sans moulures ou poutres apparentes ou autres éléments décoratifs. Le sol est partout d'ardoise sombre; il n'y a ni tapis ni moquettes. Les meubles semblent réduits au strict minimum; ma chambre n'offre rien d'autre qu'une couchette basse faite de rondins et de corde, avec un petit coffre de rangement, superbement façonné dans un bois dur et noir, pour mettre mes habits je pense. La seule chose qui rompt l'austérité ambiante est une fantastique collection de masques et de statuettes bizarres datant de l'époque précolombienne (je suppose), accrochés aux murs ou posés dans des niches : visages terrifiants, angles tourmentés, déploiement luxuriant de monstruosités. Le symbolisme du crâne est omniprésent. Je n'ai aucune idée de ce qui a conduit ce journaliste auteur de notre coupure à penser que cet endroit était habité par des « moines » pratiquant des rites chrétiens. L'article faisait état d'un décor représentant « une combinaison de style chrétien médiéval avec ce qui ressemble à des motifs aztèques », mais si l'influence aztèque est indiscutable, où donc a-t-il pu voir une imagerie chrétienne? Je ne vois ni croix, ni vitraux, ni images de saints ou de la Sainte Famille, ni rien de tout le bric-à-brac habituel. Tout ce qu'il y a ici est païen, primitif, préhistorique; ce pourrait être un temple dédié à quelque ancien dieu mexicain, ou même à une divinité du Néanderthal, mais Jésus est tout simplement absent de ces lieux, ou je ne suis pas un Irlandais de Boston. Peut-être que le raffinement glacé et austère qui règne ici a donné au journaliste l'impression qu'il se trouvait dans un monastère médiéval – les échos, les suggestions de chant grégorien dans les corridors silencieux – mais sans le symbolisme chrétien il ne saurait y avoir de christianisme, et les symboles exhibés ici sont totalement étrangers. L'effet global que produisent ces lieux est un effet d'étrange luxuriance, combinée avec un dépouillement stylistique considérable. Ils ont tout fait sur le mode austère, mais une impression de puissance et de grandeur se dégage des murs, du sol, des couloirs sans fin, des pièces nues et des meubles sommaires.

La propreté est un élément évidemment très important ici. Les arrangements sanitaires sont extraordinaires. Il y a des jets d'eau partout dans les salles publiques et les grands halls. Dans ma propre chambre, il y a une large baignoire encastrée dans le sol, toute bordée d'ardoise verte et digne d'un maharadjah ou d'un pape de la Renaissance. Quand il m'introduisit dans ma chambre, frater Antony suggéra que j'aimerais peut-être prendre un bain, et sa demande polie paraissait avoir toute la force d'un ordre. Je n'avais pas besoin de me faire prier, d'ailleurs, car la marche à travers le désert m'avait enduit d'une couche de poussière poisseuse. Je m'accordai un long bain voluptueux dans la baignoire d'ardoise brillante, et, lorsque j'en sortis, je m'aperçus que tous mes vêtements crasseux, humides, avaient disparu, chaussures et tout. A leur place, je trouvai sur ma couchette une paire de jeans courts d'aspect usé mais propres, semblables à ceux que portait frater Antony. Très bien. La philosophie de ces lieux semble être : moins il y en a, mieux ça vaut. Adieu chemises et sweaters; je me contenterai d'un short sur mes reins nus. Nous sommes dans un endroit intéressant.

La question du moment, c'est : Est-ce que ces lieux ont un rapport quelconque avec le manuscrit médiéval d'Eli et son supposé culte de l'immortalité? Je crois que oui, mais on ne peut pas encore avoir de certitude. Impossible de ne pas admirer le sens théâtral du frater, son ambiguïté merveilleuse au moment où Eli lui a sorti le *Livre des Crânes* il y a quelques heures, sa réplique sonore : « Le *Livre des Crânes*? Quel étrange nom. Je me demande ce que c'est que ce *Livre des Crânes*? » Sur quoi il accomplit une sortie rapide, qui lui permet de prendre possession d'un seul coup de tous les aspects de la situation. Est-ce qu'il ne savait vraiment pas ce que c'était? Pourquoi, alors, a-t-il paru décontenancé, juste l'espace d'une seconde, quand Eli a jeté ce nom? Le foisonnement d'images de crânes en ces lieux est-il une simple coïncidence? Le *Livre des Crânes* a-t-il été oublié par ses propres adeptes? Ou bien le frater est-il en train de jouer avec nous, d'essayer d'introduire l'incertitude dans notre esprit? L'esthétique de la taquinerie : combien de grand art est bâti sur ce principe! Ainsi, ils vont s'amuser avec nous pendant quelque temps. J'aimerais descendre en discuter avec Eli; il a l'esprit vif, il sait interpréter rapidement les nuances. Je voudrais savoir si la réponse de frater Antony l'a plongé dans la perplexité. Mais je suppose qu'il faudra que j'attende un peu avant de pouvoir parler à Eli. J'ai l'impression que ma porte est fermée à clé.

XXIV

TIMOTHY

•

DE plus en plus rocambolesque. Ce corridor d'un kilomètre. Ces têtes de morts dans tous les coins, ces masques mexicains. Des visages écorchés vifs et qui s'arrangent pour sourire quand même, des visages à la langue et aux joues transpercées par des aiguilles, des corps de chair surmontés d'une tête de mort. Charmant. Et ce vieux qui nous parle d'une voix qui pourrait sortir d'une machine. On dirait presque une sorte de robot. Il ne peut pas être réel, avec sa peau comme du parchemin, son crâne nu qui semble n'avoir jamais porté de cheveux, ses yeux luisants – brrr!

Au moins, le bain était bon. Bien qu'ils m'aient pris toutes mes affaires : mon portefeuille, mes cartes de crédit, absolument tout. Ça ne me plaît pas tellement, mais je ne vois pas ce qu'ils pourraient faire ici avec mes affaires. Peut-être qu'ils veulent juste faire la lessive. Je ne vois pas d'inconvénient à porter ces jeans à la place. Un peu serrés aux fesses, peut-être – j'imagine que je suis plus gros que la moyenne de leurs invités – mais, avec cette chaleur, ça ne fait pas de mal de réduire les frusques.

Ce qui m'embête, c'est qu'ils m'aient enfermé dans ma chambre. Ça me rappelle trop de films d'épouvante à la télé. Une trappe secrète s'ouvre dans le sol, et le cobra sacré s'avance en sifflant et en dardant sa langue. Ou bien un gaz empoisonné pénètre par une ouverture cachée. Bah! je ne pense pas ça sérieusement. Je ne pense pas qu'on nous veuille du mal. Mais ce ne sont pas des choses à faire, enfermer vos hôtes à clé. Est-ce que c'est l'heure de quelque prière spéciale qu'ils ne veulent pas qu'on interrompe? Peut-être. J'attends encore une heure, et puis j'essaie d'enfoncer la porte. Mais elle m'a l'air bien solide, cette putain de lourde.

Pas de télévision dans ce motel. Pas grand-chose à lire, excepté cette brochure qu'ils ont laissée par terre à côté de mon lit. Mais je l'ai déjà lue. Le *Livre des Crânes,* pas moins. Dactylographié en trois langues : latin, espagnol, anglais. Joyeuse décoration sur la couverture : une tête de mort et des tibias croisés. Vive le Jolly Roger! Mais ça ne m'amuse vraiment pas. A l'intérieur, il y a toutes les conneries mélodramatiques sur les dix-huit mystères qu'Eli nous avait déjà lues. La traduction est différente, mais le sens reste le même. Beaucoup d'allusions à la vie éternelle, mais beaucoup d'allusions à la mort aussi. Beaucoup trop.

J'aimerais foutre le camp d'ici... s'ils voulaient bien m'ouvrir la porte. Un gag est un gag, et peut-être que ça semblait marrant le mois dernier d'aller se casser le cul dans l'Ouest sur les recommandations d'Eli; mais, maintenant que je suis là, je ne comprends pas ce qui m'a pris de me fourrer dans ce guêpier. Si c'est pour de bon, ce dont je continue de douter, je ne veux rien avoir à faire avec ça. Et si c'est juste une bande de fanatiques béats, ce qui est le plus probable, je ne veux rien avoir à faire avec ça non plus. Ça fait deux heures que je suis là, et ça me suffit largement. Tous ces crânes me portent sur le système. Le coup de la porte bouclée, également. Et ce vieux mystérieux. O.K., les gars, ça me suffit comme ça. Timothy, fiche le camp d'ici.

XXV

ELI

J'AI beau retourner et retouner dans ma tête ce petit échange de mots avec frater Antony, je n'arrive pas à lui donner un sens. Voulait-il se moquer de moi? Affectait-il l'ignorance? Ou une connaissance qu'en fait il n'a pas? Était-ce le sourire entendu de l'initié, ou le sourire crétin du bluffeur?

Il est possible, me disais-je, qu'ils connaissent le *Livre des Crânes* sous un autre nom. Ou que, au cours de leur migration d'Espagne au Mexique et du Mexique en Arizona, ils aient subi une refonte totale de leur symbolique théologique. J'étais convaincu, malgré la réplique oblique du frater, que cet endroit était bien le successeur direct du monastère catalonien où le manuscrit que j'avais découvert avait été écrit.

Je pris un bain. Le meilleur de toute ma vie, le bain des bains. J'ai émergé de la vasque splendide pour m'apercevoir que tous mes habits avaient disparu et que ma porte était fermée à clé. J'enfilai les jeans étroits, râpés, effilochés, qu'ils m'avaient laissés. *(Ils?)* Et j'attendis. J'attendis. Rien à lire, rien à regarder, à part le masque fin d'un crâne aux orbites géantes, un travail de mosaïque constitué d'une infinité de fragments de jade, d'obsidienne et de turquoise, un trésor, un véritable chef-d'œuvre. J'étais sur le point de prendre un second bain, juste pour tuer le temps, quand ma porte s'ouvrit – sans que j'entende ni clé ni bruit de serrure – et quelqu'un que je pris tout d'abord pour frater Antony entra. Un deuxième coup d'œil m'apprit qu'il s'agissait de quelqu'un d'autre : légèrement plus grand, légèrement moins large d'épaules, la peau un rien plus claire; mais, à part ça, le même physique trapu, solide, parcheminé, à la Picasso. D'une voix feutrée évoquant Peter Lorre, il me dit :

– Je suis frater Bernard. Veuillez avoir l'obligeance de m'accompagner.

Le corridor semblait s'allonger au fur et à mesure que nous le traversions. Frater Bernard ouvrait la voie et je le suivais, les yeux figés sur l'arête étrangement saillante de son épine dorsale. Nu-pieds sur le sol de pierre lisse, sensation agréable. Portes mystérieuses en bois somptueux fermées de chaque côté du corridor. Des chambres, des chambres, encore des chambres. Pour un million de dollars d'objets mexicains grotesques sur les murs. Tous les dieux de cauchemar faisaient converger leurs regards sur moi. Les lumières avaient été allumées, et une douce lueur jaune était diffusée par des appliques en forme de crâne disposées à intervalles espacés. Une autre touche mélodramatique. En approchant de la section antérieure du bâtiment, la barre du U, je jetai un coup d'œil par-dessus l'épaule droite de frater Bernard et j'entrevis, surpris une silhouette féminine à une quinzaine de mètres de moi. Elle sortit de la dernière chambre de cette aile, traversant sans se presser mon champ de vision – elle semblait flotter – puis elle disparut dans la section principale. C'était une femme de petite taille, frêle, qui portait une sorte de mini-jupe collante, arrivant à peine à mi-cuisses, faite d'un tissu blanc plissé. Ses cheveux étaient d'un noir brillant – des cheveux latins – et tombaient largement au-dessous des épaules. Sa peau était d'un brun soutenu qui contrastait avec la blancheur de sa jupe. Sa poitrine saillait spectaculairement; je ne pouvais avoir aucun doute sur son sexe, bien que son visage fût difficile à distinguer. J'étais surpris qu'il y ait des sœurs en même temps que des frères dans ce monastère, mais peut-être était-ce une servante, car l'endroit était d'une propreté impeccable. Je savais qu'il était inutile de demander à frater Bernard de me renseigner sur elle; il portait le silence comme d'autres peuvent porter une armure.

Il me fit entrer dans une grande salle à ciel ouvert, à destination apparemment cérémonielle. Ce ne devait pas être la même que celle où frater Antony nous avait accueillis, car je ne voyais aucune trace de trappe conduisant à un tunnel. La fontaine également était de forme différente : plus grande, davantage en forme de tulipe, bien que la statuette d'où coulait l'eau fût sensiblement la même que l'autre. A travers les poutres espacées du toit ouvert, on voyait la lumière oblique d'un après-midi très avancé. Il faisait chaud, mais pas aussi étouffant que tout à l'heure.

Ned, Oliver et Timothy étaient déjà là, chacun vêtu du même pantalon collant, l'air tendu et incertain. Oliver arborait cette expression figée particulière qu'il n'a que dans ses moments de grande tension. Timothy essayait d'avoir l'air blasé, sans y parvenir. Ned me fit un clin d'œil rapide, peut-être de bienvenue, peut-être de raillerie.

Il y avait une douzaine de fraters dans la salle.

Ils semblaient tous avoir été coulés dans le même moule : s'ils n'étaient pas des frères au sens propre du mot, ils étaient au moins des cousins. Aucun d'entre eux ne dépassait un mètre soixante-dix, et plusieurs avaient un mètre soixante ou moins. Tous chauves. Tous trapus. Bronzés. L'air impérissable. Vêtus seulement du même pantalon. L'un d'eux, en qui je crus reconnaître frater Antony – c'était bien lui –, portait sur sa poitrine un petit pendentif vert. Trois autres avaient des ornements similaires, mais d'une matière plus sombre, peut-être de l'onyx.

La femme que j'avais aperçue tout à l'heure n'était pas présente.

Frater Antony me fit signer d'aller me mettre debout à côté de mes compagnons. Je me plaçai près de Ned. Silence. Tension. Une envie soudaine d'éclater de rire, que je réprimai de justesse. Que tout cela était absurde! Pour qui ces petits hommes pompeux se prenaient-ils? Pourquoi cette comédie des crânes, ces confrontations rituelles? Solennellement, frater Antony nous étudiait, comme s'il nous jugeait. Il n'y avait aucun autre bruit que celui de notre respiration et le ruissellement joyeux de la fontaine. Un peu de musique sérieuse en fond sonore, maestro, s'il vous plaît. *Mors stupebit et natura, cum resurget creatura, judicanti responsura.* La mort et la nature sont frappées de stupeur, quand la Création se relève pour répondre à son Juge. Pour répondre à son Juge. Es-tu notre Juge, frater Antony? *Quando Judex est venturus, cuncta stricte discussurus!* Ne dira-t-il rien? Resterons-nous éternellement suspendus entre la naissance et la mort, la matrice et la tombe? Ah! le scénario se poursuit! Un des fraters subalternes, sans pendentif, se dirige vers une niche creusée dans le mur et prend un livre mince, à la reliure somptueuse de maroquin rouge. Il le tend à frater Antony. Sans avoir besoin qu'on me le dise, je sais quel est ce livre. *Liber scriptus proferetur, in quo totum continetur.* Le livre écrit sera apporté, dans lequel tout est contenu. *Unde mundus judicetur.* D'où le monde sera jugé. Que suis-je censé dire? O Roi majestueux, qui sauves avec largesse ceux qui doivent être sauvés, sauve-moi, ô fontaine de clémence! Frater Antony me regardait à présent directement.

— Le *Livre des Crânes,* dit-il d'une voix douce, tranquille, qui résonnait, a très peu de lecteurs de nos jours. Comment a-t-il croisé votre chemin?

— Un vieux manuscrit, répondis-je. Caché et oublié dans une bibliothèque universitaire. Mes études... une découverte accidentelle... la curiosité me l'a fait traduire...

Le frater hocha la tête.

– Et ensuite, pour arriver jusqu'à nous? Comment avez-vous fait?

– Un article dans un journal. Quelques lignes sur l'imagerie, le symbolisme... nous avons tenté notre chance; de toute façon, nous étions en vacances, et nous sommes venus voir si... si...

– Oui, dit-il. Sans impliquer aucune question. Avec un sourire serein. Il me regardait tranquillement, attendant visiblement que je lui dise le reste. Nous étions quatre. Nous avions lu le *Livre des Crânes,* et nous étions quatre. Une déclaration de candidature formelle semblait maintenant s'imposer. *Exaudi orationem meam, ad te omnis caro veniet.* J'étais incapable de parler. Je restais muet dans l'explosion infinie de silence, espérant que Ned prononcerait les mots qui ne voulaient pas franchir mes lèvres, ou bien Oliver, ou même Timothy. Frater Antony attendait. Il m'attendrait jusqu'au dernier son de trompe, si nécessaire, jusqu'à la clameur finale de la musique. Parle. Parle. Parle.

Je déclarai, entendant ma propre voix hors de mon corps, comme si elle avait été enregistrée au magnétophone :

– Nous avons tous les quatre lu et compris le *Livre des Crânes...* et nous souhaitons nous soumettre... nous souhaitons subir l'Épreuve. Tous les quatre, nous nous offrons... nous nous offrons comme... candidats... comme... – J'étais incertain. Ma traduction était-elle correcte? Comprendrait-il mon choix des mots? – Comme Réceptacle, achevai-je.

– Comme Réceptacle, répéta frater Antony.

– Comme Réceptacle. Comme Réceptacle. Comme Réceptacle, répétèrent les fraters en chœur.

La scène s'était transformée en opéra! Soudain, j'étais devenu le ténor de *Turandot,* réclamant qu'on lui pose les énigmes fatales. Tout cela semblait outrageusement théâtral, incroyablement dépassé dans un monde où les satellites se renvoyaient des signaux, où les jeunes chevelus se battaient pour avoir de la drogue, où les matraques de la *Staatspolizei* fracassaient les têtes des manifestants dans cinquante villes américaines. Comment pouvions-nous être là à parler de têtes de morts et de réceptacles? Mais des choses encore plus étranges nous attendaient. Solennellement, frater Antony fit un signe à celui qui avait amené le livre, et de nouveau le frater se rendit à la niche. Il en revint cette fois-ci avec un masque en pierre massive, soigneusement polie, qu'il donna à frater Antony. Celui-ci l'appliqua contre son visage tandis que l'un des autres fraters portant un pendentif s'avançait pour le fixer par-derrière avec une lanière. Le masque recouvrait le visage de frater Antony de la lèvre supérieure au sommet de la tête. Il lui donnait l'aspect d'une tête de mort vivante. Ses petits yeux glacés fixés sur moi brillaient au fond des deux larges orbites de pierre. Évidemment.

Frater Antony parla :

— Vous êtes tous quatre au courant des conditions imposées par le Neuvième Mystère?

— Oui, répondis-je. Frater Antony attendit. Il finit par recevoir un oui timide de Ned, puis d'Oliver, puis de Timothy, un peu plus réticent.

— Vous ne vous présentez donc pas devant cette Épreuve dans un esprit frivole, et vous en connaissez les périls aussi bien que les récompenses. Vous vous proposez pleinement et sans restrictions intérieures? Vous êtes venus jusqu'ici pour prendre part à un sacrement, et non pour jouer un jeu. Vous vous livrez entièrement à la Fraternité, et particulièrement aux Gardiens. Ces choses sont-elles bien comprises?

— Oui, acquiesçâmes-nous timidement l'un après l'autre.

— Approchez-vous de moi. Mettez la main sur mon

masque. – Nous touchâmes, délicatement, comme si nous redoutions une décharge d'électricité, la froide pierre grise. « Voilà bien des années qu'un Réceptacle ne s'est pas présenté parmi nous », dit frater Antony. « Nous apprécions votre présence et vous sommes reconnaissants d'être venus parmi nous. Mais je dois vous avertir maintenant, au cas où vos motifs ne seraient pas suffisamment sérieux, que vous ne pouvez plus quitter le monastère jusqu'à la fin de votre initiation. Le secret est notre règle. Une fois l'Épreuve commencée, vos vies sont entre nos mains et nous interdisons tout départ de ces lieux. C'est le Dix-Neuvième Mystère, dont vous ne pouvez pas être au courant : si l'un de vous s'en va, les trois autres nous abandonnent leur vie. Est-ce bien clair? Nous ne pouvons plus accepter de revirement. Chacun de vous sera le gardien des trois autres, et vous saurez que s'il y a un renégat parmi vous, les autres périront inévitablement. C'est votre dernière chance de vous retirer. Si vous jugez les conditions trop astreignantes, ôtez votre main de mon masque et nous vous laisserons partir en paix tous les quatre. »

J'eus un moment de flottement. Je ne m'étais pas attendu à ça : la peine de mort si nous n'arrivions pas au bout de l'Épreuve! Parlaient-ils sérieusement? Et si nous nous apercevions au bout de deux jours qu'ils n'avaient rien de sérieux à nous donner? Nous étions obligés de rester des mois et des mois, jusqu'à ce qu'ils nous disent que l'Épreuve était terminée et que nous étions libres. Le marché semblait impossible. Je faillis retirer ma main. Mais je me rappelai que j'étais venu jusqu'ici pour accomplir un acte de foi, et que je renonçais à une vie sans signification dans l'espoir d'en gagner une autre qui fût pleine de signification. Oui, je me livre à vous, frater Antony, sans restriction. Et, de toute façon, qu'est-ce que ces petits hommes pourraient bien nous faire si nous décidions de partir? Il fallait prendre cela comme une partie du rituel théâtral, comme le masque et les réponses en chœur. Ainsi réussis-je à me convaincre. Ned aussi semblait avoir des doutes. Je vis ses doigts se relâcher momentanément, mais ils restèrent. La main d'Oliver n'avait pas tremblé un seul instant. C'était Timothy qui semblait le plus hésitant : il plissa les sourcils, nous regarda et regarda frater Antony, eut un accès de transpiration, leva en fait ses doigts l'espace de deux ou trois secondes, puis, avec un geste qui envoyait tout au diable, agrippa de nouveau le masque avec tant de véhémence que frater Antony faillit perdre l'équilibre sous l'impact. Voilà. Nous étions liés. Frater Antony ôta son masque.

— Vous dînerez avec nous ce soir, dit-il. Et demain nous commencerons.

XXVI

OLIVER

AINSI, nous y sommes; et c'est réel; et ils nous prennent comme candidats. La vie éternelle nous t'offrons. Au moins un point d'établi. C'est réel. Mais l'est-ce bien? Vous allez à l'église fidèlement tous les dimanches et vous faites vos prières, et vous menez une vie sans reproche et vous mettez deux sous dans le plateau, et on vous dit : vous irez au ciel et vous vivrez éternellement parmi les anges et les apôtres, mais est-ce qu'on y va vraiment? Est-ce qu'il y a un paradis? Et des anges, et des apôtres? A quoi sert d'aller sagement à l'église si le marché est un marché de dupes? Il existe donc réellement un monastère des Crânes, et une Fraternité des Crânes, et des Gardiens – frater Antony en est un – et nous sommes un Réceptacle, mais qu'est-ce que ça prouve? La vie éternelle nous t'offrons; mais dans quelle mesure est-ce réel? Si c'étaient des histoires comme celles des anges et des apôtres?

Eli y croit. Ned aussi, semble-t-il. Timothy est amusé, ou peut-être irrité, c'est difficile à dire. Et moi? Et moi? J'ai l'impression d'être un somnambule. Je rêve tout éveillé.

Je suis continuellement en train de me demander, pas juste ici, mais partout où je vais, si les choses sont réelles, si je connais une expérience authentique. Suis-je véritablement en prise avec la réalité? Et si je ne l'étais pas? Si les sensations que j'éprouve n'étaient que le faible écho de ce

163

que ressentent les autres? Comment savoir? Quand je bois du vin, est-ce que je sens tout ce que les autres sentent? Quand je lis un livre, est-ce que je comprends les mots sur la page, ou est-ce que je crois seulement les comprendre? Quand je caresse une fille, est-ce que je perçois la véritable texture de sa peau? Parfois, je crois que mes perceptions sont trop faibles. Parfois, je crois que je suis le seul au monde à ne pas ressentir pleinement les choses, mais comment faire pour le savoir? Comment un daltonien peut-il dire si les couleurs qu'il voit sont justes ou pas? Parfois, j'ai l'impression de vivre dans un film, de n'être qu'une ombre sur un écran, dérivant d'épisode en épisode insane, selon un scénario écrit par quelqu'un d'autre, un demeuré, un chimpanzé, un ordinateur fou, et je n'ai pas de profondeur, pas de texture, pas de tangibilité, pas de réalité. Rien ne compte; rien n'est réel. Tout n'est que mise en scène. Et ce sera toujours ainsi pour moi. En ces moments, une espèce de désespoir m'étreint, je ne peux plus croire à rien. Les mots eux-mêmes perdent leur signification pour ne plus être que des sons creux. Tout devient abstrait, pas juste les mots brumeux comme *amour, espoir, mort,* mais aussi les mots concrets comme *arbre, rue, amer, chaud, doux, cheval, fenêtre.* Rien ne peut m'assurer qu'une chose est bien ce qu'elle est censée être, car son nom n'est qu'un son. Tous les noms peuvent perdre leur contenu. *La vie. La mort. Tout. Rien.* Ils se ressemblent tous. Qu'est-ce qui est réel? Qu'est-ce qui ne l'est pas? Et quelle différence cela fait-il? L'univers tout entier n'est-il pas un bouquet d'atomes que nous disposons en motifs ordonnés grâce à notre faculté de percevoir? Et les perceptions que nous assemblons ne peuvent-elles être désassemblées tout aussi aisément, lorsque nous cessons de croire au processus? Je n'ai qu'à retirer mon acceptation de la notion abstraite selon laquelle ce que je vois, ce que je crois voir, se trouve réellement là. Je pourrais passer à travers le mur de cette pièce, si je réussissais à nier son existence. Je pourrais vivre éternellement... si je niais la mort. Je pourrais mourir hier... si je niais aujourd'hui. Quand j'ai ce genre de pensées, je descends, je descends la spirale de mon propre tourbillon, jusqu'au moment où je me perds, je me perds dans l'éternité.

Mais nous sommes bien ici. C'est réel. Nous sommes à l'intérieur. Ils nous acceptent pour l'initiation.

Tout cela est établi. C'est réel. Mais « réel » n'est qu'un mot. « Réel » n'est pas réel. Je ne suis plus en prise. Les trois autres, ils peuvent aller au restaurant, et penser qu'ils mordent dans un bifteck bien saignant; moi, je sais que je mords dans un groupe d'atomes, un concept abstrait auquel nous avons donné l'étiquette « bifteck », et on ne se nourrit pas de concepts abstraits. Je nie l'existence du bifteck. Je nie la réalité du monastère des Crânes. Je nie la réalité d'Oliver Marshall. Je nie la réalité de la réalité.

J'ai dû rester trop longtemps au soleil aujourd'hui.

J'ai peur. Je ne suis plus en prise. Je m'effiloche. Et je ne peux pas leur dire. Parce que je nie leur existence aussi, je nie tout. Que Dieu me vienne en aide, j'ai nié Dieu! J'ai nié la mort et j'ai nié la vie. Que demandent les gens du Zen? Quel bruit fait une main qui applaudit? Et où va la flamme d'une bougie quand on l'éteint?

Où va la flamme?

Je crois que c'est là que je vais aller bientôt.

XXVII

ELI

C'EST commencé. Le rituel, le régime, la gymnastique, les exercices spirituels et le reste. Sans aucun doute, nous n'avons vu que le sommet de l'iceberg. Beaucoup reste à être révélé. Par exemple, nous ne savons toujours pas quand les termes du Neuvième Mystère doivent être exécutés. Demain, vendredi prochain, à Noël? Quand? Déjà, nous nous regardons d'un œil sinistre, cherchant la tête de mort derrière le visage. Toi, Ned, tu te tueras pour nous? Toi, Timothy, tu projettes de me tuer afin de pouvoir vivre? Nous n'avons jamais discuté de cet aspect-là ensemble, pas une seule fois. C'est trop terrible et trop absurde à la fois pour supporter la discussion, ou même une pensée. Peut-être que leurs exigences sont symboliques, métaphoriques. Peut-être pas. C'est une question qui me tracasse. Je perçois depuis le début de ce voyage certaines suppositions non formulées sur la répartition des rôles, si répartition il doit y avoir : je mourrais de leur main, Ned périrait de la sienne. Naturellement, je ne suis pas d'accord. Je suis venu ici pour gagner la vie éternelle. Je ne sache pas qu'aucun des autres y ait jamais cru sérieusement. Ned, lui, est capable de voir le suicide comme son plus beau poème. Timothy n'a pas l'air d'attacher tellement de prix à la prolongation de son existence, bien que j'imagine qu'il n'aura pas trop à se forcer pour l'accepter si elle lui échoit. Oliver proclame qu'il refuse absolument de mourir, et il a une attitude passionnée à ce sujet. Mais Oliver est beaucoup moins stable qu'il ne le paraît en surface, et il est difficile d'analyser exactement ses motivations. Un tout petit coup de pouce philosophique, et il pourrait aussi facilement s'amouracher de la mort qu'il l'est aujourd'hui de la vie. Je ne peux donc pas dire qui vivra, et qui succombera au Neuvième Mystère. Mais je fais attention à l'endroit où je mets les pieds, et je continuerai à faire attention tant que nous resterons ici. (Combien de temps cela représente-t-il? Aucun de nous n'y a encore pensé sérieusement. Les vacances de Pâques finissent dans six ou sept jours, j'imagine. Et l'Épreuve ne sera pas encore terminée, c'est certain. J'ai l'impression que ça peut durer des mois, des années. Partirons-nous dans une semaine quoi qu'il arrive? Nous avons juré de ne pas le faire; mais, bien sûr, il n'y a pas grand-chose que les fraters puissent faire si nous décidons de filer au milieu de la nuit. Sauf que je n'ai aucune envie de partir. Je resterai des semaines, des années si nécessaire. Le monde extérieur nous portera disparus. L'université, l'armée, nos parents, ils se demanderont ce que nous sommes devenus. Du moment qu'ils ne retrouvent pas nos traces jusqu'ici... Les fraters ont enlevé tous nos bagages de la voiture. Mais elle reste parquée au début du sentier. Les flics finiront-ils par la remarquer? Enverront-ils quelqu'un s'enquérir du propriétaire? Nous sommes environnés d'incertitudes. Mais ce qui est sûr, c'est que nous restons pendant toute la durée de l'Épreuve. En tout cas, moi je reste.)

Et si le rite des Crânes s'avérait authentique?

Je ne resterai pas ici, comme semblent faire les fraters, après avoir obtenu ce que je veux. Oh! peut-être que je demeurerai avec eux une quinzaine d'années, par gratitude, par bienséance! Mais, ensuite, je fous le camp. Le monde est vaste; pourquoi passer l'éternité retiré dans le désert? J'ai ma petite idée là-dessus. Dans un sens, je suis comme Oliver : j'ai envie d'assouvir ma soif d'expérience. Je vivrai une succession de vies, en tirant le maximum de chacune. Par exemple, je passerai dix ans à Wall Street à accumuler une fortune. Si mon père a raison, et je suis sûr qu'il a raison, n'importe quel type un peu malin peut réussir en faisant simplement le contraire de ce que font les soi-disant connaisseurs. Ce sont tous des moutons, un troupeau de bétail *goyishe*. Avides, demeurés, suivant la mode du moment. Il suffit de jouer contre eux, et je tirerai deux ou trois millions que j'investirai dans des valeurs sûres, d'avenir. Ensuite, je vivrai de ces revenus pendant les cinq ou dix milliers d'années suivantes. Voilà mon indépendance assurée. Et ensuite? Dix ans de débauche. Pourquoi pas? Avec assez de fric et de confiance en soi, on peut avoir toutes les femmes qu'on veut, pas vrai? J'aurai Margo, et douze comme elle chaque semaine. J'y ai bien droit. Pourquoi pas un peu de luxure. Ce n'est pas Intellectuel, ce n'est pas Enrichissant, mais baiser a aussi sa place dans une existence bien organisée. D'accord. Le fric et la débauche. Ensuite, j'assurerai mon salut spirituel. Quinze ans dans un monastère de trappistes. Sans rien dire à personne; je médite, j'écris de la poésie, j'essaie d'atteindre Dieu, j'entre en résonance avec l'univers. Disons vingt ans, même. Je me purifie l'âme, je la purge, je l'élève aux nues. Ensuite, je ressors et je me consacre à la culturophilie. Huit années d'exercices à temps plein. Eli le Don Juan des plages. Fini l'avorton de quarante-huit kilos. Je fais du surf, je fais du ski, je gagne le championnat de lutte indienne d'East Village. Après? La musique. Je n'ai jamais approfondi la musique autant que je l'aurais voulu. Je m'inscris chez Juilliard pour quatre ans, le grand truc. Je pénètre les arcanes de l'art musical, j'explore les derniers quatuors de Beethoven, le *Clavecin bien tempéré* de Bach, et Berg, Schoenberg, Xenakis, tout ce qu'il y a de plus corsé. J'utilise les techniques que j'ai apprises au monastère pour pénétrer au cœur de l'univers des sons. Peut-être que je compose, même. Peut-être que j'écris des essais critiques. Ou que j'interprète. Eli Steinfeld dans un récital de Bach au Carnegie Hall. Quinze années pour la musique, ça va? Ça fait déjà une soixantaine d'années de mon immortalité de passées. Et ensuite? Le XXIe siècle est déjà bien avancé. Visitons le monde. Voyageons comme Bouddha, à pied de pays en pays. Laissons-nous pousser les cheveux, portons une robe jaune, tendons la sébile, sans oublier quand même une fois par mois d'aller toucher un chèque à l'American Express de Rangoon, de Djakarta, de Katmandou ou de Singapour, faisant l'expérience de l'humanité au niveau des tripes, mangeant toutes les nourritures, fourmis au curry, couilles frites, couchant avec des femmes de toutes races et confessions, vivant dans des huttes sordides, des igloos, des tentes, des péniches. Vingt ans de cette vie, et je devrais me faire une idée assez précise de la complexité culturelle des hommes. Ensuite, je pense, je retournerai à ma spécialité première, la linguistique, la philosophie, et je m'offrirai la carrière que je suis présentement en train d'abandonner. En trente ans, je peux produire l'ouvrage définitif sur les verbes irréguliers des langages indo-européens, ou percer le secret de l'étrusque, ou traduire le corpus entier de la poésie ugaritique. Tout ce que me dicte ma fantaisie. Après, je deviendrai homosexuel. Avec la vie éternelle à votre disposition, vous vous devez de goûter à tout au moins une fois, n'est-ce pas? Et Ned affirme que la vie des pédés est une vie agréable. Personnellement, j'ai toujours préféré les filles, intuitivement, instinctivement – elles sont plus belles, plus douces au toucher – mais je peux bien prendre le temps de voir ce que l'autre sexe a à me proposer. *Sub specie aeternitatis*, qu'est-ce que ça peut bien faire que je bouche un trou ou un autre? Quand je serai de retour dans la phase hétérosexuelle, il faudra que j'aille sur Mars. Nous serons alors aux environs de l'an 2100. Nous aurons colonisé

Mars, j'en suis sûr. Douze ans là-bas. Je m'occuperai de tâches manuelles, de pionnier. Ensuite, vingt ans pour la littérature, dix pour lire tout ce qui a été écrit de valable au monde, dix pour produire un roman qui se rangera aux côtés des meilleurs de Faulkner, de Dostoïevski, de Joyce, de Proust. Pourquoi n'arriverais-je pas à les égaler? Je ne serai plus un morveux; j'aurai derrière moi cent cinquante ans d'engagement avec la vie, l'éducation la plus vaste et profonde qu'aucun être humain a jamais connue, et je serai encore en pleine vigueur. Si je m'applique à la tâche, une page par jour, une page par semaine, cinq ans pour méditer l'architectonique de l'ensemble avant d'écrire la première ligne, je devrais être en mesure de produire un chef-d'œuvre immortel. Sous un pseudonyme, bien sûr. Ce sera un problème spécial, que de changer d'identité tous les quatre-vingts ou quatre-vingt-dix ans. Même dans un brillant avenir futuriste, les gens ne manqueront pas d'avoir des soupçons sur quelqu'un qui ne meurt jamais. La longévité est une chose, l'immortalité en est une autre. Il faudra que je m'arrange pour me léguer mes propres biens, pour que ma nouvelle identité hérite de l'ancienne. Je disparaîtrai et reparaîtrai sans cesse. Je teindrai mes cheveux, j'aurai une panoplie de fausses barbes, de moustaches, de perruques, de verres de contact. Attention de ne pas s'approcher de trop près de la machine d'État : une fois que mes empreintes digitales seront enregistrées par l'ordinateur central, je risque d'avoir des ennuis. Comment me procurer un certificat de naissance chaque fois que je reparaîtrai? Je trouverai bien quelque chose. Quand on est assez malin pour vivre éternellement, on doit être capable d'affronter la bureaucratie. Et si j'aime une femme? Je me marie, j'ai des enfants, je vois ma femme se flétrir sous mes yeux, je vois mes enfants vieillir eux aussi pendant que je reste jeune et frais. Probablement, je ne me marierai jamais, ou bien je le ferai pour un temps limité, dix, quinze ans, et ensuite je divorce, même si je l'aime encore, pour éviter les complications par la suite. On verra. Où en étais-je? Ah oui! en 2100, répartissant généreusement les décennies. Dix ans comme lama au Tibet. Dix ans comme pêcheur irlandais, s'ils ont encore du poisson à cette époque. Douze ans comme membre distingué du Sénat des États-Unis. Ensuite, je crois que je me lancerai dans la science, le grand secteur négligé de ma vie. J'y arriverai bien, en consacrant la patience et l'application voulues. La physique, les maths, tout ce qu'il faudra. Je donne quarante ans pour la science, j'ai l'intention de rejoindre Einstein et Newton, une carrière entière où je mettrai le meilleur de mes possibilités intellectuelles. Et ensuite? Je pourrais retourner au monastère des Crânes, je suppose, pour voir ce que sont devenus frater Antony et les autres. Cinq ans dans le désert. Et puis de nouveau dans le monde. Et quel monde ce sera! Il y aura des dizaines de nouvelles carrières possibles, des choses qu'on n'a pas encore commencé à inventer aujourd'hui. Je passerai dix ans comme expert en dématérialisation; quinze en lévitation polyvalente; douze comme courtier en symptômes. Et ensuite? Et ensuite? Ensuite, on recommence. Les possibilités sont infinies. Mais je ferais mieux de tenir Oliver et Timothy à l'œil, et peut-être Ned, même, à cause de ce trois fois putain de Neuvième Mystère. Si mes copains doivent m'immoler, disons vendredi prochain, ça fait pas mal de plans qui vont tomber à l'eau.

XXVIII

NED

LES fraters sont amoureux de nous. Il n'y a pas d'autre terme qui convient. Ils s'efforcent d'être hermétiques, solennels, impénétrables, distants, mais ils ne peuvent pas dissimuler la simple joie que leur procure notre présence. Nous les rajeunissons. Nous les avons sauvés d'une éternité de labeur à répétition. Voilà des ères qu'ils n'ont pas eu de novices, de sang jeune avec eux. Toujours la même société fermée de fraters, quinze en tout, faisant leurs dévotions, travaillant dans les champs, exécutant les corvées. Et maintenant qu'ils ont à nous faire subir le rituel de l'initiation, c'est une chose nouvelle pour eux, et ils nous sont reconnaissants d'être venus.

Tout le monde participe à notre illumination. Frater Antony préside à nos méditations et à nos exercices spirituels. Frater Bernard nous fait faire les exercices physiques. Frater Claude, le frère cuisinier, supervise notre régime. Frater Miklos nous enseigne avec force circonlocutions l'histoire de l'ordre, en nous décrivant le contexte à sa manière comme toujours ambiguë. Frater Javier est le frère confesseur qui nous guidera, d'ici quelques jours, dans la psychothérapie, qui paraît être une partie essentielle du processus entier. Frater Franz, le frère bricoleur, nous indique notre part de bois à couper et d'eau à puiser. Chacun des autres fraters a son rôle spécial à jouer, mais nous n'avons pas encore eu l'occasion de les rencontrer tous. Il y a aussi des femmes ici, nous ignorons leur nombre, peut-être trois ou quatre, peut-être une douzaine. Nous les voyons de loin de temps en temps, allant de chambre en chambre accomplir leur mission mystérieuse, sans jamais s'arrêter, sans jamais nous regarder. Comme les fraters, elles sont toutes habillées de la même façon, mais portent une robe blanche au lieu d'un pantalon bleu. Celles que j'aie vues ont toutes de longs cheveux bruns et une poitrine bien garnie. Timothy, Eli et Oliver n'ont pas non plus remarqué de blondes ou de rousses. Elles se ressemblent étrangement, et c'est la raison pour laquelle j'ai du mal à évaluer leur nombre. Je ne sais jamais dire si celles que je vois sont toujours les mêmes, ou chaque fois différentes. Le second jour de notre arrivée, Timothy a interrogé frater Antony à leur sujet, mais il s'est vu répondre gentiment qu'il était interdit de poser des questions aux membres de la Fraternité. Nous verrions bien en temps voulu, avait promis frater Antony. En attendant nous devions nous contenter de ce que nous savions.

Notre journée est minutée avec précision. Tout le monde se lève avec le soleil. N'ayant pas de fenêtres, nous attendons frater Franz, qui parcourt à l'aube le corridor en tambourinant sur les portes. Le premier acte obligatoire de la journée est un bain. Ensuite, nous allons aux champs faire une heure de travail. Les fraters cultivent toute leur nourriture eux-mêmes, dans un jardin qui doit faire deux cents mètres de long derrière le monastère. Un système d'irrigation complexe pompe l'eau de quelque source profonde. Il a dû coûter une fortune à installer, de même que le monastère a dû coûter une fortune et demie à construire, mais je soupçonne la Fraternité d'être immensément riche. Comme Eli nous l'a fait remarquer, n'importe quelle organisation qui pourrait faire fructifier son capital à 5 ou 6 % pendant quatre siècles finirait par posséder des continents entiers. Les fraters cultivent du blé, des herbes et un assortiment de fruits, de baies et de racines comestibles. Je ne connaissais pas le nom d'une grande partie des plantes que nous passions notre temps à soigner avec amour, mais je pense qu'il y avait un bon nombre de variétés exotiques. Le riz, les haricots, le maïs et tous les végétaux « forts », comme l'oignon, sont interdits ici. Le blé, j'ai l'impression, est tout juste toléré, étant jugé spirituellement indésirable mais nécessaire d'une manière ou d'une autre. Il est rigoureusement passé cinq fois et moulu dix fois, et requiert des méditations spéciales avant d'être transformé en pain. Les fraters ne mangent pas de viande, et nous non plus tant que nous serons ici. La viande, apparemment, est une source de vibrations destructives. Le sel est entièrement banni. Le poivre est hors-la-loi. Ou plutôt le poivre noir. Le poivre de Cayenne est permis, et les fraters en raffolent. Ils le consomment d'une infinité de façons, comme les Mexicains : piments frais, piments séchés, en poudre ou au vinaigre, et ainsi de suite. L'espèce qu'ils cultivent ici est du feu. Eli et moi, qui sommes des amateurs d'épices, en usons libéralement, même si ça nous amène parfois les larmes aux yeux, mais Timothy et Oliver, habitués à un régime plus délicat, ne peuvent pas s'y faire. Une autre nourriture privilégiée ici, ce sont les œufs. Il y a un poulailler à l'arrière du monastère, plein de poules actives. Sous une forme ou sous une autre, les œufs apparaissent trois fois par jour au menu. Les fraters distillent aussi une sorte de liqueur d'herbes moyennement alcoolisée sous la direction de frater Maurice, le frater préposé aux alambics.

Quand nous avons fini notre heure de travail aux champs, un gong nous appelle. Nous allons alors dans nos chambres pour prendre un nouveau bain, et c'est l'heure du petit déjeuner. Les repas sont servis dans l'une des pièces à ciel ouvert, sur une élégante table de pierre. Les menus sont élaborés selon des principes mystérieux qui ne nous ont pas encore été révélés. Il semble que la couleur et la consistance de ce que nous mangeons ait autant d'importance que sa valeur nutritionnelle. Nous mangeons des œufs, de la soupe, du pain, de la purée de légumes, etc., le tout copieusement assaisonné de piment. En guise de boisson, il y a de l'eau, une espèce de bière de froment et, le soir, la liqueur d'herbes, mais rien d'autre. Oliver, mangeur de viande, n'est pas à son affaire. La viande me manquait, au début, mais maintenant je suis aussi habitué qu'Eli. Timothy grogne et force sur la liqueur. Le troisième jour au repas de midi, il avait bu trop de bière, et il a tout vomi sur le magnifique sol d'ardoise. Frater Franz a attendu qu'il ait fini, puis, sans dire un mot, lui a tendu une serviette en lui intimant d'avoir à nettoyer tout ça. Il est visible que les fraters ne l'aiment pas. Peut-être qu'ils en ont peur, car il fait quinze centimètres de plus que le plus grand d'entre eux, et facilement quarante kilos de plus que le plus lourd. Le reste d'entre nous, comme je l'ai déjà dit, leur inspire de l'amour, et abstraitement parlant Timothy lui aussi leur inspire de l'amour.

Après le petit déjeuner, c'est la méditation du matin en compagnie de frater Antony. Il parle peu, juste pour nous donner un contexte spirituel avec le minimum de mots. Nous nous retrouvons dans la deuxième aile longue du bâtiment, celle qui fait le pendant du dortoir et qui est consacrée uniquement aux fonctions monastiques. Au lieu de chambres, il y a des chapelles, dix-huit en tout, qui correspondent je suppose aux Dix-Huit Mystères. Elles sont aussi parcimonieusement meublées et aussi puissamment austères que les autres chambres, et contiennent un nombre époustouflant de chefs-d'œuvre artistiques. La plupart sont précolombiens, mais quelques sculptures et calices ont un aspect médiéval européen, et il y a certains objets non figuratifs (en ivoire? en pierre? en os?) que je n'arrive pas à situer du tout. Cette aile du bâtiment possède aussi une grande bibliothèque bourrée de volumes, très rares d'après l'aspect des rayons. Nous n'avons pas pour le moment l'autorisation de pénétrer dans cette pièce, bien qu'elle ne soit jamais fermée à clé. Frater Antony nous reçoit dans la chapelle la plus proche de l'aile commune. Elle est vide, à l'exception de l'omniprésent masque-tête-de-mort suspendu au mur. Il s'agenouille; nous nous agenouillons. Il ôte de sa poitrine le petit pendentif de jade, lequel, rien d'étonnant à ça, est sculpté en forme de crâne, et le pose par terre devant nous comme point focal de nos méditations. En tant que frater supérieur, frater Antony est le seul qui possède un pendentif de jade, mais frater Miklos, frater Javier et frater Franz ont droit à des ornements similaires en pierre brune polie – de l'obsidienne, je pense, ou de l'onyx. A eux quatre, ils forment les Gardiens des Crânes, un corps d'élite au sein de la Fraternité. Ce que frater Antony nous demande de méditer aujourd'hui est un paradoxe : le crâne derrière le visage, la présence du symbole de mort derrière notre masque vivant. Par un exercice de « vision intérieure », nous sommes censés nous purger de l'influx de mort en absorbant, en comprenant pleinement et en détruisant finalement la puissance du crâne. Je ne sais pas dans quelle mesure nous avons réussi : une autre chose qu'il nous est interdit de faire, c'est d'échanger nos impressions sur nos progrès respectifs. Je doute que Timothy soit très fort en méditation. Oliver l'est certainement; il fixe le crâne de jade avec une intensité de dément, il l'absorbe, il l'engouffre, et je pense que son esprit y pénètre. Mais est-il dans la bonne direction? Eli s'est souvent plaint à moi dans le passé d'avoir de la difficulté à atteindre les hauts sommets de l'expérience mystique des drogues; il a l'esprit trop agile, trop mouvant, et il s'est déjà gâché plusieurs trips à l'acide pour avoir voulu aller partout à la fois au lieu de se laisser glisser tranquillement dans le Grand Tout. Ici aussi, je crois qu'il a du mal à se concentrer. Il semble impatient et tendu pendant les séances de méditation, et on dirait qu'il force, qu'il essaye d'accéder à des régions qu'il ne peut pas vraiment atteindre.

Quant à moi, j'aime bien ces séances quotidiennes avec frater Antony. Le paradoxe du crâne est précisément le genre d'irrationalités auxquelles je souscris, et je crois que je ne m'en tire pas trop mal, bien que je puisse me tromper. J'aimerais discuter de mes progrès, s'il y en a, avec frater Antony, mais ce genre de question directe est interdit pour le moment. Aussi, je m'agenouille pour regarder le petit crâne vert chaque jour, je projette mon âme et je continue à mener le combat interne perpétuel entre la foi abjecte et le cynisme corrosif.

Une fois terminée la séance d'une heure avec frater Antony, nous retournons aux champs. Nous extirpons les mauvaises herbes, répandons le fumier – entièrement organique, bien sûr – et plantons les semences. Là, Oliver est tout à son affaire. Il a toujours voulu répudier son éducation de paysan, mais soudain il l'étale, comme Eli étale son vocabulaire yiddish bien qu'il n'ait pas mis les pieds dans une synagogue depuis sa bar-mitzvah. Le syndrome des origines. Celle d'Oliver est rurale, et il met à bêcher et à biner une vitalité considérable. Les fraters essayent de la ralentir : je crois que son énergie les stupéfie, mais ils doivent redouter aussi une crise cardiaque. Frater Léon, le frère médecin, a parlé plusieurs fois à Oliver pour lui faire remarquer que la température du matin avoisine trente-trois, et qu'elle va encore grimper. Mais Oliver s'obstine. J'éprouve un étrange plaisir à fouailler ainsi dans la terre. Cela doit satisfaire le romantisme du retour à la nature qui, je suppose, sommeille dans les cœurs de tous les intellectuels excessivement urbanisés. Je n'avais jamais accompli avant ça de travail manuel plus épuisant que la masturbation, et les travaux des champs sont un défi à la fois pour mon dos et pour mon esprit, mais je m'y jette avec ardeur. Jusqu'à présent. La réaction d'Eli devant la chose agricole est à peu près la même que la mienne, peut-être en un peu plus intense, en plus romantique. Il parle de tirer un renouveau physique de notre mère la Terre. Et Timothy, qui n'a jamais eu dans sa vie à faire davantage que lacer ses propres souliers, prend l'attitude altière d'un gentleman-farmer : noblesse oblige, dit-il en accompagnant chacun de ses gestes languides, faisant ce que les fraters lui demandent, mais montrant bien que s'il daigne se salir les mains, c'est seulement parce qu'il trouve amusant de jouer à leur petit jeu. Enfin, de toute façon, nous marchons, chacun à sa manière.

A dix heures ou dix heures et demie du matin, la chaleur commence à devenir désagréable et nous quittons les champs, à l'exception de trois frères dont je ne connais pas encore les noms. Ils passent dix ou douze heures dehors chaque jour : comme pénitence, peut-être? Le reste d'entre nous, fraters et Réceptacle, retournons à nos chambres pour prendre un nouveau bain. Puis nous nous réunissons tous les quatre dans l'aile opposée pour notre séance quotidienne avec frater Miklos, le frère historien.

Frater Miklos est un homme compact, puissamment bâti, avec des cuisses et des avant-bras comme des jambons. Il donne l'impression d'être plus vieux que les autres fraters, bien que j'avoue qu'il y a quelque chose de paradoxal à appliquer un adjectif comme « vieux » à ce groupe d'hommes sans âge. Il parle avec un faible accent indéfinissable, et son processus de pensée est nettement non linéaire : il digresse, il divague, il passe d'un thème à l'autre de manière inattendue. Je pense que c'est délibéré, que son esprit est subtil et insondable plutôt que sénile et indiscipiné. Peut-être qu'au cours des siècles il en a eu assez du style simplement discursif. Je sais qu'à sa place c'est ce qu'il me serait arrivé.

Il a deux sujets à traiter : l'origine et le développement de la Fraternité, et l'histoire du concept de longévité humaine. Sur le premier point, il est on ne peut plus évasif, comme s'il était déterminé à ne jamais nous donner une relation directe des faits. Nous sommes très vieux, répète-t-il, très vieux, très vieux, et je n'ai aucun moyen de savoir s'il parle des fraters ou de la Fraternité. A mon avis, les deux; peut-être que certains fraters en ont fait partie depuis le début, étalant leur vie sur des millénaires et pas seulement des décennies ou des siècles. Il fait allusion à des origines préhistoriques, aux cavernes des Pyrénées ou de la Dordogne, à Lascaux, à Altamira, une confraternité secrète de chamans qui survit depuis l'aube de l'humanité. Mais quelle est la proportion de vrai et de faux dans tout ça, je l'ignore, de même que j'ignore si les rose-croix remontent réellement à Amenhotep IV. Mais, tandis que frater Miklos parle, j'ai la vision de cavernes enfumées, de torches vacillantes, d'artistes à demi nus vêtus de peaux de mammouth, barbouillant les murs de pigments éclatants, et de sorciers guidant l'immolation rituelle d'aurochs ou de rhinocéros. Et les chamans chuchotant, serrés l'un contre l'autre, se disant : « Nous ne mourrons pas, frères, nous vivrons pour voir l'Égypte surgir des marécages du Nil, nous assisterons à la naissance de Sumer; nous contemplerons Socrate et César, et Jésus et Constantin, et nous serons encore là quand le féroce champignon embrasera Hiroshima et quand les hommes du vaisseau de métal descendront de l'échelle pour mettre le pied sur la Lune. Mais était-ce frater Miklos qui nous disait cela, ou l'avais-je rêvé dans la brume de chaleur du désert de midi? Tout est tellement obscur. Tout tourne et tout change tandis que ses mots hermétiques se pourchassent, dansent, s'enchevêtrent. Il nous parle aussi, sous forme de périphrases et d'énigmes, d'un continent perdu, d'une civilisation disparue, d'où provient la sagesse de la Fraternité. Et nous nous regardons, les yeux béants, échangeant à la dérobée des clins d'œil de stupéfaction, ne sachant pas s'il faut ricaner de scepticisme cynique ou se laisser aller à l'admiration terrifiée. L'Atlantide! Comment Miklos a-t-il réussi à évoquer dans notre esprit ces images d'un pays étincelant de cristal et d'or, ces larges avenues feuillues, ces tours blanches, ces chariots brillants, ces dignes philosophes drapés dans leur toge, ces instruments d'airain d'une science oubliée, cette aura de karma bénéfique, ce son vibrant d'une étrange musique résonnant dans les couloirs de vastes temples dédiés à des dieux inconnus? L'Atlandide? Que la ligne de séparation est étroite entre le fantastique et la folie! Je ne l'ai jamais entendu prononcer ce nom, mais dès le premier jour il m'a mis l'Atlantide dans la tête, et maintenant ma conviction grandit que je ne me trompe pas, qu'il revendique en vérité pour la Fraternité un héritage atlante. Que sont ces emblèmes de crânes sur la façade du temple? Que sont ces crânes sertis de pierres précieuses portés comme bagues et pendentifs dans la grande cité? Que sont ces missionnaires en robe auburn qui vont sur le continent, qui établissent des sanctuaires dans les montagnes, qui aveuglent les chasseurs de mammouths avec leurs lampes-torches et leurs pistolets, qui brandissent le Crâne sacré et demandent aux cavernicoles de se mettre à genoux? Et les chamans, accroupis devant leurs feux fuligineux, chuchotants, convaincus, rendant finalement hommage aux étrangers splendides, se prosternant, embrassant le Crâne, enterrant leurs propres idoles, les Vénus aux cuisses larges et les fragments d'os sculptés. *La vie éternelle nous t'offrons,* disent les nouveaux venus, et ils sortent un écran flou où nagent des images de leur cité, des tours, des chariots, des temples, des trésors, et les shamans hochent la tête et approuvent, ils font craquer les articulations de leurs doigts et pissent sur les feux sacrés, ils dansent, frappent dans leurs mains, se soumettent, se soumettent encore, regardent l'écran fascinant, tuent le mastodonte gras, offrent à leurs hôtes des festivités fraternelles. Ainsi commence l'alliance entre les hommes des montagnes et les hommes venus de la mer, en cette

180

aube glacée commence le flot de karma vers le continent figé, commence le réveil, le transfert de connaissance. De sorte que quand le cataclysme arrive, quand le voile est fendu et que les colonnes tremblent et qu'un manteau noir s'abat sur le monde, quand les avenues et les tours sont happées par l'océan en colère, quelque chose survit au fond des cavernes, le secret, le rituel, la foi, le Crâne, le Crâne, le Crâne! Est-ce ainsi que cela s'est passé, frater Miklos? Est-ce ainsi que cela s'est passé au cours des dizaines, des quinzaines, des vingtaines de milliers d'années d'un passé que nous avons choisi de nier? Heureux ceux qui étaient présents en cette aube de l'humanité! Et toi, tu es toujours là, frater Miklos? Tu nous viens d'Altamira, de Lascaux, de l'Atlantide condamnée elle-même, toi et frater Antony, et frater Bernard et les autres, plus vieux que l'Égypte, plus vieux que tous les Césars, adorant le Crâne, endurant toute chose, accumulant les trésors, cultivant le sol, allant de pays en pays, des cavernes bénies aux villages néolithiques, des montagnes aux rivières, à travers la terre, jusqu'en Perse, jusqu'à Rome, jusqu'en Palestine, jusqu'en Catalogne, apprenant les langues au fur et à mesure de leur évolution, parlant au peuple, vous faisant passer pour des envoyés de leurs dieux, édifiant des temples et des monastères, saluant Issi, Mithra, Jehovah, Jésus, ce dieu et celui-là, absorbant tout, soutenant tout, mettant la Croix par-dessus le crâne quand la Croix était à la mode, maîtrisant l'art de la survie, vous régénérant de temps à autre en acceptant un Réceptacle, exigeant toujours du sang nouveau bien que le vôtre ne s'éclaircisse jamais. Et ensuite? Vous rendant au Mexique après que Cortés eut écrasé son peuple pour vous. C'était un pays qui comprenait le pouvoir de la mort, un endroit où le Crâne avait toujours régné, introduit là peut-être comme dans votre propre pays par les gens venus de la mer, et pourquoi pas? Des missionnaires atlantes à Cholula et Tenochtitlán aussi, montrant la voie du masque de mort. Terrain fertile, pendant quelques siècles. Mais vous insistez pour vous renouveler toujours, et vous avez plié bagage, emportant votre butin avec vous, vos masques, vos crânes, vos statues, vos trésors paléolithiques, vers le nord, vers le pays neuf, le pays vide, le cœur désert des États-Unis, le pays de la Bombe, le pays de la douleur, et, avec les intérêts composés d'une éternité, vous avez construit le dernier-né de vos monastères des Crânes, hein, frater Miklos. Est-ce ainsi que cela s'est passé? Ou suis-je victime d'une hallucination, d'un voyage raté provoqué par la drogue de vos propos vagues et ambigus? Comment dire? Comment le saurai-je jamais? Tout ce que j'ai, c'est ce que vous me dites, et c'est flou et glissant dans mon esprit. Il y a aussi ce que je vois autour de moi, cette contamination de votre imagerie primordiale par la vision aztèque, par la vision chrétienne, par la vision atlante, et tout ce que je peux faire, frater Miklos, c'est me demander comment vous faites pour être encore ici, alors que le mammouth a quitté la scène, et suis-je un imbécile ou un prophète?

L'autre partie de ce que frater Miklos a à nous communiquer est moins elliptique, plus facile à appréhender. Il s'agit d'un séminaire sur la prolongation de la vie, où il parcourt calmement le temps et l'espace à la recherche d'idées qui ont dû entrer dans le monde bien après lui. Pour commencer, pourquoi résister à l'idée de la mort? nous demande-t-il. N'est-ce pas une fin naturelle, une libération désirable, une consommation à souhaiter dévotement? Le crâne derrière le visage nous rappelle que toutes les créatures périssent en leur temps, et qu'aucune n'échappe à la règle. Pourquoi dans ce cas défier la volonté universelle? Poussière tu es, et à la poussière tu retourne-ras. Toute chair périra ensemble. Nous sortirons du monde comme un criquet, et il est pitoyable de redouter ce qui est inévitable. Mais pouvons-nous être philosophes à ce point? Si c'est notre destinée de partir, notre désir légitime n'est-il pas de retarder le plus possible le moment du départ?

Les questions de frater Miklos sont purement rhéto-riques.

Assis en tailleur devant ce monument impérissable, nous n'osons pas interrompre le rythme de ses pensées. Il nous regarde sans nous voir. Et si, demande-t-il, on pouvait repousser la mort indéfiniment, ou au moins pour un temps éloigné? Bien sûr, il est nécessaire de préserver la force et la santé en même temps que la vie. A quoi bon devenir un Struldbrug gâteux? Voyez l'exemple de Tithon qui, ayant supplié les dieux de l'exempter de la mort, reçut le don de l'immortalité mais non celui de la jeunesse éternelle : gris, décati, il est encore enfermé dans un lieu secret, vieillissant sans fin, prisonnier de sa propre chair corruptible. Non, il faut rechercher la vigueur en même temps que la longévité.

Il y a ceux, fait observer frater Miklos, qui méprisent une telle quête et qui prônent l'acceptation passive de la mort. Il nous cite Gilgamesh, qui erra du Tigre à l'Euphrate à la recherche de la plante d'éternité et se la fit voler par un serpent affamé. Où cours-tu, Gilgamesh? La vie que tu cherches, tu ne la trouveras pas, car, quand les dieux créèrent l'humanité, ils lui donnèrent la mort en partage, mais ils gardèrent la vie pour eux.

Voyez Lucrèce, nous dit-il. Lucrèce qui fait observer qu'il ne sert à rien de prolonger sa vie, car quel que soit le nombre d'années que nous réussirons à obtenir, ce n'est rien comparé à l'éternité que nous sommes condamnés à passer dans la mort. En prolongeant la vie, nous ne pouvons soustraire ou retrancher quoi que ce soit à la durée de la mort. Nous aurons beau nous débattre pour rester, le temps viendra où nous devrons partir, et, quel que soit le nombre de générations que nous aurons ajoutées à notre existence, il nous restera quand même à subir toute l'éternité de la mort. Et Marc Aurèle : « Dusses-tu vivre trois mille ans ou autant de fois dix mille ans, rappelle-toi qu'un homme ne peut perdre que la vie qu'il vit maintenant... Ainsi, la plus courte et la plus longue en sont au même point... tout ce qui appartient à l'éternité se trouve sur le même cercle... quelle différence cela fait-il qu'un homme voie les mêmes choses pendant cent ou deux cents ans ou un nombre infini d'années ? » Et d'Aristote, ce petit passage dont je raffole : « Donc, toutes choses sur terre sont à tout moment dans un état de transition et naissent et meurent... elles ne peuvent pas être éternelles quand elles contiennent des qualités contraires. »

Quel pessimisme sinistre. Accepter, subir, céder, mourir, mourir, mourir, mourir !

Que dit la tradition judéo-chrétienne ? L'homme, né d'une femme, est une créature de peu de jours, et pleine de tracas. Il apparaît comme une fleur, et comme une fleur il est fauché. Il vole comme une ombre et ne continue pas. Voyant que ses jours sont déterminés, que le nombre de ses mois est entre tes mains, tu lui as fixé des limites qu'il ne peut pas dépasser. La sagesse funéraire de Job, acquise à la dure. Et saint Paul ? « Pour moi la vie est le Christ et la mort est profit. Si c'est la vie de chair, cela signifie pour moi un labeur fructueux. » Laquelle je choisirai, je ne saurais le dire. Je suis écartelé entre les deux. Mon désir est de m'en aller pour rejoindre le Christ, car c'est de loin ce qui est le mieux.

Mais, nous demande frater Miklos, devons-nous accepter un tel enseignement ? (Il implique par là que Paul, Job, Lucrèce, Marc Aurèle et Gilgamesh sont des nouveaux venus, à peine sevrés du lait de leur mère, irrémédiablement postpaléolithiques ; il nous redonne une vision des cavernes obscures tandis qu'il revient sur ses pas vers le passé peuplé d'aurochs.) Il émerge alors soudainement de cette vallée du désespoir et, par un commodius vicus de re-circulation, nous ramène à la récitation des annales de la longévité, tous les noms résonnants qu'Eli nous a lancés pendant les mois de neige tandis que nous nous préparions à cette aventure. Il nous montre les îles Bénies, la Terre des

Hyperboréens, le Pays de la Jeunesse des Celtes, la Terre de Yima des Perses et même, oui, Shangri-la (vous voyez, s'écrie le vieux renard, que je suis un contemporain, je me tiens au courant!). Il nous fait entrevoir la fontaine qui fuit de Ponce de Léon, Glaukus le pêcheur, grignotant les herbes près de la mer et devenant vert d'immortalité, les fables d'Hérodote, l'Uttarakurus et l'arbre de Jambu, il fait sonner à nos oreilles éblouies une centaine de mythes étincelants qui nous donneraient envie de crier : Éternité, nous voilà! et de nous prosterner devant sa danse de Möbius, nous refoulant dans les cavernes, nous faisant sentir la caresse des vents glacés, le baiser frigide du Pléistocène, nous tirant par les oreilles, nous tournant vers l'ouest pour nous faire voir le soleil brûlant au-dessus de l'Atlantide, nous poussant, trébuchants, titubants, vers l'océan, vers les terres du couchant, vers les merveilles englouties, et puis vers le Mexique avec ses dieux-démons, ses dieux-crânes, vers Huitzilopochtli à l'œil courroucé, vers le terrible et reptilien Coatlicue, vers les autels rougis de Tenochtitlán, vers le dieu écorché, vers tous les paradoxes de la vie-dans-la-mort et de la mort-dans-la-vie, et le serpent à plumes ricane et agite sa queue comme une crécelle, clic-clic-clac, et nous sommes devant le Crâne, devant le Crâne, devant le Crâne, tandis que retentit dans nos têtes le grand gong des labyrinthes pyrénéens, et nous buvons le sang des taureaux d'Altamira, nous valsons avec les mammouths de Lascaux, nous entendons les tambourins des chamans, nous nous agenouillons, nous touchons la pierre avec nos têtes, nous urinons, nous pleurons, nous frissonnons sous l'écho des tambours atlantes martelant cinq mille kilomètres d'océan dans la fureur de leur inexorable perte. Et le soleil se lève et la lumière nous réchauffe, et le Crâne sourit, et les bras s'ouvrent, et des ailes poussent à la chair, et la défaite de la mort n'est pas loin. Mais l'heure est terminée, et frater Miklos est parti. Nous restons titubants et cillants dans un soudain désarroi, tout seuls, tout seuls, tout seuls. Jusqu'à demain matin.

Après la leçon d'histoire, c'est le déjeuner. Œufs, purée de piments, bière, gros pain noir. Après le déjeuner, une heure de méditation privée, chacun dans sa chambre, nous essayons de donner un sens à tout ce qui nous a été déversé dans la tête. Puis le gong retentit pour nous appeler aux champs. La pleine chaleur de l'après-midi s'est abattue sur tout, et même Oliver montre une certaine réticence. Nous faisons des gestes lents, nous nettoyons le poulailler, nous mettons des tuteurs aux jeunes plants, nous aidons les frères agriculteurs qui ont peiné pendant la plus grande partie de la journée. Deux heures passent ainsi; la Fraternité tout entière travaille côte à côte, à l'exception de frater Antony, qui reste seul au monastère. (C'est pendant cette période que nous sommes arrivés la première fois.) Enfin, nous sommes libérés de l'esclavage. Transpirants, recuits de soleil, nous regagnons nos chambres, nous nous baignons encore et nous nous reposons, chacun séparément, jusqu'à l'heure du dîner.

Le troisième repas de la journée. Même menu. Après dîner, nous aidons à tout nettoyer. Lorsque l'heure du coucher de soleil approche, nous allons avec frater Antony et, presque tous les soirs, avec quatre ou cinq autres frères, jusqu'à une colline basse à l'ouest du monastère; là, nous accomplissons le rite qui consiste à boire le souffle du soleil. L'opération se fait en assumant une position particulièrement inconfortable, à mi-chemin entre la position du lotus et celle du départ d'un coureur à pied, et en regardant directement le globe rouge du soleil déclinant. Juste au moment où vous avez l'impression qu'un trou commence à se percer dans vos rétines, vous fermez les yeux et vous méditez sur le spectre de couleurs qui affluent du disque solaire. Vous vous concentrez pour faire entrer ce flux dans votre corps, en commençant par les paupières, les sinus, les couloirs nasaux, la gorge et la poitrine. Puis le rayonnement solaire est censé s'installer dans le cœur, où il produit une chaleur et une lumière génératrices de vie. Quand nous serons de vrais adeptes, nous serons paraît-il capables de canaliser cette énergie intérieure vers n'importe quelle partie du corps qui nous semblera nécessiter un apport de vigueur spécial – les reins, le pancréas, les parties génitales, ou n'importe quoi. C'est ce que les fraters accroupis dans la position spéciale non loin de nous sur la colline doivent être en train de faire maintenant. Quelle est la valeur de cette opération, cela dépasse mes capacités d'en juger. Je ne vois pas en quoi ça peut avoir une valeur quelconque, scientifiquement, mais, comme Eli ne cesse de le répéter depuis le début, la vie représente plus que ce que ne dit la science, et si les techniques de la longévité reposent sur une réorientation métaphorique et symbolique du métabolisme conduisant à un changement empirique des mécanismes somatiques, alors peut-être est-il d'une importance vitale pour nous que nous buvions le souffle du soleil. Les fraters ne nous ont pas montré leur certificat de naissance; nous devons apporter dans cette opération, comme nous le savions, une foi totale et aveugle.

Une fois le soleil couché, nous nous rendons dans l'une des plus grandes salles à ciel ouvert pour y remplir notre dernière obligation de la journée : la séance de culture physique, en compagnie de frater Bernard. D'après le *Livre des Crânes,* un corps en pleine souplesse est essentiel à la prolongation de la vie. Ce n'est guère nouveau, mais bien sûr des considérations mystico-cosmologiques spéciales inspirent les différentes techniques employées par la Fraternité pour conserver la souplesse du corps. Nous commençons par des exercices de respiration, dont frater Bernard nous a expliqué la signification à sa manière laconique; il s'agit de réordonner ses relations avec l'univers des phénomènes de telle sorte que le macrocosme soit à l'intérieur de vous, et le microcosme à l'extérieur, d'après ce que j'ai cru comprendre; mais j'espère obtenir plus tard des explications un peu plus claires. Il y a aussi beaucoup de considérations ésotériques sur le développement de la « respiration intérieure », mais apparemment il n'est pas jugé important que nous les assimilions à ce stade. Quoi qu'il en soit, nous nous accroupissons et nous nous hyperventilons, nous débarrassons nos poumons de toutes leurs impuretés et nous n'avalons que de l'air du soir spirituellement propre et garanti pur. Après un certain nombre d'inspirations et d'expirations, nous passons à des exercices d'apnée qui nous laissent groggys et exaltés, puis à d'étranges manœuvres de transfert de souffle où nous devons apprendre à diriger nos inspirations vers différentes parties du corps comme nous l'avons fait précédemment avec la lumière du soleil. Tout cela représente un travail pénible, mais l'hyperventilation produit une agréable sensation d'euphorie : nous devenons légers et optimistes, et nous sommes convaincus que nous sommes bien engagés sur la voie de la vie éternelle. Peut-être le sommes-nous, si oxygène égale vie et si oxyde de carbone égale mort.

Quand frater Bernard juge que nous avons atteint l'état de grâce, nous commençons les contorsions. Jusqu'ici, les exercices ont été différents chaque soir, comme s'il les extirpait d'un répertoire inépuisable élaboré au cours de mille siècles. Assis jambes croisées, talons au sol, mains croisées sur la tête, touchez le sol cinq fois rapidement avec vos coudes. (Ouf!) La main gauche sur le genou gauche, levez la droite au-dessus de la tête et respirez profondément dix fois. Répétez avec la main droite sur le genou droit, la main gauche en l'air. Maintenant les deux mains au-dessus de la tête, secouez vigoureusement la tête de haut en bas jusqu'à ce que vous commenciez à voir des étoiles derrière vos paupières closes. Mettez-vous debout, mains aux hanches, inclinez-vous violemment sur le côté, jusqu'à ce que votre tronc fasse un angle de quatre-vingt-dix degrés, d'abord à gauche, ensuite à droite. Tenez-vous sur une jambe, portez l'autre genou au menton. Sautez comme un fou sur un pied. Et ainsi de suite, y compris un grand nombre de choses que nous ne sommes pas encore assez souples pour réussir – le pied derrière la tête ou les bras repliés en position inverse, ou se lever et s'asseoir avec les jambes croisées, etc. Nous faisons de notre mieux, ce qui n'est jamais assez pour satisfaire frater Bernard; sans prononcer une parole, il nous rappelle, par la souplesse de ses propres mouvements, le grand but que nous poursuivons. Je suis prêt à apprendre, n'importe quand maintenant, qu'afin d'accéder à la vie éternelle il est absolument indispensable de maîtriser l'art d'enfoncer son coude dans sa bouche; et si vous ne savez pas le faire, désolé, mon ami, mais vous êtes condamné à vous dessécher au bord du chemin.

Frater Bernard nous conduit au bord de l'épuisement. Lui-même ne manque pas un seul mouvement de ce qu'il nous demande, et il ne montre pas le plus petit signe de fatigue. Le meilleur d'entre nous à cette calisthénie est Oliver, et le plus mauvais est Eli. Mais ce dernier fait preuve d'un enthousiasme jamais découragé qui mérite l'admiration.

Quand enfin il nous laisse partir, après quatre-vingt-dix minutes d'exercice environ, le reste de la soirée nous appartient, mais nous ne profitons pas de notre liberté. A ce stade, nous sommes bons pour nous laisser tomber dans notre lit, car bientôt, bien trop tôt, retentira à notre porte le toc-toc-toc joyeux de frater Franz. Et nous plongeons dans un sommeil profond. Jamais jusqu'à présent je n'avais dormi de cette façon.

Tel est notre emploi du temps quotidien. Cela a-t-il un sens? Sommes-nous en train de rajeunir? Ou de vieillir? La promesse miroitante du *Livre des Crânes* sera-t-elle accomplie pour une partie d'entre nous? Les crânes accrochés aux murs ne me donnent guère de réponses. Le sourire des fraters est impénétrable. Nous ne discutons plus jamais ensemble. Faisant les cent pas dans ma chambre d'ascète, j'entends résonner dans mon crâne le gong paléolithique, dong, dong, dong, attendre, attendre, attendre. Et le Neuvième Mystère est suspendu au-dessus de nous comme une épée qui se balance.

les ... une autre ...
... les ... ... Nous ...
... je ...
... je ...
... ...
... ...
... ...

XXIX

TIMOTHY

CET après-midi, tandis qu'on grattait des barriques de merde de poule par une température de trente-trois degrés, j'ai décidé que j'en avais ma claque. La plaisanterie avait trop duré. Les vacances venaient de se terminer, de toute façon; je voulais foutre le camp. J'en avais eu envie depuis mon arrivée ici, bien sûr, mais, pour faire plaisir à Eli, je n'avais rien dit. Maintenant, je ne peux plus tenir. J'ai décidé d'aller lui parler avant le dîner, pendant la période de repos.

Quand nous sommes revenus des champs, j'ai pris un bain rapide et je suis allé jusqu'à la chambre d'Eli. Il était encore dans son bain, j'entendais l'eau couler. Il chantait de sa voix basse monotone. Il sortit enfin, tout en se séchant.

Le séjour ici lui avait profité : il s'était épaissi et musclé. Il m'adressa un sourire glacial.

— Qu'est-ce que tu fais ici, Timothy?

— Juste une petite visite.

— C'est la période de repos. Nous sommes supposés rester seuls.

— Nous sommes toujours supposés rester seuls, sauf quand nous sommes avec eux. On ne peut plus parler ensemble en privé.

191

– Ça fait partie du rituel, évidemment.

– Ça fait partie du jeu, de ce foutu jeu qu'ils sont en train de jouer avec nous, Eli. Écoute, je te considère comme un frère. Personne ne peut m'empêcher de te parler quand j'en ai envie.

– Mon frère le *goy*, répondit-il. Avec un sourire rapide, aussitôt éteint qu'apparu. Nous avons eu tout le temps pour parler. Maintenant, nos instructions nous commandent de nous tenir éloignés les uns des autres. Tu ne devrais pas rester là, Timothy. Vraiment, tu devrais t'en aller avant que les fraters ne te surprennent ici.

– Où sommes-nous? Dans une putain de prison?

– C'est un monastère. Un monastère qui a ses règles, et, en venant ici, nous avons accepté de nous y soumettre. – Il soupira : – Veux-tu t'en aller, s'il te plaît, Timothy?

– C'est de ces règles que je veux te parler, Eli.

– Ce n'est pas moi qui les ai faites. Je ne peux pas t'en exempter.

– Laisse-moi parler, Eli. Tu sais, les aiguilles continuent de tourner pendant que nous jouons au Réceptacle. Bientôt, on s'étonnera de notre disparition. Nos familles s'apercevront qu'elles n'ont pas de nouvelles. Quelqu'un découvrira que nous ne sommes pas retournés à l'université après les vacances.

– Et alors?

– Combien de temps allons-nous rester ici?

– Jusqu'à ce que nous obtenions ce que nous sommes venus chercher.

– Tu crois toutes ces conneries qu'ils nous racontent?

– Tu crois encore que ce sont des conneries, Timothy?

– Je n'ai rien vu ni entendu qui soit de nature à me faire changer d'opinion.

– Et les fraters? Quel âge crois-tu qu'ils ont?

Je haussai les épaules. « Soixante. Soixante-dix. Quelques-uns peut-être quatre-vingts ans passés. Ils mènent une vie saine, pleine de bon air, d'exercice, de régimes étudiés. Ils se maintiennent en forme. »

— Je pense que frater Antony a au moins un millier d'années, fit-il.

Sa voix était froide, agressive, provocatrice. Il me défiait de lui éclater de rire au nez, et je ne le pouvais pas.

— Peut-être qu'il est bien plus vieux que ça, continua Eli. C'est pareil pour frater Miklos et frater Franz. Je ne pense pas qu'il y en ait un seul parmi eux qui ait moins de cent cinquante ans.

— Magnifique!

— Qu'est-ce que tu veux, Timothy? Tu veux t'en aller?

— J'y ai songé.

— Tout seul ou avec nous?

— De préférence avec vous. Tout seul si nécessaire.

— Oliver et moi, nous ne partons pas, Timothy. Et je crois que Ned reste aussi.

— Dans ce cas, il ne me reste plus qu'à agir tout seul.

— C'est une menace?

— C'est une constatation.

— Tu sais ce qui risque de nous arriver si tu pars.

— Tu as réellement peur que les fraters n'exécutent les conditions du serment? demandai-je.

— Nous avons juré de ne pas partir. Ils ont dit quel était le prix, et nous avons été d'accord. Je ne sous-estimerais pas leur capacité à nous le faire payer si nous leur en donnions l'occasion.

— Connerie! C'est une bande de vieillards! Que l'un d'entre eux vienne me chercher, et je le casse en deux. Avec une main.

— Peut-être le ferais-tu. Mais nous, peut-être pas. Voudrais-tu avoir notre mort sur la conscience, Timothy?

— Laisse-moi tomber avec tes salades mélodramatiques. Je suis libre. Regarde les choses d'un point de vue existentiel, comme tu nous as toujours demandé de le faire. Nous façonnons notre propre destin, Eli. Chacun suit son propre chemin. Pourquoi serais-je lié à vous trois?

— Tu as prêté volontairement serment.

— Je peux me rétracter.

— D'accord. Rétracte-toi. Fais tes valises et fous le camp!

Il était tranquillement allongé sur son lit, tout nu, et il me regardait froidement. Je ne lui avais jamais vu un air aussi déterminé, aussi sûr de soi. Soudain, il avait trouvé une cohésion formidable. Ou bien il avait en lui un démon. Il reprit :

— Eh bien! Timothy? Tu es libre! Personne ne t'arrête! Tu peux être à Phoenix avant le coucher du soleil.

— Je ne suis pas si pressé. Je voulais discuter de ça avec vous trois, afin d'arriver à un arrangement rationnel. Personne ne matraquant personne, mais tout le monde se mettant d'accord pour...

— Nous étions tous d'accord pour venir ici, Timothy. Nous étions d'accord pour courir notre chance. Il est inutile d'en discuter davantage. Tu peux partir quand tu veux, sans oublier, bien sûr, qu'en faisant cela tu nous exposes à certains risques.

— C'est du chantage!

— Je sais. — Ses yeux lancèrent des éclairs. — De quoi as-tu peur, Timothy? Le Neuvième Mystère? Ça te fout la frousse? Ou bien est-ce la possibilité de vivre réellement pour l'éternité qui te tracasse? Crains-tu de ployer sous la terreur existentielle? Siècle après siècle, attaché à la roue du karma, incapable de te libérer? De quoi as-tu le plus peur, Timothy? De vivre ou de mourir?

— Espèce de petit enculé!

— Tu te trompes de porte! Tourne à gauche, la deuxième porte en remontant le couloir. Tu demanderas Ned.

– Je suis venu ici pour parler sérieusement. Je ne veux pas de plaisanteries et je ne veux pas de menaces ni d'insultes. Je veux seulement savoir combien de temps Ned, Oliver et toi vous comptez rester ici.

– Nous venons à peine d'arriver. C'est encore trop tôt pour parler de partir. Voudrais-tu m'excuser, maintenant?

Je sortis. Je n'arriverais à rien, nous le savions tous les deux. Et il m'avait fait mal, à des endroits que je ne savais pas jusqu'ici être si vulnérables.

Au dîner, il se comporta comme si je ne lui avais pas dit un mot.

Et maintenant? Je reste sans rien faire à attendre la suite des événements? Seigneur! je n'en peux plus, honnêtement. Je ne suis pas fait pour la vie monastique – en laissant complètement hors de question le *Livre des Crânes* et tout ce qu'il peut offrir. Il faut être né pour ce genre de chose. Il faut avoir la renonciation dans ses gènes, et beaucoup de masochisme. J'aimerais leur faire comprendre ça, à Eli et à Oliver. Deux fous, deux cinglés d'immortalité. Ils seraient capables de rester là dix ou vingt ans à enlever les mauvaises herbes, à s'échiner à faire leurs exercices, à fixer le soleil jusqu'à ce qu'ils deviennent à moitié aveugles, à respirer à fond et à manger de la purée poivrée pour se convaincre que c'est comme ça qu'on acquiert la vie éternelle. Eli, qui m'a toujours paru instable et névrosé mais fondamentalement très rationnel, semble avoir complètement lâché les pédales. Son regard étrange, fixe et vitreux, ressemble maintenant à celui d'Oliver. Un regard de psychotique. Un regard terrible. Quelque chose remue à l'intérieur d'Eli. Il se fortifie de jour en jour. Pas seulement ses muscles, mais aussi une force morale, un dynamisme, une ferveur; il est lancé, et il vous fait comprendre que rien ni personne ne l'arrêtera tant qu'il n'aura pas eu ce qu'il veut. Parfois, j'ai l'impression qu'il se transforme en Oliver – une version plus petite, brune, poilue, yiddish, d'Oliver. Celui-là, comme d'habitude, il ferme sa gueule et travaille pour six, et il s'esquinte le soir pour faire encore mieux que le frater aux exercices. Même Ned, il est en train d'attraper la foi. Plus de plaisanteries narquoises, plus de sourires en coin. Le matin, quand frater Miklos nous assomme avec ses discours séniles où une phrase sur six est compréhensible, on voit Ned avec la mine réjouie d'un môme à qui on est en train de parler du père Noël, et il se contorsionne pour mieux écouter, et il transpire, il se ronge les ongles, il avale tout ça avec délectation. Mais oui, frater Miklos! L'Atlantide, bien sûr, et l'homme de Cro-Magnon, ben voyons! Et les Aztèques, et tout ce qui s'ensuit. Je crois, je crois, je crois! Et ensuite le déjeuner, et la méditation sur le sol frais de notre chambre, chacun séparément, et ensuite il faut ressortir et se crever pour les fraters dans leur putain de champ! J'en ai marre! Je ne peux pas en supporter plus. J'ai gâché ma chance aujourd'hui, mais je retournerai parler à Eli, dans un jour ou deux, pour voir s'il est plus raisonnable. Bien que je n'aie pas tellement d'espoir.

Eli me fait un peu peur, à présent.

Et je n'aurais pas voulu qu'il me dise ça, sur ce qui me fait le plus peur, le Neuvième Mystère ou vivre éternellement. Je n'aurais pas voulu du tout qu'il me dise ça.

XXX

OLIVER

PETIT accident pendant que nous travaillions aux champs ce matin avant le petit déjeuner. Je passais entre deux rangées de poivrons, et soudain mon pied nu heurta une grosse pierre coupante qui avait émergé du sol. Je sentis l'arête vive entamer la plante du pied, et je reportai le poids de mon corps sur l'autre jambe, vite, trop vite. Mon autre pied n'était pas prêt à recevoir le fardeau. Ma cheville commença à plier. Je ne pouvais rien faire d'autre que me laisser tomber, comme on apprend à tomber sur le terrain de basket quand on est déséquilibré et qu'on a le choix entre rouler à terre ou se déchirer tout un tas de ligaments. Je tombai donc, pataboum, sur le cul. Je ne m'étais pas du tout fait mal, mais cette partie du terrain avait été généreusement irriguée la nuit précédente, et était encore boueuse. J'atterris dans un endroit visqueux, spongieux, et il y eut un bruit de succion horrible quand je me relevai. Mon pantalon était dans un état lamentable – le fond de culotte était tout mouillé et taché de boue. Rien de bien grave, naturellement, quoique la sensation d'humidité collante contre ma chair me fût extrêmement désagréable. Frater Franz accourut aussitôt pour voir si je ne m'étais pas fait mal, et je le rassurai tout en lui montrant l'état de mon pantalon. Je lui demandai si je pouvais rentrer me changer, mais il sourit en secouant la tête et déclara que c'était tout à fait inutile. Je n'avais qu'à enlever le vêtement et le suspendre à une branche, et le soleil le sècherait en une demi-heure. Au fait, pourquoi pas? Ça m'était complètement égal de me balader à poil, et, de toute façon, quels regards indiscrets pouvais-je craindre ici, au milieu du désert? Je laissai donc glisser le pantalon visqueux et le disposai sur une branche, puis j'essuyai la boue qui collait à mon arrière-train et me remis au travail.

Il y avait seulement vingt minutes que le soleil s'était levé, mais il était déjà assez haut et la température, qui avait dû descendre autour de dix pendant la nuit, grimpait rapidement vers des régions plus élevées du thermomètre. Je sentais la chaleur sur ma peau nue, la transpiration commençait à couler en ruisseaux le long de mon dos, mes fesses, mes jambes, et je me disais que c'est comme ça qu'il faudrait toujours travailler dans les champs quand il fait chaud, il n'y a rien de plus sain que d'être nu au soleil, pourquoi s'encombrer d'un morceau de chiffon moite alors que c'est si simple ainsi. Plus j'y pensais, et plus je me disais que c'est ridicule de porter des vêtements. Du moment qu'il fait chaud et que la vue de votre corps n'offense personne, pourquoi donc se couvrir? Bien sûr, il y a des tas de gens qui ne sont pas tellement beaux à voir, et peut-être qu'il est préférable pour eux qu'ils restent habillés. Mais les autres. Moi, j'étais bien content d'être débarrassé de ce pantalon plein de boue. Et puis, on était entre hommes, quoi.

Tout en travaillant au milieu des poivrons, transpirant sainement, ma nudité me rappela l'époque, il y a des années de cela, où je découvris mon corps et celui des autres. Je suppose que c'est la chaleur qui remua en moi ce ferment de mémoire, ces images dérivant librement dans ma tête, ce nuage de réminiscences brumeuses. Près du torrent, un après-midi torride de juillet, j'avais... combien... onze ans? Oui, c'était l'année où mon père était mort. J'étais avec Jim et Karl, mes copains, mes seuls vrais copains. Karl, douze ans, Jim, mon âge, et nous étions à la recherche du chien de Karl, un bâtard, qui s'était sauvé le matin. Nous suivions sa trace, comme Tarzan, remontant le lit du torrent, trouvant une crotte par-ci, une flaque au pied d'un tronc d'arbre par-là, jusqu'à ce que nous ayons fait deux kilomètres, trois kilomètres pour rien, et que la transpiration ait complètement trempé nos habits. Nous étions à hauteur de la partie la plus profonde du cours d'eau, juste derrière la ferme Madden, là où c'est assez profond pour se baigner. Karl proposa : « Allons nager », et je lui dis : « Mais on n'a pas apporté les maillots »; et tous les deux se mirent à rire en commençant à enlever leurs vêtements. Bien sûr, je m'étais déjà trouvé nu devant mon père et mes frères, et j'étais même allé nager à poil une fois ou deux, mais j'étais encore si conventionnel, si soucieux de la bienséance, que l'exclamation m'avait échappé sans que je le veuille. Je me déshabillai quand même. Nous laissâmes nos vêtements sur la berge, et nous marchâmes sur les pierres branlantes jusqu'au milieu du cours d'eau où c'était profond, Karl d'abord, ensuite Jim, et puis moi. Nous plongeâmes, nous nous ébrouâmes pendant vingt minutes environ, et en sortant, naturellement, comme nous étions mouillés et que nous n'avions pas de serviette, nous nous allongeâmes sur l'herbe pour nous sécher. C'était la première fois que je faisais ça, rester nu en plein air avec d'autres personnes, sans qu'il y ait de l'eau pour cacher mon corps. Et nous nous regardâmes. Karl, qui avait un an de plus que Jim et moi, avait déjà commencé à se développer, ses couilles étaient plus grosses et il avait une grosse touffe de poils là. J'avais des poils, moi aussi, mais pas beaucoup, et, comme ils étaient blonds, ça ne se voyait pas tellement. Karl était tellement fier qu'il bombait le ventre. Je vis qu'il me regardait, lui aussi, et je me demandais ce qu'il devait penser. Il critiquait ma queue, sans doute parce qu'elle était trop petite, c'était la queue d'un petit garçon et la sienne était celle d'un homme. Mais c'était bon quand même d'être au soleil, de sentir la chaleur du soleil sur sa peau, en train de se sécher, en train de se bronzer le ventre là où c'était blanc comme du lait. Et puis, tout à coup, Jim a poussé une sorte de hurlement et a ramené ses genoux l'un contre l'autre en couvrant son bas-ventre de ses deux mains. Je tournai la tête et je vis Sissy Madden, qui devait avoir seize ou dix-sept ans à l'époque. Elle était sortie pour faire prendre un peu l'air à son cheval. Son apparition est encore présente dans ma mémoire : une adolescente un peu boulotte, avec de longs cheveux roux, des taches de rousseur, un short marron serré, un polo blanc qui était littéralement sur le point d'éclater sous la pression de ses seins énormes et elle était sur sa jument rouanne, et elle nous regardait en rigolant. Nous nous sommes relevés tant bien que mal, Karl, Jim et moi, un, deux, trois, et nous nous sommes mis à courir comme des fous, en zigzaguant n'importe où, dans l'espoir de trouver un endroit où Sissy Madden ne pourrait plus voir notre nudité. Je me rappelle la nécessité, l'urgence d'échapper au regard de cette fille. Mais il n'y avait pas d'endroit où se cacher. Les seuls arbres étaient derrière nous, à l'endroit où nous nous étions baignés, mais Sissy Madden était là. Devant, il n'y avait que des broussailles et de l'herbe, pas assez haute. Nous étions incapables de réfléchir. Je courus sur cent ou deux cents mètres, me meurtrissant les pieds, mettant le plus d'espace possible entre elle et moi. Ma petite verge battait mon ventre – je n'avais jamais couru nu avant, et j'étais en train d'en découvrir les inconvénients. Finalement, je me laissai tomber à terre, le visage dans l'herbe, recroquevillé sur moi-même, me cachant à la manière d'une autruche, si grande était ma honte. Je dus rester ainsi un bon quart d'heure, et, finalement, j'entendis un bruit de voix et je réalisai que Jim et Karl étaient en train de me chercher. Prudemment, je me mis debout. Ils s'étaient rhabillés, et

Sissy n'était nulle part en vue. Je dus retourner tout nu jusqu'au cours d'eau pour récupérer mes vêtements. J'eus l'impression de faire des kilomètres, et j'avais honte de marcher nu à côté d'eux alors qu'ils étaient tout habillés. Quand j'eus mis mes vêtements, je leur tournai le dos.

Quatre jours plus tard, je rencontrai Sissy Madden dans le hall du cinéma. Elle parlait avec Joe Falkner, et, quand elle m'aperçut, elle me fit un sourire et un clin d'œil. J'avais envie de rentrer sous terre pour me cacher. *Sissy Madden m'a tout vu,* me disais-je, et ces cinq mots ont dû retentir dans ma tête un million de fois au cours du film, de sorte que je n'arrivais même pas à suivre l'histoire.

Mais la honte que j'avais ressentie à onze ans, cet embarras causé par une virilité à moitié formée, disparut bien vite. Je me formai, je me développai physiquement, je devins fort, et il n'y avait plus de raison pour que j'aie honte de mon corps. Il y eut encore de nombreuses baignades, et plus jamais je ne me plaignis d'avoir oublié mon maillot. Parfois, il y avait même des filles avec nous, et toute la bande se baignait à poil, quatre filles et cinq types, peut-être, nous déshabillant poliment derrière des arbres différents, les garçons d'un côté et les filles de l'autre, mais ensuite tous ensemble courant comme des fous vers l'eau, queues et nénés se balançant en rythme. Et dans l'eau on voyait tout très bien quand elles sautaient. Plus tard, nous nous accouplions, à treize, quatorze ans, faisant nos premières armes maladroites dans le baisage. Je me souviens de ma stupéfaction la première fois que j'ai vu le corps d'une fille, si blanc, si vide entre les jambes. Et leurs hanches beaucoup plus larges que les nôtres, et leurs fesses plus grosses et plus douces, comme des coussins roses. Toutes ces baignades à poil me faisaient penser souvent à Sissy Madden, et je me moquais de ma propre pudeur stupide. Spécialement la fois où Billie Madden est venue nager avec nous. Elle avait notre âge, mais elle ressemblait beaucoup à sa grande sœur, et j'eus le sentiment, tandis que j'étais là, nu au bord du torrent à regarder Billie, à regarder ses taches de rousseur qui descendaient jusque dans la vallée séparant ses seins lourds, ses fossettes modelant son gros derrière, j'eus le sentiment que toute la honte que j'avais éprouvée des années auparavant avec Sissy Madden était annulée, que la nudité de Billie nous faisait quittes, les sœurs Madden et moi, et que tout cela n'avait plus aucune espèce d'importance.

Je repensais à tout cela en arrachant les mauvaises herbes dans le carré de poivrons des fraters, mon cul nu réchauffé par les rayons du soleil ascendant. Je repensais aussi à d'autres choses enfuies au creux de ma mémoire, d'anciens événements sombres et déplaisants, que je n'avais aucune envie d'exhumer de l'enchevêtrement de mes souvenirs. D'autres occasions où j'avais été nu en compagnie d'autres personnes. Des jeux d'enfants, pas toujours tellement innocents. Des images non désirées affluaient comme une source de printemps. Je n'osais plus bouger. J'étais parcouru par des vagues de peur. Muscles tendus, le corps luisant de transpiration. Et soudain j'eus conscience de quelque chose qui me fit honte. Je sentais une pulsation familière, je sentis quelque chose en bas commencer à gonfler et se dresser, et je baissai les yeux, oui, pas de doute, j'étais en érection. J'aurais voulu mourir. J'aurais voulu me jeter contre terre. C'est comme le jour où Sissy Madden nous avait vus nager et que j'avais dû retourner tout nu au torrent alors que Jim et Karl étaient habillés à côté de moi, et je ressentis à nouveau la honte d'être nu à côté de personnes habillées. Ned, Eli et Timothy avaient leur pantalon sur eux, et les fraters aussi, et moi j'étais nu, et je m'en fichais complètement jusqu'à ce que ça se produise; mais, maintenant, je me sentais aussi exposé aux regards que si je passais sur l'écran de la télévision. Ils allaient tous me regarder, se demander ce qui m'avait excité, quelles idées sales m'étaient passées par la tête.

Où pouvais-je me cacher? Comment faire pour me couvrir? Est-ce que quelqu'un me regardait?

En fait, personne ne semblait s'intéresser à moi. Eli et les fraters étaient beaucoup plus haut. Timothy, qui traînait comme toujours, était presque hors de vue derrière nous. Le seul qui était à proximité de moi était Ned, à cinq ou six mètres en arrière. Comme je lui tournais le dos, ma honte était cachée. En fait, je me sentais commencer à fléchir. Dans quelques instants, tout redeviendrait normal et je pourrais aller négligemment récupérer mon pantalon sur la branche d'arbre. Oui, c'était fini, maintenant. Je me retournai.

Ned sursauta, l'air coupable. Son visage devint cramoisi quand je le regardai, et il détourna ses yeux. Je compris. Je n'avais pas besoin de vérifier le devant de son pantalon pour savoir quelles idées il avait en tête. Sans doute que depuis quinze ou vingt minutes il se payait un jeton à contempler mes fesses, il se rinçait l'œil en imaginant ses petites fantaisies de pédé. Après tout, rien que de très normal à ça. Ned est un homosexuel. Il m'a toujours désiré, même s'il n'a jamais osé me faire des avances. Et j'étais à poil juste devant lui : une tentation, une provocation. Mais, malgré tout, je fus stupéfait de voir sur son visage l'intensité de son désir. Être l'objet de tels sentiments, d'une telle passion de la part d'un autre homme, cela me faisait une drôle d'impression. Et il semblait si pris au dépourvu, si incapable de réagir quand je passai devant lui pour prendre mon pantalon. Comme s'il avait été surpris en pleine exhibition de ses intentions. Et moi, dans ce cas, quelles intentions avais-je exhibées? Des intentions qui pointaient à quinze centimètres devant moi. Nous sommes là en présence de quelque chose de très complexe et de pas très clair. Ça me fait un peu peur. Les vibrations homosexuelles de Ned s'étaient-elles introduites en moi par une sorte de télépathie pour remuer d'anciennes hontes? Étrange, n'est-ce pas, que je me sois mis à bander juste à ce moment-là. Seigneur! je croyais que je me comprenais! Mais je n'arrête pas de découvrir que je ne sais rien sur moi. Je ne sais même pas qui je suis. Ni quelle sorte de personne je veux être. Dilemme existentiel, c'est vrai, Eli, c'est vrai. Choisir sa propre destinée. Nous exprimons notre identité à travers notre moi sexuel, pas vrai? Je ne le crois pas. Et je n'ai pas envie de le croire. Et, cependant, je ne sais pas. Le soleil me chauffait les reins. J'étais tellement raide, pendant quelques instants, que ça me faisait mal. Et Ned qui respirait fort derrière moi. Et le passé qui remue en moi. Où est Sissy Madden, maintenant? Où sont Jim et Karl? Et où est Oliver? *Où est Oliver?* Oh! Seigneur! je crois qu'Oliver est un petit garçon malade, très malade!

XXXI

ELI

LA méditation, j'en suis convaincu, est au centre du processus. Être capable de se tourner vers l'intérieur. Il faut absolument y parvenir si on veut accomplir quelque chose ici. Le reste – la culture physique, le régime, les bains, les travaux des champs – tout cela n'est qu'une série de techniques destinées à l'acquisition de l'autodiscipline, à soulever l'ego récalcitrant jusqu'au degré de contrôle que demande la véritable longévité. Bien sûr, si vous voulez vivre longtemps, cela aide de faire beaucoup d'exercice, de garder son corps en forme, d'éviter les nourritures malsaines, etc. Mais je pense que ce serait une erreur de mettre trop l'accent sur cet aspect de la vie de la Fraternité. L'hygiène et la gymnastique sont utiles quand il s'agit de prolonger la durée de la vie normale jusqu'à quatre-vingts ou quatre-vingt-dix ans, mais il faut quelque chose de plus transcendant pour vous mener jusqu'à huit cents ou neuf cents ans. (Ou neuf mille? Quatre-vingt-dix mille?) Le contrôle complet des fonctions corporelles devient nécessaire. Et c'est la méditation qui en est la clé.

Au stade actuel, ils sont en train de nous enseigner à développer notre conscience intérieure. Nous sommes censés fixer le soleil couchant, par exemple, et transférer sa chaleur et son énergie à différentes parties de notre corps. Le cœur, d'abord, puis les testicules, les poumons, la rate, et ainsi de suite. Je soutiens que ce n'est pas le rayonnement solaire qui les intéresse – c'est juste une métaphore, un symbole – mais plutôt l'idée de nous mettre en contact avec le cœur, les testicules, les poumons, la rate, etc., de sorte qu'en cas de problème avec ces organes nous puissions les explorer avec notre esprit et réparer ce qu'il y a à réparer. Toutes ces histoires de têtes de morts, autour desquelles la plus grande partie de la méditation se fait : encore des symboles, destinés uniquement, j'en suis sûr, à fournir un foyer adéquat à notre concentration. De sorte que nous puissions nous servir de l'image du crâne comme d'un tremplin pour le saut intérieur. N'importe quel autre symbole aurait probablement aussi bien fait l'affaire : un tournesol, un bouquet de glands, un trèfle à quatre feuilles. Une fois investi du voile psychique adéquat, le *mana,* n'importe quoi pourrait servir. Il se trouve que la Fraternité a élu la symbolique des crânes. Ce qui est loin d'être un mauvais choix, en fait : il y a du mystère dans un crâne, il y a du romantisme, du merveilleux. Quand nous sommes assis devant frater Antony et qu'il nous demande de viser son petit pendentif de jade et d'accomplir diverses absorptions en rapport avec les relations entre la mort et la vie, il veut en fait que nous sachions concentrer toute notre énergie mentale sur un seul objet. Une fois la concentration maîtrisée, nous pourrons appliquer notre nouveau talent aux tâches d'entretien et de régénération permanente de notre corps. Là est tout le secret. Les drogues de longévité, la nourriture, le culte du soleil, la prière, toutes ces choses sont secondaires. C'est la méditation qui est tout. C'est comme une sorte de yoga, je suppose – l'esprit dominant la matière. Quoique, si la Fraternité est aussi ancienne que le laisse entendre frater Miklos, peut-être serait-il plus exact de dire que le yoga est une émanation du monastère des Crânes.

Nous avons un long chemin à parcourir. Nous n'en

sommes qu'au stade préliminaire de la série d'entraîne-ments que les fraters désignent sous le nom de l'Épreuve. Ce qui nous attend maintenant, j'imagine, est d'ordre largement psychologique, ou même psychanalytique : pur-ger l'âme de son excédent de bagages. L'horrible menace du Neuvième Mystère fait partie de cela. Je ne sais toujours pas s'il faut interpréter ce passage du *Livre des Crânes* littéralement ou métaphoriquement, mais, dans les deux cas, je suis sûr qu'il s'agit d'éliminer les mauvaises vibrations du Réceptacle : nous tuons notre bouc émissai-re, métaphoriquement ou autrement, et l'autre bouc émissaire s'élimine de lui-même, métaphoriquement ou autrement, et le résultat de tout cela c'est qu'il reste deux fraters en herbe débarrassés des émanations de mort emportées par le duo défectueux. Après avoir purgé le groupe en bloc, il est nécessaire de purger nos individua-lités séparées.

Hier soir après le dîner, frater Javier est venu me trouver dans ma chambre, et je suppose qu'il est allé trouver les autres aussi; il m'a dit que je devais me préparer au rite de la confession. Il m'a demandé de passer en revue toute mon existence, en accordant une attention spéciale aux épisodes de culpabilité et de honte, et d'être prêt à en discuter en profondeur quand le moment serait venu. Je suppose qu'une séance collective va bientôt être organisée, sous la supervision de frater Javier. Quel homme formidable. L'œil gris, les lèvres fines, le visage ciselé. Aussi accessible qu'une dalle de granit. Quand il se déplace dans les couloirs, j'ai l'impression d'entendre une musique sombre et gémissante qui l'accompagne. Le Grand Inquisiteur! Oui, frater Javier dans le rôle du Grand Inquisiteur! Nuit et froid; douleur et brouillard. Quand commence l'Inqui-sition? Que vais-je leur dire? Laquelle de mes fautes placerai-je sur l'autel, laquelle de mes hontes?

Je crois comprendre que l'objet de cette confession sera d'alléger nos âmes en libérant... – quel terme utiliser? – nos névroses, nos péchés, nos blocages mentaux, nos complexes, nos engrammes, nos dépôts de karma défectueux? Nous devons nous préparer. Les os et la chair, nous les gardons, mais l'esprit doit être disséqué. Nous devons nous efforcer d'atteindre une sorte de quiétisme, où il n'y aura ni conflits ni tensions. Éviter tout ce qui va contre le poil, et si possible réorienter le poil. Action sans effort, telle est la clé. Pas de perte d'énergie. Lutter raccourcit la vie. Eh bien, nous verrons. Je porte en moi pas mal de scories intérieures, et nous en portons tous. Un lavement psychique n'est peut-être pas une mauvaise chose.

Que vais-je vous dire, frater Javier?

XXXII

NED

PASSEZ votre vie en revue, déclare le mystérieux et vaguement reptilien frater Javier, entrant sans s'annoncer dans la cellule monastique, apportant avec lui un faible crissement d'écailles froides sur la pierre polie. *Passez votre vie en revue, revoyez les péchés de votre passé, préparez-vous à la confession.* Tout de suite! s'écrie Ned, l'enfant de chœur dépravé. Tout de suite, frater Javier! glousse le papiste déchu.

Le rite de la confession, vous pensez si c'est dans ses cordes! Ça le connaît, Ned; c'est imprimé dans ses gènes, c'est gravé dans ses os et dans ses couilles, c'est une seconde nature chez lui. *Mea culpa, mea culpa, mea maxima culpa.* Alors que les trois autres sont étrangers aux vérités du confessionnal. Oh! je suppose que les épiscopaliens vont à confesse, en bons crypto-romains qu'ils sont, mais ils ne racontent que des mensonges à leurs prêtres! Je tiens ça de l'autorité de ma mère, dont l'avis est que la chair des anglicans n'est même pas bonne à engraisser les cochons. « Mais, maman, les cochons ne mangent pas de viande. – S'ils en mangeaient, mon fils, ils ne toucheraient pas les tripes d'un anglican! Ils enfreignent tous les commandements et mentent à leurs prêtres. » Sur quoi, ma chère maman se signe, quatre coups vigoureux sur la poitrine, *om mani padme hum!*

Ned est obéissant. Ned est un bien gentil mignon. Frater Javier n'a eu qu'un mot à dire, et Ned commence aussitôt à passer en revue son passé fourvoyé, pour pouvoir tout dégobiller quand le moment approprié sera venu. Où ont été mes péchés? Ou ai-je transgressé? *Dis-moi, mon Ned gentil, as-tu eu d'autres dieux avant Lui?* Non, mon Père, en vérité, je ne peux pas dire que j'en ai eu. *As-tu fabriqué des images taillées?* Eh bien, j'ai tailloché un peu, je l'avoue, mais il ne faut pas appliquer ce commandement à la lettre, n'est-ce pas? Nous ne sommes pas des musulmans sanguinaires, n'est-ce pas? Merci, mon Père. *As-tu invoqué en vain le nom du Seigneur, mon fils?* Dieu m'en préserve, mon Père, serais-je capable d'une chose pareille? *C'est très bien ça, Ned. Et as-tu respecté le jour du Sabbath?* Honteux, le petit garçon répond qu'il s'est quelquefois rendu coupable de déshonorer le Sabbath. Quelquefois? Merde! il a plus pollué de dimanches qu'un Turc! Péché véniel, cependant, péché véniel.

Ego absolvo te, mon enfant. As-tu honoré ton père et ta mère, mon enfant? Oh! oui, mon Père, je les ai honorés à ma façon. *As-tu tué?* Non, je n'ai pas tué. *As-tu commis l'adultère?* A ma connaissance, non, mon Père. *As-tu volé?* Je n'ai rien volé, du moins rien d'important. Je n'ai pas non plus porté de faux témoignage contre mon voisin. *Et as-tu convoité la maison de ton voisin, ou la femme de ton voisin, ou le valet de ton voisin, ou sa femme de chambre, ou son bœuf, ou son cul, ou n'importe quoi qui appartienne à ton voisin?* Eh bien, mon Père, puisque vous parlez du cul de mon voisin, j'avoue que là nous sommes sur un terrain branlant, mais autrement... autrement... je fais de mon mieux, mon Père, compte tenu de ce que je suis venu au monde taré, compte tenu de tout ce qu'il y a au départ contre nous, considérant que par la chute d'Adam nous avons tous péché, j'estime quand même que je suis relativement pur et bon. Pas parfait, bien sûr. *Tttt! mon enfant, qu'as-tu à confesser?* Eh bien, mon Père...

Confiteor, confiteor, le petit poing frappe sa poitrine d'enfant avec un zèle admirable, boum, boum, boum, boum! *Om! Mani! Padme! Hum!* Je suis allé, un dimanche après la messe, avec Sandy Dolan, épier sa sœur en train de se déshabiller, et j'ai vu ses seins nus, mon Père, ils étaient ronds et petits, avec de petits bouts tout roses, et, à la base de son ventre, mon Père, elle avait un petit monticule de poils bruns, quelque chose que je n'avais jamais vu avant, et ensuite elle a tourné le dos à la fenêtre, et j'ai vu son cul, mon Père, les deux plus jolies joues potelées que j'aie jamais vues, avec ces admirables petites fossettes juste au-dessus, et cette délicieuse fente juste au milieu qui... comment, mon Père? Je peux passer à quelque chose d'autre? Eh bien, je confesse que j'ai entraîné Sandy hors du droit chemin de différentes manières, que j'ai consommé avec lui le péché de chair, le péché contre Dieu et contre Nature, que quand nous avions onze ans et que nous partagions le même lit, sa mère étant en couches et n'ayant personne à la maison pour s'occuper de lui, j'ai sorti de dessous mon lit un pot de vaseline et j'en ai pris avec le doigt une bonne noisette et je l'ai lubriquement étalée sur son organe sexuel, en lui disant de ne pas avoir peur, que Dieu ne pouvait pas nous voir dans l'obscurité sous les couvertures, et je... et il... et nous... et nous...

Ainsi, suivant la requête de frater Javier, je sondais mon passé dégénéré et j'en remontais force détritus destinés à me faire briller pendant les séances de confession qui allaient commencer bientôt, assumais-je. Mais les fraters ne sont pas si linéaires que ça. Un changement dans notre programme quotidien allait survenir, oui, mais il n'était question ni de frater Javier ni d'aucun aspect confessionnel. C'était sans doute pour plus tard. Le nouveau rite était de nature sexuelle, de nature *hétérosexuelle,* que Bouddha ait pitié de moi. Ces fraters, je m'en aperçois maintenant, sont plutôt des Chinois, malgré leur peau trompeuse de

Caucasiens, car ce qu'ils nous enseignent maintenant ce n'est rien que le *tao* du sexe.

Ils n'appellent pas ça comme ça. Ils ne parlent pas de *yin* ni de *yang* non plus. Mais je connais mon érotique orientale, et je connais les anciennes significations spirituelles de ces exercices sexuels, qui sont étroitement apparentés aux différents exercices de gymnastique et de contemplation que nous avons eu l'occasion de pratiquer. Contrôler, contrôler, maîtriser chaque fonction du corps, tel est l'objet poursuivi.

Les petites brunes en robe courte que nous avons aperçues dans le monastère à plusieurs reprises sont en fait des prêtresses du sexe, des cons sacrés, qui servent aux besoins des fraters et qui, en jouant le rôle de réceptacles pour le Réceptacle, vont nous initier maintenant aux mystères sacrés du vagin. Ce qui était notre période de repos après les travaux de l'après-midi devient maintenant l'heure de la copulation transcendantale. C'est arrivé sans qu'on nous avertisse. Le jour où ça a débuté, j'étais rentré des champs et j'avais pris mon bain, et j'étais allongé sur le dos dans mon lit quand, selon la coutume locale, ma porte s'ouvrit sans qu'on ait frappé et frater Léon, le frère médecin, entra dans ma chambre suivi par trois filles en blanc. J'étais nu, mais je pensais que je n'étais pas obligé de cacher mes organes vitaux à la vue de ceux qui faisaient irruption chez moi. Bien vite, je compris qu'il était tout à fait inutile que je prenne la peine de me couvrir.

Les trois femmes se rangèrent le long d'un mur. C'était la première occasion que j'avais de les observer de près. Elles auraient pu être des sœurs : toutes les trois menues, mais bien proportionnées, le teint mat, le nez proéminent, avec de grands yeux noirs liquides et des lèvres pleines. D'une certaine façon, elles me rappelaient les filles des fresques minoennes, mais elles auraient pu être aussi des Indiennes d'Amérique. En tout cas, elles étaient nettement exotiques. Chevelure de nuit, seins lourds. Âge entre vingt et quarante ans. Elles se tenaient droites comme des statues. Frater Léon prononça une brève entrée en matière. Il est essentiel, déclara-t-il, que les candidats apprennent l'art de maîtriser les passions sexuelles. Répandre le fluide séminal, c'est mourir un peu. Bravo! frater Léon! Vieil adage élisabéthain : jouir = mourir. Nous ne devons pas, poursuivit-il, réprimer l'impulsion sexuelle, mais la dominer et la mettre à notre service. Par conséquent, l'acte sexuel est recommandable, mais l'éjaculation est à déplorer.

Je me souvenais d'avoir déjà rencontré cela, et je finis par me rappeler où : c'est du pur taoïsme, ça, madame. L'union du *yin* et du *yang,* de la queue et du con, est une harmonie nécessaire au bien-être de l'univers, mais la dépense du *ching,* le sperme, est autodestructrice. Il faut s'efforcer de conserver le *ching,* pour en augmenter ses réserves, et ainsi de suite. C'est drôle, frater Léon, vous n'avez pas l'air chinois! Je me demande qui a volé la théorie de l'autre. Ou bien les taoïstes et les fraters du Crâne sont-ils tombés séparément sur les mêmes principes?

Frater Léon termina son petit préambule et dit quelque chose aux trois filles dans une langue que je ne connaissais pas. (J'en discutai avec Eli plus tard, et lui non plus n'avait pas réussi à l'identifier. Peut-être de l'aztèque ou du maya, supposait-il.) Aussitôt, les trois robes blanches tombèrent, et je me trouvai confronté avec trois morceaux de *yin,* entièrement à poil et à ma disposition. J'ai beau être pédé, je suis quand même capable de porter un jugement esthétique. C'étaient des filles impressionnantes. Les seins lourds, tombant seulement avec modération, le ventre plat, la croupe ferme, les cuisses remarquables. Pas de trace d'appendicite ni de grossesse. Frater Léon aboya un ordre rapide inintelligible, et la prêtresse la plus proche de la porte s'allongea promptement sur le sol de pierre froide, les jambes fléchies et légèrement écartées. Puis frater Léon se tourna vers moi, se permit un léger sourire et m'adressa un signe du bout de ses doigts repliés. Vas-y, mon garçon, semblait-il me dire.

Votre Ned angélique était perplexe. Il ne savait vraiment que dire. Mais quoi, fraternel Léon. Vous n'avez rien compris. L'amère vérité, c'est que je suis ce qu'ils appellent un uraniste, une tante, une tapette, un inverti, un pédé, un jésus, un girond; je ne suis pas particulièrement attiré par le con. Mes préférences, je dois l'avouer, vont à la sodomie.

Je ne dis rien de tout cela, cependant, et fraternel Léon me fit un second signe, un peu plus impérieux. Que diable! après tout la vérité est que j'ai toujours été bisexuel avec des penchants pédérastes, mais à l'occasion je n'ai pas répugné à combler l'orifice approuvé par l'Église. Comme la vie éternelle semble être dans la balance, j'endurerai l'épreuve. Je m'approchai des cuisses écartées. Avec une héroïque perversité, j'enfonçai mon outil hétéro dans le réceptacle offert. Et maintenant? Retiens ton *ching,* me disais-je, retiens ton *ching.* Je me mouvais selon un rythme calme et lent, tandis que fraternel Léon m'encourageait en se penchant vers moi pour me rappeler que les rythmes de l'univers exigeaient que je mène ma partenaire à l'orgasme tout en m'efforçant de ne pas y arriver moi-même. Parfait. Admirant mes propres performances tout au long du chemin, j'amenai chez ma concubine spirituelle les spasmes et les grognements voulus, tout en restant moi-même distant, extérieur, entièrement étranger aux aventures de mon instrument. Quand le moment divin fut passé, ma partenaire satisfaite m'expulsa d'un habile mouvement de pelvis, et je découvris que la prêtresse numéro deux s'installait sur le sol, assumant la position réceptrice. Très bien. Le maître-manche s'exécute. Pousse. Tire. Pousse. Tire. Mmm! Han! Ahhh!... Avec la précision d'un chirurgien, je l'amenai rapidement à l'extase tandis que fraternel Léon fournissait le commentaire approprié par-dessus mon épaule gauche. De nouveau le mouvement de pelvis, de nouveau le changement de partenaire. Un autre *yoni* béant attendait ma tige luisante et raide. Que Dieu m'assiste. Je commençais à me faire l'effet d'un rabbin à qui son médecin vient de dire qu'il tombera mort s'il ne mange pas une livre de porc chaque jour. Mais le vieux Ned enfonce son dernier clou. Cette fois-ci, déclare frater Léon, je peux me permettre d'éjaculer. J'étais rendu à la limite, de toute façon, et c'est avec soulagement que je relâchai ma maîtrise de fer.

Ainsi, l'Épreuve a franchi une nouvelle étape dépravée. Les prêtresses viennent nous rendre visite tous les après-midi. Je suppose que pour des boucs comme Timothy et Oliver, c'est une surprise agréable autant qu'inattendue, mais ce n'est pas si sûr. Ce qu'on leur offre ici n'a rien à voir avec leur manière de baiser habituelle. Il s'agit d'un exercice ardu de maîtrise de soi, et ça leur enlève peut-être une partie du plaisir. Mais ça c'est leur problème. Le mien est différent. Pauvre Ned, il a plus baisé de femmes cette semaine que pendant les cinq années précédentes. Il faut dire à son crédit, cependant, qu'il fait tout ce qu'on lui demande sans jamais se plaindre. Mais ça lui en coûte. Sainte mère de Dieu, jamais dans mes trips les plus moches je n'avais imaginé que la route de l'immortalité passerait par tant de vagins!

XXXIII

ELI

LA nuit dernière, dans les petites heures ténébreuses, la pensée m'est venue pour la première fois que ce pourrait être moi qui m'offrirais en holocauste pour satisfaire les exigences du Neuvième Mystère. Moment de désespoir fugace bien vite disparu, mais digne d'être examiné au grand jour. Visiblement, c'est la chose sexuelle qui me tracasse le plus. Mon échec total dans la maîtrise de la technique. Fiasco après fiasco. Comment me retenir? Ils me donnent des filles magnifiques, ils me disent d'en sabrer deux ou trois à la file – oh! *schmendrick, schmendrick, schmendrick!* C'est la scène avec Margo qui recommence. Je m'enflamme, je me laisse emporter... le contraire de l'attitude préconisée par les Crânes. Pas une fois je n'ai réussi à me maîtriser assez lontemps pour arriver jusqu'à la troisième. Je ne pense pas que ce soit humainement possible, tout au moins pour moi. Mais, bien sûr, la sorte de longévité dont on parle ici n'est pas humainement possible elle non plus. Il est nécessaire de transcender l'humain, pour devenir littéralement inhumain, non-humain, si l'on veut triompher de la mort. Mais si je ne peux même pas contrôler les traîtres spasmes de ma bite, comment puis-je espérer maîtriser mon métabolisme, inverser le processus de dégradation organique par la simple force de mon esprit, acquérir l'espèce de contrôle

216

cellulaire de leurs corps que semblent posséder les fraters? Je ne peux pas. Je vois l'échec se profiler. Frater Léon et frater Bernard m'ont dit qu'ils me donneraient un entraînement spécial, qu'ils me montreraient quelques techniques utiles de désescalade sexuelle, mais je n'y crois pas tellement. Le problème est trop profondément ancré en moi, et c'est trop tard pour y changer quoi que ce soit. Je suis ce que je suis. J'enfourche ces filles, ces silencieuses et souples prêtresses aztèques, et bien que mon esprit soit empli d'instructions pour retenir mon sperme, mon corps se lance au grand galop, il court, il explose avec passion, et la passion est précisément ce qu'il faut conquérir si l'on veut survivre à l'Épreuve. Si je rate ce test, je rate tout. Je me retrouve rejeté au bord du chemin, mon immortalité perdue; je n'ai donc plus qu'à me détruire maintenant, puisqu'il faut que quelqu'un se détruise, et ainsi j'ouvrirai la voie aux autres.

Telles étaient mes pensées, la nuit dernière aux petites heures, tout au moins. Timothy lui aussi est condamné à l'échec, me disais-je, car il est incapable ou peu désireux d'acquérir l'intériorité nécessaire. Il est prisonnier de ses sarcasmes, si dédaigneux de la Fraternité et de ses rites qu'il a peine à contenir son impatience. Il ne peut ainsi même pas s'ouvrir aux disciplines de base. Nous méditons, il se contente de regarder. Le danger réel, c'est qu'il choisisse de s'en aller un de ces jours, ce qui bien sûr compromettrait tout en déséquilibrant le Réceptacle. Je désigne donc en moi-même Timothy pour remplir l'autre obligation du Neuvième Mystère. Il est impossible qu'il gagne ce que la Fraternité offre; aussi qu'il perde, qu'il soit immolé pour le bénéfice des autres.

Pensant ainsi la nuit dernière, incapable de trouver le sommeil, je me dis qu'il était préférable d'en finir tout de suite : voler un couteau à la cuisine, transpercer Timothy pendant son sommeil, et ensuite me faire hara-kiri. Le Neuvième Mystère y trouverait son compte, et Ned et

Oliver auraient ainsi leur passeport pour l'éternité. Je me redressai sur mon lit. Mais, au moment de me lever, j'eus des doutes. Était-ce le bon moment pour accomplir ce que je projetais? Peut-être y avait-il une place spéciale dans le rituel pour la célébration du Neuvième Mystère. Peut-être allais-je tout compromettre en agissant maintenant, prématurément, sans avoir reçu de signal des fraters. Si mon sacrifice devait être inutile, je ferais mieux de m'abstenir. Réfléchissant ainsi, je restai dans mon lit, perdant toute velléité d'agir. Ce matin, je me sens encore déprimé. Je m'aperçois que je n'ai pas du tout envie de renoncer à la vie. J'ai de graves doutes sur moi-même, je suis profondément découragé par mes diverses incapacités flagrantes, oui, mais en même temps j'ai le désir de vivre aussi longtemps que possible. La perspective d'acquérir les pouvoirs de longévité des fraters, cependant, me semble bien lointaine. Je ne pense pas qu'aucun de nous y réussisse. Je vois ce Réceptacle tomber en pièces.

XXXIV

OLIVER

À midi, comme nous sortions de notre séance avec frater Miklos, frater Javier nous intercepta dans le couloir. « Vous viendrez me trouver après déjeuner dans la Salle des Trois Masques », nous dit-il, et il partit solennellement vaquer à ses affaires. Je trouve qu'il y a quelque chose de repoussant, de glacé, chez cet homme. C'est le seul frater que je préfère éviter. Ces yeux de zombie, cette voix de mort-vivant. Mais je supposai que le moment était venu pour cette thérapie de confession dont frater Javier nous avait parlé la semaine précédente.

Je ne me trompais pas. Cependant, les choses ne se présentèrent pas exactement comme je l'avais imaginé. Je m'étais attendu à quelque chose comme une séance collective : Ned, Eli, Timothy et moi avec peut-être deux ou trois fraters, assis en cercle, chaque candidat se levant à son tour pour dénuder son âme devant l'assemblée, après quoi nous commenterions ce que nous aurions entendu, en essayant de l'interpréter en fonction de notre expérience personnelle, et ainsi de suite. Mais pas du tout. Frater Javier nous annonça que nous serions nos propres confesseurs mutuels, au cours d'une série de confrontations privées, seul à seul.

« Au cours de la semaine qui vient de s'écouler », nous dit-il, « vous avez examiné votre vie, vous avez passé en revue vos plus noirs secrets. Chacun de vous conserve au fond de son cœur au moins un épisode qu'il est certain de ne jamais pouvoir avouer à personne. C'est sur cet épisode crucial, et sur aucun autre, que notre travail doit porter. »

Ce qu'il nous demandait, c'était d'identifier et d'isoler l'incident le plus affreux, le plus honteux de notre existence, et de le révéler, afin de nous purger de nos mauvaises vibrations. Il posa à terre son pendentif et le fit tourner sur lui-même afin de déterminer qui se confesserait à qui. Timothy à moi; moi à Eli; Eli à Ned; Ned à Timothy. La chaîne était complète avec nous quatre, elle ne comprenait personne de l'extérieur. Il n'entrait pas dans les intentions de frater Javier de faire de nos horreurs les plus personnelles une propriété commune. Nous n'étions pas supposés lui raconter ni raconter à quiconque ce que nous apprendrions les uns des autres au cours de ces sessions confessionnelles. Chaque membre du Réceptacle allait devenir le gardien du secret d'un autre, mais ce que nous confesserions n'irait pas plus loin que notre propre confesseur. Ce qui comptait, c'était la purge, la libération, plutôt que l'information révélée.

Afin que nous ne contaminions pas la pure atmosphère du monastère en libérant trop d'émotions négatives à la fois, frater Javier décréta qu'il n'y aurait qu'une seule confession par jour. De nouveau, le pendentif servit à décider de l'ordre des sessions. Ce soir, juste avant l'heure d'aller se coucher, Ned irait chez Timothy. Demain, Timothy viendrait me voir; le jour suivant, c'est moi qui rendrais visite à Eli, et le quatrième jour Eli refermerait le cercle en allant se confesser à Ned.

Cela me laissait près de deux jours et demi pour décider quelle histoire j'allais raconter à Eli. Oh! bien sûr, je savais laquelle il *faudrait* que je lui raconte! C'était l'évidence. Mais je me rejetai sur deux ou trois faibles substituts, des écrans camouflant la seule valable, des prétextes futiles pour dissimuler le seul choix qui s'imposait vraiment. Au fur et à mesure que les possibilités s'offraient, je les rejetais. Je n'avais qu'un seul choix, un seul véritable foyer de culpabilité honteuse. Je ne savais pas comment j'allais être capable de supporter la douleur de le dire, mais c'était la seule chose que j'avais à dire, et j'espérais peut-être, sans me faire trop d'illusions cependant, qu'au moment de le dire la douleur s'en irait.

Je m'en inquiéterai, me disais-je, quand le moment sera venu. Et je me mis en devoir de chasser entièrement de mon esprit ce problème de confession. Je suppose que c'est un exemple typique de refoulement. Mais, lorsque le soir arriva, je m'étais arrangé pour oublier complètement ce que nous avait dit frater Javier. Cependant, je me réveillai en sueur au milieu de la nuit, imaginant que j'avais tout avoué à Eli.

XXXV

TIMOTHY

NED s'amène en caracolant, minaudant, clignant de l'œil. Il fait toujours ce cinéma de tantouze quand quelque chose le préoccupe vraiment. « Pardonnez-moi, mon Père, car j'ai péché », dit-il d'une voix chantante. En esquissant un petit pas de danse. En grimaçant un sourire. En roulant les yeux. Il était en pleine vape, me dis-je. C'était cette histoire de se confesser qui lui faisait l'effet d'une drogue. Après tout ce temps, le naturel jésuite remontait en lui. Il voulait cracher ses tripes, et c'était moi qui allais lui servir de cible. Soudain, l'idée de me trouver là assis devant lui à écouter une sordide histoire de tapette me rendit malade. Qu'est-ce qui m'obligeait à accepter de subir ses confidences répugnantes? Qui étais-je pour lui servir de confesseur, après tout?

— Tu vas vraiment me livrer le grand secret de ta vie? lui demandai-je.

Il parut surpris :

— Bien sûr!

— Tu te sens obligé de le faire?

— Si je me sens obligé? Mais c'est ce qu'on attend de nous, Timothy. Et puis, j'ai envie de le faire.

Pour ça, c'était visible qu'il avait envie de le faire. Il était frémissant, tremblant, prêt à éclater.

222

— Qu'est-ce qui t'arrive, Timothy, ma vie privée ne t'intéresse donc pas?

— Non.

— Tsst! Que rien d'humain ne te soit étranger.

— Je ne veux pas de ta confession, Ned. Je n'en ai pas besoin.

— Dommage, mon vieux. Parce qu'il faut que je la fasse quand même. Frater Javier dit que l'aveu de nos fautes est nécessaire à la prolongation de notre séjour terrestre, et j'ai l'intention de faire un peu de ménage, Timothy.

— Puisqu'il le faut, dis-je, résigné.

— Installe-toi confortablement, Timothy. Ouvre grandes tes oreilles. Tu ne peux pas faire autrement que m'écouter.

Et je l'écoutai. Ned est au fond de son cœur un exhibitionniste, comme beaucoup de ses pareils. Il aime à se vautrer dans l'autodélation, dans l'autorévélation. Il me raconta son histoire très professionnellement, mettant en valeur les détails en bon écrivain qu'il prétend être, soulignant ceci, laissant cela dans l'ombre. Son histoire correspondait bien à ce que j'attendais de lui : une histoire de pédés.

« Cela s'est passé », commença-t-il, « avant que nous ne nous connaissions, au printemps de ma première année. Je n'avais pas encore tout à fait dix-huit ans. J'avais un appartement en dehors du campus, et je le partageais avec deux autres hommes. »

Naturellement, c'étaient des pédales tous les deux. En fait, c'était leur appartement, et Ned était allé vivre avec eux après les examens du premier trimestre. Ils avaient huit ou dix ans de plus que lui, et ils vivaient depuis longtemps ensemble dans une sorte d'équivalent pédé du mariage. L'un d'eux était rude, masculin et dominateur, c'était un assistant de littérature française qui avait également des capacités d'athlète – l'alpinisme était sa marotte -- et l'autre était une tante plus stéréotypée, délicate, éthérée, presque féminine. Un poète sensible qui restait la plupart du temps à la maison, s'occupant du ménage, arrosant les fleurs, et sans doute tricotant et faisant du crochet, j'imagine.

Quoi qu'il en soit, imaginez ces deux pédés vivant heureux en ménage, et un jour ils rencontrent Ned dans une boîte à pédales et ils découvrent qu'il n'aime pas tellement l'endroit où il habite, et ils l'invitent à aller s'installer chez eux. Simplement pour lui rendre service. Ned aurait sa chambre privée, il payerait son loyer et une partie des notes d'épicerie, et il n'y aurait aucune sorte de relation sentimentale avec aucun des deux, qui vivaient sur la base d'une longue fidélité.

Pendant un mois ou deux, les choses marchèrent très bien ainsi. Mais la fidélité n'est pas plus forte chez les pédés, j'imagine, que chez les autres, et la présence de Ned dans la maison devint un facteur de trouble, de même que la présence d'une nana bien roulée de dix-huit ans troublerait un ménage ordinaire.

« Consciemment ou pas », m'expliqua Ned, « j'entretenais la tentation. Je me baladais à poil dans l'appartement, je flirtais avec eux, il y avait quelques caresses çà et là ».

La tension augmentait, et l'inévitable finit par se produire. Un jour qu'ils s'étaient disputés à propos de quelque chose – peut-être de lui, il n'en était pas sûr – celui qui était masculin sortit en claquant la porte. Celui qui était féminin, en émoi, vint se faire consoler par Ned. Il « la » consola en couchant avec « elle ». Après quoi, ils se sentirent coupables, mais cela ne les empêcha pas de recommencer quelques jours plus tard, puis d'en faire une liaison régulière. Le poète de Ned s'appelait Julian. L'autre, pendant ce temps – il s'appelait Oliver : n'est-ce pas intéressant? Un autre Oliver –, ne se rendait compte de rien, et il commença à faire des avances à Ned. Bientôt, ils couchaient ensemble également.

Ainsi, pendant quelques semaines, Ned entretint une liaison indépendante avec chacun d'eux simultanément. « C'était amusant », me dit-il, « et crispant à la fois : tous les rendez-vous clandestins, tous les petits mensonges, la peur d'être surpris ». La catastrophe était inévitable. Les deux pédales étaient amoureux de Ned. Chacun décida qu'il voulait rompre avec son partenaire original et vivre seulement avec Ned. Celui-ci reçut des propositions des deux côtés.

« Je ne savais pas comment me dépêtrer de cette situation », avoue Ned. « A ce stade, Oliver savait qu'il y avait quelque chose avec Julian, et Julian savait qu'il y avait quelque chose avec Oliver, mais personne n'avait encore porté d'accusations ouvertes. S'il fallait vraiment choisir un des deux, j'avais une légère préférence pour Julian, mais je n'avais pas l'intention d'être le responsable de ce genre de décision critique. »

L'image de lui-même que Ned était en train de me peindre était celle d'un enfant naïf et innocent pris au piège d'un triangle qu'il n'avait pas contribué à former. Inexpérimenté, impuissant, ballotté entre les passions tempétueuses d'Oliver et de Julian, etc., etc. Mais, au-dessous de la surface, quelque chose pointait, évoqué non pas en paroles mais en clins d'œil, en minauderies de pédé et autres formes de communication non verbale. A n'importe quel moment donné, Ned fonctionne sur six niveaux au moins, et chaque fois qu'il commence à vous expliquer à quel point il est naïf et innocent, vous pouvez être sûr qu'il vous fait marcher. Le Ned que je percevais sous la surface de son histoire était sinistre, intrigant, manipulateur. Il jouait avec ces deux pauvres tantes, les séparant et les séduisant tour à tour, les forçant à une rivalité qui devait mal finir.

« La crise éclata un week-end de mai », poursuivit-il, « quand Oliver m'invita à une partie d'alpinisme dans le New Hampshire, sans Julian. Nous avions besoin, disait-il, de discuter sérieusement, et l'air pur de la montagne nous fournirait un climat propice. J'acceptai, ce qui fit piquer à Julian une crise d'hystérie. »

Julian le menaça en sanglotant de se tuer s'il y allait. Refroidi par cette sorte de chantage sentimental, Ned demanda simplement à Julian de se calmer – c'était juste pour le week-end, ce n'était pas si important que ça, ils seraient de retour le dimanche soir. Julian continuait à sangloter et à parler de suicide. Sans plus lui prêter attention, Ned et Oliver préparèrent leurs affaires de camping. « Vous ne me reverrez jamais plus vivant! » hurla Julian. En me racontant cela, Ned me fit une talentueuse imitation de ses cris de panique. « Je craignais que Julian ne parle sérieusement », dit-il, « mais, d'un autre côté, je savais que c'eût été une erreur que de céder à son hystérie. Sans compter que – secrètement – j'étais flatté à la pensée que j'étais assez important dans la vie de quelqu'un pour qu'il songe à se suicider pour moi. » Oliver lui conseilla de ne pas s'inquiéter pour Julian, qui prenait les choses un peu trop au tragique, et ce vendredi-là ils partirent ensemble pour le New Hampshire.

Vers la fin du samedi après-midi, ils étaient à treize cents mètres d'altitude sur le versant d'une quelconque montagne. C'est là qu'Oliver choisit de faire sa déclaration. Partons ensemble et aimons-nous, dit-il, et nous connaîtrons tous les plaisirs de la vie. Le temps des tergiversations était fini; il voulait une réponse finale et immédiate. Choisis entre Julian et moi, demanda-t-il à Ned, mais choisis vite.

« J'avais alors décidé que je n'éprouvais plus autant d'attirance pour Oliver, qui avait tendance à être un peu trop souvent tyrannique et violent, une espèce d'Hemingway de la pédale », poursuivit Ned. « Et bien que Julian eût plus d'attrait pour moi, je pensais qu' "elle" était beaucoup trop dépendante et faible. Sans compter que, quel que soit mon choix, j'étais certain d'avoir des tas d'ennuis avec l'autre : des scènes de ménage dans la grande tradition, des menaces, des coups, je ne sais pas quoi. » Ainsi, il avait déclaré poliment qu'il ne voulait pas être la cause d'une rupture entre Oliver et Julian, dont il respectait la liaison, et que plutôt que d'accepter un choix impossible il préférait simplement aller vivre autre part.

Oliver commença alors à accuser Ned de préférer Julian, et d'avoir secrètement conspiré avec « elle » pour l'évincer. La discussion devint bruyante et irrationnelle, assortie de toutes sortes de griefs, de récriminations et de dénégations, jusqu'à ce qu'Oliver s'écrie : « Je ne peux pas vivre sans toi, Ned. Promets-moi de partir avec moi, ou je me jette dans le vide! »

En arrivant à cette partie de son récit, Ned commençait à avoir un drôle de regard, avec une lueur quasi diabolique. Il paraissait se délecter, fasciné par sa propre éloquence. A vrai dire, je l'étais aussi. Il poursuivit :

« J'étais las de toutes ces menaces de suicide qui me tombaient dessus. C'était emmerdant qu'on veuille me dicter chacun de mes gestes en affirmant qu'on allait se tuer si je n'obtempérais pas.

" Toi aussi, tu me fais le coup du suicide? " répondis-je à Oliver. " Vous me faites chier tous les deux. Balance-toi dans le vide si ça t'amuse, moi je m'en fous. " Je pensais qu'Oliver bluffait, comme c'est généralement le cas quand quelqu'un parle ainsi. Mais Oliver ne bluffait pas. Il ne me répondit pas, il ne prit même pas le temps de penser, il fit simplement un pas de côté. Je le vis suspendu dans le vide pendant ce qui me sembla durer une dizaine de secondes, le visage tourné vers moi, paisible, serein, puis il tomba de cinq cents mètres, accrocha une saillie, rebondit comme une poupée désarticulée et alla s'écraser en bas. Tout s'était passé si rapidement que je n'avais pas encore commencé à comprendre – la menace, ma réponse sèche, ignoble, le saut dans le vide – un, deux, trois. Puis je réalisai progressivement. Je me mis à frissonner de tout mon corps. Je hurlai comme un fou. »

Pendant quelques instants, déclara Ned, il envisagea sérieusement de se jeter aussi dans le vide. Puis il reprit ses esprits et entreprit de redescendre, avec beaucoup de difficultés maintenant qu'Oliver n'était plus là pour l'aider. Il lui fallut des heures pour arriver en bas, et la nuit était déjà en train de tomber. Il n'avait pas la moindre idée de l'endroit où le corps d'Oliver devait se trouver. Il n'y avait ni police ni téléphone, ni rien, et il dut faire deux kilomètres à pied sur la route avant qu'un automobiliste s'arrête pour le prendre. (Il ne savait pas conduire à l'époque, et il fut obligé de laisser la voiture d'Oliver garée au pied de la montagne.)

« J'étais dans un état de panique totale », dit-il. « Les automobilistes qui me prenaient en stop me croyaient malade, et l'un d'eux voulut me conduire dans un hôpital. La seule chose que j'avais en tête était un sentiment de culpabilité. J'avais tué Oliver. J'étais aussi responsable de sa mort que si je l'avais poussé. »

Comme tout à l'heure, les mots de Ned me disaient une chose, et son regard m'en disait une autre. « Culpabilité », proclamait-il tout haut, et télépathiquement je percevais *satisfaction*. « Responsable de la mort d'Oliver », affirmait-il, et, derrière cela, il fallait comprendre : *excité à l'idée que quelqu'un avait pu se tuer par amour pour moi*. « Panique », disait-il, et derrière ces mots il triomphait : *ravi de mon pouvoir de manipuler les autres*. Il continua son récit :

« J'essayais de me persuader que ce n'était pas ma faute, que je n'avais aucune raison de penser qu'Oliver parlait sérieusement. Mais je n'y réussissais pas. Oliver était un homosexuel, et les homosexuels sont par définition instables, n'est-ce pas? Si Oliver me disait qu'il allait se jeter, je n'aurais pas dû virtuellement le défier de le faire, parce que c'était tout ce qu'il attendait pour sauter. »

Verbalement, Ned plaidait : « J'ai été bête, mais je suis innocent. » Et moi, je recevais : *je suis un salaud d'assassin.* Il reprit :

« Je me demandais ce que j'allais dire à Julian. J'avais débarqué un beau jour chez eux, j'avais flirté avec eux jusqu'à ce que j'aie ce que je voulais, je m'étais interposé entre eux, et maintenant j'avais causé la mort d'Oliver. Julian restait tout seul. Qu'étais-je censé faire? Me proposer comme substitut d'Oliver? Prendre soin du pauvre Julian pour l'éternité? J'étais dans une drôle de merde. Je rentrai à l'appartement vers quatre heures du matin, et ma main tremblait tellement que je pouvais à peine introduire la clé dans le trou de serrure. J'avais préparé huit explications différentes à donner à Julian, toutes sortes de justifications, mais je n'eus à utiliser aucune d'entre elles.

— Julian avait foutu le camp avec le concierge, suggérai-je.

— Julian s'était ouvert les veines juste après que nous étions partis le vendredi soir, fit Ned. Je le découvris dans sa baignoire. Il était mort depuis un jour et demi. Tu vois, Timothy, je les avais tués tous les deux. Ils m'aimaient, et je les ai détruits. Et je porte cette faute comme un fardeau depuis ce temps-là.

— Tu te sens coupable de ne pas les avoir pris au sérieux quand ils ont menacé de se suicider?

— Je me sens coupable d'avoir éprouvé tant de jouissance quand ils l'ont fait, dit-il. »

XXXVI

OLIVER

TIMOTHY est arrivé au moment où j'allais me coucher. Il est entré en traînant la jambe, l'air morose et boudeur, et, pendant quelques instants, je n'ai pas compris ce qu'il venait faire ici.

— Bon, dit-il en s'appuyant en arrière contre le mur. Débarrassons-nous le plus vite possible de cette corvée.

— Tu n'as pas l'air content.

— Non. Je ne suis pas content de ce merdier où je suis obligé de me vautrer.

— Ne t'en prends pas à moi.

— Est-ce que je m'en prends à toi?

— Ton expression n'est pas spécialement amicale.

— Je ne me sens pas spécialement d'humeur amicale, Oliver. J'ai envie de foutre le camp de ce bordel d'endroit juste après le petit déjeuner demain. Depuis combien de temps moisissons-nous ici? Deux semaines? Trois? C'est beaucoup trop longtemps. Beaucoup trop longtemps.

— Tu savais que cela prendrait du temps quand tu as accepté de venir. Il n'y avait aucune chance pour que l'Épreuve se termine en quatre jours. Hop! fini! vous voilà immortels! Si tu fous le camp maintenant, tu risques de tout gâcher pour nous. Et n'oublie pas que nous avons juré...

— Nous avons juré, nous avons juré! Bon Dieu! Oliver! on dirait que j'entends parler Eli! Vous n'avez pas fini de me rappeler ce putain de serment? On dirait que vous me retenez tous les trois prisonnier au bout d'un fil!

— Ainsi, tu m'en veux tout de même.

Il haussa les épaules :

— J'en veux à tout le monde, et surtout à moi-même, j'imagine. Pour m'être laissé entraîner dans ce putain de merdier. Pour n'avoir pas eu le bon sens de me retirer dès le départ. Je pensais que ce serait marrant, j'étais venu pour la balade. Marrant! Tu parles!

— Tu penses toujours que tout ça n'est qu'une perte de temps?

— Toi non?

— Ce n'est pas mon point de vue, dis-je à Timothy. Je me sens transformé chaque jour. J'exerce un contrôle plus profond sur mon corps. J'étends la portée de mes perceptions. Je suis branché sur quelque chose de grand. Et Eli aussi, et Ned également, aussi il n'y a pas de raison pour que tu n'y participes pas.

— Des cinglés. Vous êtes des cinglés.

— Si tu voulais seulement te laisser faire et prendre vraiment part aux méditations et aux exercices spirituels.

— Ça y est. Te voilà reparti.

— Désolé! N'en parlons plus, Timothy.

Je respirai profondément. Timothy était mon ami le plus proche, peut-être mon seul ami, et pourtant, soudain, j'étais écœuré, écœuré de son gros visage bovin, écœuré de ses cheveux en brosse, écœuré de son arrogance, de son fric, de ses ancêtres, de son mépris pour tout ce qui n'était pas à portée de sa compréhension. Je lui dis d'une voix glacée :

— Écoute, si tu ne te plais pas ici, fous le camp! Je ne veux pas que tu penses que c'est moi qui te retiens. Fous le camp, si c'est ce que tu veux! Et ne t'en fais pas pour moi, pour le serment ou tous ces trucs-là. Je suis assez grand pour me débrouiller tout seul!

– Je ne sais pas ce que je veux faire, murmura-t-il. Et, l'espace d'un instant, l'irritation morose disparut de son visage. L'expression qui la remplaça n'est pas facile à associer à Timothy : une expression de confusion, de vulnérabilité. Mais elle disparut aussitôt pour faire place à un air dédaigneux :

– Et autre chose, reprit-il. Pourquoi est-ce que je serais obligé de confier mes foutus secrets à quiconque?

– Tu n'y es pas obligé.

– Frater Javier a dit qu'il le fallait.

– Et qu'est-ce que ça peut te faire? Si tu n'as pas envie de le faire, ne le fais pas.

– Ça fait partie du rituel.

– Mais tu ne crois pas au rituel. De plus, tu pars demain. Ce que dit frater Javier ne te concerne pas.

– Est-ce que j'ai dit que je partais?

– C'est ce que j'ai cru comprendre.

– J'ai dit que j'avais envie de partir. Je n'ai pas dit que j'allais partir. Ce n'est pas pareil. Je n'ai pas encore décidé.

– Reste ou pars, comme tu voudras. Confesse-toi ou pas. Mais si tu n'as pas l'intention de faire ce que frater Javier t'envoie faire ici, j'aimerais bien que tu me laisses dormir un peu.

– Ne me bouscule pas, Oliver. Ne me presse pas comme ça! Je ne peux pas aller aussi vite que tu le voudrais!

– Tu as eu toute la journée pour décider si tu avais quelque chose à me dire ou non.

Il acquiesça lentement. Il se baissa, pencha la tête en avant jusqu'à ce qu'elle soit entre ses genoux, et resta ainsi accroupi, adossé au mur, sans rien dire, pendant un long moment. Mon irritation tomba. Je voyais qu'il avait réellement des ennuis. Cet aspect-là de Timothy était entièrement nouveau pour moi. Il voulait s'ouvrir, il voulait participer, mais il méprisait tellement tout cela qu'il en était incapable. Je ne lui dis rien. Je le laissai ainsi accroupi, et finalement il releva la tête et dit :

— Si je te raconte ce que j'ai à te raconter, quelle assurance est-ce que j'ai que tu ne le répéteras pas?

— Frater Javier nous a donné comme instructions de ne répéter à personne ce que nous entendrions dans ces confessions.

— Je sais, mais est-ce que tu garderas vraiment le secret?

— Tu n'as pas confiance en moi, Timothy?

— Je ne fais confiance à personne pour ça. C'est une chose qui pourrait me détruire. Le frater ne plaisantait pas quand il disait que chacun de nous a quelque chose au fond de son cœur qu'il n'ose pas laisser sortir. J'ai fait pas mal de choses dégueulasses dans ma vie, oui, mais il y en a une qui est tellement dégueulasse que ça lui confère une valeur presque sacrée. Un péché monstrueux. Les gens me mépriseraient s'ils savaient. Tu vas probablement me mépriser. — Son visage était devenu gris. — Je ne sais pas si j'ai envie de te raconter ça.

— Si tu n'en as pas envie, ne le fais pas.

— Je suis censé me libérer.

— Seulement si tu adhères à la discipline du *Livre des Crânes*. Ce qui n'est pas ton cas.

— Oui, mais si je voulais y adhérer, il faudrait que je fasse maintenant ce que demande frater Javier. Je ne sais pas. Je ne sais pas. Tu es sûr que tu ne répéterais rien à Eli ou à Ned? Ni à personne d'autre?

— J'en suis absolument sûr.

— J'aimerais bien pouvoir te croire.

— Je ne peux pas t'aider sur ce chapitre, Timothy. C'est comme dit Eli : il y a des cas où il faut avoir la foi.

— Peut-être qu'on pourrait conclure un marché, dit-il, le front couvert de sueur, l'air désespéré. Je te raconte mon histoire et ensuite tu me racontes la tienne, et ainsi nous aurons chacun un moyen de pression sur l'autre et une garantie qu'il n'en parlera à personne.

— Celui à qui je dois me confesser, c'est Eli, et pas toi.

— Tu refuses, alors?

— Je refuse.

Il resta de nouveau sans rien dire. Encore plus longtemps que la dernière fois. Finalement, il releva les yeux. Son regard était effrayant. Il s'humecta les lèvres et remua la mâchoire, mais aucun son ne sortit. Il paraissait au bord de la panique, et une partie de sa terreur me gagnait. Je me sentais nerveux, tendu, oppressé par la chaleur écrasante que je ressentais soudain.

Finalement, il réussit à prononcer quelques mots :

— Tu connais ma sœur cadette.

Oui, je la connaissais. Je l'avais vue plusieurs fois, quand j'avais été invité chez Timothy pendant les vacances de Noël. Elle avait deux ou trois ans de moins que lui. C'était une blonde aux jambes harmonieuses, assez jolie, mais pas particulièrement brillante. Une Margo sans la personnalité qu'avait Margo, en fait. La sœur de Timothy était l'exemple type de l'étudiante de Wellesley, genre débutante allant aux thés de charité, faisant du tennis, de l'équitation et du golf. Elle avait un beau corps, mais à part ça je ne l'avais pas trouvée attirante du tout parce que j'étais rebuté par son air hautain, son air argenté, son expression de virginité vertueuse. Je ne trouve pas les vierges terriblement intéressantes. Celle-ci donnait la nette impression d'être largement au-dessus de choses aussi basses, aussi vulgaires que le sexe. Je l'imaginais en train de parler à son fiancé tandis que le pauvre mec essayerait de glisser la main dans son corsage : « Oh! chéri! ne sois pas si vulgaire! » Je doute qu'elle ait eu plus de sympathie pour moi que je n'en éprouvais pour elle. Mes origines du Kansas me désignaient comme un bouseux, et mon père n'appartenait pas aux clubs qu'il fallait, et je n'étais pas membre de l'Église qu'il fallait. Mon manque total de lettres de créance pour la haute société me rangeait définitivement dans cette catégorie de mâles que les filles de sa sorte ne peuvent tout simplement pas envisager comme des cavaliers, maris ou amants potentiels. A ses yeux, je faisais simplement partie des meubles, comme un jardinier ou un garçon d'écurie.

— Oui, répondis-je, je connais ta sœur cadette.

Timothy m'étudia en silence pendant un moment interminable.

— Quand j'étais en dernière année au lycée, déclara-t-il d'une voix aussi caverneuse et décrépite qu'une vieille tombe abandonnée, je l'ai violée, Oliver. Violée!

Je crois qu'il s'attendait à ce que le ciel s'ouvre en deux et que la foudre descende quand il me fit cet aveu. Au moins, il s'attendait à me voir sursauter de stupeur, me couvrir les yeux et m'écrier que j'étais épouvanté par ses paroles choquantes. En fait, j'étais un peu surpris, d'une part qu'il se soit donné la peine de s'attaquer à une tâche aussi rébarbative, et d'autre part qu'il ait réussi à enfiler sa sœur sans autre conséquence immédiate, c'est-à-dire sans recevoir une bonne raclée quand les hurlements de la gosse avaient attiré le reste de la maisonnée. Et il fallait que je revoie entièrement l'image que j'avais d'elle, maintenant que je savais que ses cuisses hautaines avaient été labourées par la bite de son frère. Mais, à part ça, je n'étais pas autrement stupéfait. Là où je suis né, le simple poids de l'ennui pousse couramment les jeunes à l'inceste, et bien pis. Bien que je n'aie jamais baisé ma sœur, je connais plein de types qui ont baisé la leur. Plutôt que le tabou tribal, c'est le manque d'inclination qui m'en a empêché. Mais, pour Timothy, c'était visiblement une affaire sérieuse, aussi je gardais un silence respectueux ainsi qu'un air grave et troublé pendant tout le temps que dura son histoire.

Il s'exprimait avec peine au début, transpirant, bafouillant et cherchant ses mots, comme Lyndon Johnson cherchant à expliquer sa politique au Viêt-nam devant un tribunal de crimes de guerre. Mais, au bout d'un moment, les mots se mirent à affluer librement, comme s'il s'agissait d'une histoire que Timothy s'était racontée plusieurs fois dans sa tête, en répétant les mots si souvent qu'ils lui venaient maintenant automatiquement aux lèvres, une fois que le passage difficile du début était franchi. Cela s'était passé, dit-il, il y avait quatre ans exactement ce mois-ci, alors qu'il revenait d'Andover pour passer les vacances de Pâques à la maison et que sa sœur rentrait de l'école de filles qu'elle fréquentait en Pennsylvanie. (Ce n'est que cinq mois plus tard que je devais faire la connaissance de Timothy). Il avait dix-huit ans, et sa sœur quinze et demi. Ils ne s'entendaient pas particulièrement bien, cela depuis toujours. C'était la sorte de gamine pour qui les relations avec son frère aîné consistaient surtout à se tirer la langue. Il la trouvait snob et morveuse, et elle le considérait comme une brute grossière. Au cours des vacances de Noël précédentes, il avait tringlé la meilleure copine de classe de sa sœur, et quand la sœurette s'en était aperçue, cela n'avait fait qu'envenimer leurs relations.

C'était une phase difficile dans l'existence de Timothy. A Andover, il était un meneur puissant et universellement admiré, un héros de football, président de sa classe, symbole de virilité et de savoir-faire; mais, dans deux mois, il allait terminer ses classes, et tout le prestige accumulé compterait pour des prunes, il se retrouverait nouveau parmi des centaines d'autres dans une université réputée dans le monde entier. C'était une expérience traumatisante pour lui. Il entretenait également une coûteuse et difficile liaison à distance avec une fille de l'université de Radcliffe qui était d'un an ou deux son aînée. Il n'était pas amoureux d'elle, c'était juste une question de prestige pour lui, histoire de dire qu'il couchait avec une étudiante, mais il était sûr qu'elle l'aimait. Et, juste avant Pâques, il avait appris par une tierce personne qu'elle ne le considérait que comme un jouet, une sorte de trophée lycéen à exhiber devant ses innombrables chevaliers servants de Harvard. Cette attitude, en bref, était encore plus cynique que celle qu'il avait envers elle. Il était donc rentré dans les terres paternelles avec le sentiment d'être particulièrement accablé, ce qui était nouveau pour un garçon comme Timothy. Immédiatement, il connut une nouvelle source de déconfiture. Il y avait dans sa ville une fille qu'il aimait, mais qu'il aimait *vraiment*. J'ignore exactement ce que Timothy entend par « aimer », mais je pense que c'est un terme qu'il applique à n'importe quelle fille qui satisfait à ses critères d'apparence, de fortune et de naissance, et qui n'accepte pas de le laisser coucher avec elle. Cela la rend inaccessible, cela la met sur un piédestal, et ainsi il se dit qu'il l'« aime ». Le coup de Don Quichotte, en quelque sorte. Cette fille avait dix-sept ans et venait d'être acceptée à Bennington. Elle était issue d'une famille qui avait presque autant d'oseille que celle de Timothy, était une amazone émérite et, à en croire Timothy, avait un corps digne de la faire élire Playmate de l'année. Elle et lui appartenaient au même *country-club*, et ils dansaient, jouaient au golf et au tennis ensemble depuis une époque où ils n'avaient pas encore atteint la puberté. Mais toutes les tentatives de Timothy pour établir une amitié un peu plus profonde avaient été expertement repoussées. Il était obsédé par elle au point d'envisager de l'épouser plus tard, et il s'était persuadé qu'elle l'avait choisi comme futur mari. Par conséquent, raisonnait-il, si elle ne me laisse pas la toucher, c'est parce qu'elle connaît mon double critère et qu'elle a peur que je ne la considère comme pas mariable si elle accepte de se faire déflorer précocement.

Les premiers temps de son retour à la maison, il lui

téléphona tous les jours. Conversation polie, amicale, distante. Elle ne paraissait pas disponible pour une sortie en solo – apparemment, ce n'était pas une coutume très pratiquée par son milieu – mais elle déclara qu'elle le verrait au bal du *country-club,* le samedi suivant. L'espoir était en hausse. Ces bals du *country-club* étaient des occasions guindées où il fallait constamment changer de partenaire, avec quelques intermèdes de pelotage dans différents recoins approuvés par le club. Il réussit à l'amener dans un de ces recoins vers le milieu de la soirée, et, bien qu'il fût loin d'avoir accès à tous ses recoins à elle, il réussit quand même à aller plus loin qu'il ne l'avait jamais été avec elle : langue dans la bouche, mains sous le soutien-gorge. Il crut même discerner une certaine lueur dans ses yeux. Au bal suivant, il l'invita à faire une promenade avec lui – cela faisait partie aussi du rituel du *country-club.* Ils visitèrent les jardins. Puis il suggéra de descendre jusqu'au hangar à bateaux. Dans leur groupe, une promenade au hangar à bateaux signifiait baisage. Ils descendirent jusqu'au bateau. Les mains de Timothy glissèrent avidement le long des cuisses froides. Elle palpitait de tout son corps sous les caresses, et sa main passionnée frotta le devant gonflé du pantalon. Comme un taureau en folie, il la saisit avec l'intention de la transpercer sur-le-champ, mais, avec l'adresse d'une championne olympique de virginité, elle lui balança un coup de genou dans les couilles, évitant de justesse d'être violée. Après avoir proféré quelques remarques choisies sur ses manières bestiales, elle sortit dignement en le laissant plié en deux dans le hangar glacé.

Il avait le feu au bas-ventre et la rage au cœur. Qu'aurait fait à sa place n'importe quel Américain de son âge au sang rouge? Timothy rentra au club en titubant, trouva au bar une bouteille à moitié pleine de bourbon et sortit dans la nuit, furieux et s'apitoyant sur lui-même. Après avoir avalé la moitié du bourbon, il sauta dans sa petite Mercedes de sport et rentra chez lui en roulant à cent vingt à l'heure. Il finit dans le garage ce qui restait de la bouteille, puis, ivre et furieux, monta envahir la chambre virginale de sa sœur cadette et se jeta sur elle. Elle se débattit. Elle implora. Elle gémit. Mais il était dix fois plus fort qu'elle, et rien ne pouvait le faire dévier du parcours qu'il s'était choisi, pas tant que ses pensées étaient dictées par sa monstrueuse bandaison. C'était une fille, c'était une salope, il se servirait d'elle. Il ne voyait pas pour l'instant de différence fondamentale entre l'allumeuse de pine du hangar à bateaux et sa collet-monté de frangine; c'étaient toutes les deux des salopes, elles étaient toutes des salopes, et il allait se venger de toute la tribu des femmes d'un seul coup. Il la maintenait avec ses genoux et ses coudes : « Si tu gueules, je te brise le cou! » lui dit-il, et il ne plaisantait pas, parce qu'il n'avait pas toute sa tête, elle le savait aussi. Le pantalon de pyjama fut baissé. Cruellement, le bélier piaffant enfonça les faibles défenses de sa sœur.

— Je ne sais même pas si elle était vierge, me dit-il, morose. Je la pénétrai sans aucun mal.

En deux minutes, tout était fini. Il se dégagea d'elle. Ils étaient frissonnants, elle du choc, et lui de la libération, et il lui fit remarquer qu'il était inutile qu'elle se plaigne à leurs parents, car ils ne la croiraient probablement pas, et, s'ils appelaient un docteur pour vérifier l'histoire, il y aurait un scandale, des insinuations, et, une fois que cela se saurait en ville, elle n'aurait aucune chance de se marier jamais avec quelqu'un qui en valait la peine. Elle le transperça de son regard. Jamais il n'avait vu des yeux aussi chargés de haine.

Il regagna tant bien que mal sa chambre, en tombant à deux ou trois reprises. Quand il se réveilla, sobre et épouvanté, il s'attendait à trouver la police qui l'attendait en bas. Mais il n'y avait personne d'autre que son père, sa belle-mère et les domestiques. Personne ne se comportait comme si quelque chose s'était passé. Son père lui demanda en souriant si le bal avait été bien, et lui annonça que sa sœur était sortie avec des amies. Elle ne rentra qu'à l'heure du dîner, et elle se comporta comme si tout était normal. En guise de bonsoir, elle lui lança un regard glacé. Ce soir-là, elle le prit à part et lui dit, d'une voix menaçante et terrifiante : « Si tu essayes encore, je te plante un couteau dans les couilles, je te le promets! » Mais ce fut la seule occasion où elle fit allusion à ce qu'il avait fait. En quatre ans, elle n'en avait pas reparlé une seule fois, pas à son frère, tout au moins, mais probablement à personne d'autre non plus. Apparemment, elle avait muré cet épisode dans un compartiment étanche de son esprit en le classant parmi les expériences désagréables d'un soir, comme par exemple une soudaine attaque de chiasse. Je peux témoigner qu'elle maintint une surface parfaitement glacée, et qu'elle continua à jouer le rôle de vierge éternelle comme si rien ni personne n'était passé par là.

C'était tout. Il n'avait rien d'autre à me dire. Quand il eut fini, Timothy releva la tête, vidé, épuisé, le visage gris. Il avait vieilli d'un million et demi d'années.

— Je ne peux pas t'expliquer ce que je ressens depuis, dit-il. Le sentiment de culpabilité qui ne me quitte pas.

— Tu te sens soulagé, maintenant?

— Non.

Ça ne me surprit pas. Je n'ai jamais pensé qu'en ouvrant son âme on allégeait en quoi que ce soit son chagrin. Cela contribue seulement à l'étaler un peu. Ce que Timothy venait de me raconter, c'était une histoire laide, vile, sordide. Une histoire de riches oisifs qui passaient leur temps à se baiser la tête selon les critères de la mode en usage, qui se tracassaient pour des histoires de virginité et de bienséance et qui se créaient de petits mélodrames à leur usage où ils se mettaient en scène avec leur entourage selon un scénario réglé par le snobisme et la frustration. Je plaignais presque Timothy, le brave et solide Timothy de la surface, tout autant victime que criminel, qui voulait simplement s'amuser un peu au *country-club* et qui reçut en échange un coup de genou mal placé. Il s'était soûlé la gueule et il avait violé sa sœur parce qu'il pensait qu'il se sentirait mieux après, ou parce qu'il ne pensait pas du tout. C'était cela son grand secret, son terrible péché. Je me sentais souillé par cette histoire. C'était si minable, si pitoyable. Maintenant, je garderais ça dans la tête pour l'éternité. Je ne savais pas quoi lui dire. Au bout de ce qui me parut avoir duré dix bonnes minutes silencieuses, il se remit debout lourdement et gagna la porte.

– Voilà, dit-il. J'ai fait ce que frater Javier a demandé. Maintenant, je me fais l'effet d'un beau tas de merde. Quel effet ça te fait à toi, Oliver? – Il se mit à rire. – Et demain, ce sera ton tour.

Il sortit.

Oui. Demain, ce sera mon tour.

XXXVII

ELI

Oliver commença :

« C'était au début du mois de septembre, et Karl et moi nous étions partis, rien que tous les deux, chasser la colombe ou la perdrix dans les forêts dépenaillées du nord de la ville. Nous n'avions rien pris d'autre que de la poussière. Quand nous sortîmes des arbres, nous vîmes un petit lac devant nous, une simple mare, en fait, mais nous avions chaud et nous transpirions car l'été n'était pas encore tout à fait terminé. Aussi, après avoir posé nos fusils et ôté nos vêtements, nous plongeâmes et nous nous allongeâmes ensuite pour nous sécher sur un gros rocher plat, en espérant que les oiseaux voudraient bien passer par là pour que nous puissions les tirer, *paf! paf!* sans avoir à nous déranger.

» Karl avait quinze ans et moi quatorze, mais en fait j'étais plus grand que lui car je m'étais plus développé et je l'avais dépassé au printemps. Karl me paraissait si mûr et si fort il y avait quelques années. Maintenant, il paraissait frêle à côté de moi.

» Nous ne nous parlâmes pas pendant un long moment. Et j'étais juste sur le point de suggérer de nous rhabiller et de partir lorsqu'il se tourna vers moi avec un drôle de regard, et je vis qu'il était en train de détailler mon corps, mon bas-ventre. Et il se mit à parler des filles, de leur stupidité, des bruits idiots qu'elles faisaient quand on les baisait, et il me dit combien il était las d'être obligé de leur faire la cour avant qu'elles acceptent de coucher, combien il était fatigué de leurs gros seins mous, de leur maquillage, de leurs gloussements, combien il en avait assez de leur payer à boire et d'écouter leurs bavardages et ainsi de suite. Je répondis en riant que les filles ont bien des défauts, bien sûr, mais il faut bien passer par elles, n'est-ce pas? Et Karl me répondit : " Non, on n'est pas obligé de passer par elles. "

» J'étais sûr qu'il voulait me faire marcher, et je lui répondis : " Tu sais, Karl, moi, les moutons ou les vaches ça ne me tente pas tellement, ou peut-être que c'est avec des canards que tu as fait ça récemment. "

» Il secoua la tête. Il paraissait ennuyé.

" Je ne parle pas de faire ça avec des animaux, me dit-il du ton dont on parle à un petit enfant. Ça, c'est bon pour les cons, Oliver. J'essaye simplement de te dire qu'il y a un moyen de faire autrement, un moyen propre, facile, où l'on n'a pas besoin des filles, où l'on n'est pas obligé de se vendre à elles et de faire toutes les conneries qu'elles veulent. Tu vois ce que je veux dire? C'est simple, c'est honnête, on met cartes sur table, et je vais te dire une chose ", ajouta-t-il, " ne juge pas avant d'avoir essayé ".

» Je n'étais pas bien sûr de ce qu'il voulait dire, en partie parce que j'étais naïf, et en partie parce que je ne voulais pas croire qu'il pensait ce que je croyais qu'il pensait. J'émis un grognement qui ne voulait rien dire, et que Karl dut prendre pour un signe d'assentiment, car il déplaça sa main et la posa sur moi, en haut de ma cuisse. " Hé! attends! " m'écriai-je, et il me répéta : " Ne juge pas avant d'avoir essayé, Oliver. " Il continua à me parler d'une voix intense et basse, à m'expliquer que les femmes n'étaient rien d'autre que des bêtes et qu'il avait l'intention de s'en tenir à l'écart toute sa vie, et que, même s'il se mariait, il ne toucherait sa femme que pour lui faire des enfants, qu'autrement, question plaisir, il s'en tiendrait à des relations strictement d'homme à homme, parce que c'était la seule façon honnête et propre. On va à la chasse avec des hommes, on joue aux cartes avec des hommes, on se soûle avec des hommes, on parle avec des hommes comme jamais on ne parle avec des femmes, on s'ouvre vraiment, alors pourquoi ne pas aller jusqu'au bout et prendre son plaisir sexuel aussi avec des hommes?

» Et, pendant qu'il m'expliquait tout cela, en parlant très vite, sans jamais me laisser placer un mot, en présentant les choses de façon rationnelle et logique, sa main était sur moi, nonchalamment posée sur ma cuisse, comme tu pourrais poser ta main sur l'épaule de quelqu'un en lui parlant, sans que ça veuille rien dire de particulier. Et il commença à la faire glisser, sans cesser de parler, de plus en plus près de mon aine. Je voyais qu'il bandait, Eli, mais ce qui m'étonnait le plus, c'est que je bandais moi aussi. Nous n'avions que le ciel bleu au-dessus de nos têtes, et il n'y avait personne dans un rayon de dix kilomètres. Mais j'avais honte de me regarder, honte de ce qui était en train de m'arriver. C'était une révélation pour moi, qu'un autre type puisse m'exciter comme ça. Juste une fois, disait-il, juste cette fois, Oliver, et, si ça ne te plaît pas, je ne t'en parlerai plus jamais, mais il ne faut pas juger avant d'avoir essayé, tu m'entends?

» Je ne savais pas quoi lui répondre, et je ne savais pas comment lui dire d'enlever sa main. Puis elle monta un peu plus haut, plus haut, et... écoute, Eli, je ne voudrais pas être trop descriptif. Si ça t'embarrasse, dis-le-moi, et j'essaierai de me cantonner dans des termes généraux... »

– Dis-le en employant les termes que tu voudrais, Oliver.

– Sa main montait, montait, jusqu'à ce qu'elle se

retrouve serrée autour de ma... autour de ma queue. Il
tenait mon pénis, Eli, exactement comme aurait pu le
faire une fille, et nous étions nus tous les deux au bord de
ce petit lac, où nous venions de nager, à la sortie de la
forêt, et il me parlait tout le temps, il me disait qu'on
pouvait très bien faire ça entre hommes, qu'il avait appris
avec son beau-frère. Tu sais, il déteste ma sœur, me
disait-il, ils ne sont mariés que depuis trois ans, et il ne
peut pas la voir, il ne supporte pas son odeur, sa manière
de se limer les ongles tout le temps, tout ce qu'elle fait, et
un soir, il m'a dit : " Laisse-moi te montrer quelque chose
d'amusant, Karl. " Et il avait raison, c'était amusant.
" Laisse-moi aussi te montrer, Oliver. Et, après, tu me
diras qui t'a donné le plus de plaisir, Christa Henrichs ou
moi, Judy Beecher ou moi. "

L'odeur piquante de la transpiration imprégnait l'atmosphère de la pièce. La voix d'Oliver était âpre et dure,
chaque syllabe sortait avec la force d'une flèche. Son
regard était vitreux, et son visage cramoisi. Il semblait
être dans une sorte de transe. Si je n'avais pas connu
Oliver, j'aurais pensé qu'il était drogué. Cette confession
lui coûtait un énorme prix intérieur; cela avait été clair
depuis le moment où il était entré, les mâchoires serrées,
les lèvres crispées, l'air retourné comme je l'avais vu en
quelques rares occasions, et où il avait commencé son
récit hésitant d'une aventure de gamin dans les bois du
Kansas à la fin de l'été.

Au fur et à mesure que son histoire se déroulait,
j'essayais d'en anticiper la suite et d'imaginer la conclusion. Visiblement, il avait dû faire un coup en traître à
Karl d'une manière ou d'une autre, supposais-je. L'avait-il
roulé dans la répartition des prises de la journée? Lui
avait-il volé des munitions pendant que son ami avait le
dos tourné? L'avait-il tué à la suite qu'une querelle et
déclaré au shérif que c'était un accident? Aucune de ces
possibilités ne me paraissait convaincante, mais je n'étais

pas du tout préparé au véritable tournant de son récit : la main vagabonde, la séduction habile. L'arrière-plan rural – les fusils, le gibier, la forêt – m'avait induit en erreur; mon image simplifiée de l'enfance dans le Kansas ne laissait aucune place à des aventures homosexuelles et autres manifestations de ce qui, pour moi, représentait une espèce de décadence purement urbaine. Et, pourtant, il y avait bien Karl, le chasseur viril, pelotant le jeune et innocent Oliver, et j'avais devant moi ce même Oliver plus âgé, sortant avec difficulté les mots de ses entrailles.

Mais le récit semblait plus facile, maintenant. Oliver était pris par le rythme des mots, et, bien que son angoisse fût restée la même, la richesse de ses descriptions s'amplifiait, comme s'il éprouvait un plaisir masochiste à me vider son sac. Ce n'était pas autant un acte de confession qu'un acte d'avilissement. L'histoire se déroulait inexorablement, libéralement embellie par des détails évocateurs. Oliver dépeignait sa timidité et son embarras de jeune vierge, son abandon graduel aux arguments de Karl, le moment critique où sa main chercha enfin le corps de son ami. Oliver ne m'épargna rien. Karl n'avait pas été circoncis, appris-je, et, au cas où les implications anatomiques de ce fait ne m'auraient pas été familières, Oliver m'expliqua en détail l'apparence d'un membre non circoncis, à la fois à l'état flasque et en érection. Il me décrivit aussi les caresses manuelles et son initiation aux joies orales, puis finit par me dresser le tableau de deux jeunes corps mâles et musclés se roulant dans l'herbe au bord du lac dans une copulation laborieuse. Il y avait une ferveur quasi biblique dans ses paroles : il avait commis une abomination, il s'était éclaboussé du péché de Sodome, il s'était avili jusqu'à la septième génération, tout cela en un après-midi de jeux enfantins. Très bien, avais-je envie de lui dire. D'accord, tu as fait ça avec ton copain, mais est-ce une raison pour en faire une telle *megillah*? Tu es fondamentalement hétéro, non? Tout le monde a eu l'occasion de s'amuser avec son copain étant gosse, et il y a longtemps que Kinsey nous a dit qu'un adolescent mâle sur trois avait poussé au moins une fois les choses jusqu'au bout avec...

Mais je ne lui dis rien. C'était le grand moment d'Oliver, et je ne voulais pas lui couper ses effets. C'était son traumatisme, c'était le démon qui le chevauchait, et il l'exhibait au grand jour pour que je l'examine. Il était affreusement lancé maintenant. Il me conduisit dans un élan grandiose jusqu'à l'éjaculation finale, puis s'affaissa, épuisé, l'œil glauque, le visage tombant. Il attendait mon verdict, je suppose. Que pouvais-je lui dire? Comment le juger? Je ne dis rien.

– Que s'est-il passé ensuite? demandai-je enfin.

– Nous nous sommes baignés, nous nous sommes lavés, puis rhabillés, et nous avons tiré quelques canards sauvages.

– Non, je veux dire par la suite. Entre Karl et toi. Les conséquences pour votre amitié.

– En rentrant en ville, déclara Oliver, j'ai dit à Karl que s'il s'approchait encore de moi je lui casserais la gueule.

– Et ensuite?

– Je ne l'ai plus revu. Un an plus tard, il s'est engagé dans les marines en trichant sur son âge, et il s'est fait tuer au Viêt-nam.

Oliver me dévisageait d'un air de défi, attendant de toute évidence une autre question, quelque chose qu'il était sûr que j'allais inévitablement lui demander. Mais je n'avais pas de question. Le caractère hors de propos de la mort de Karl avait brisé pour moi le fil du récit. Je me sentais bête et vide. Puis Oliver rompit à nouveau le silence :

– Ce fut l'unique fois de ma vie où je connus ce genre

d'expérience homosexuelle. Absolument l'unique fois. Tu me crois, n'est-ce pas, Eli?

– Naturellement, je te crois.

– Je l'espère. Parce que c'est vrai. Ce fut la seule fois, avec Karl, quand j'avais quatorze ans. Tu sais, une des raisons pour lesquelles j'ai accepté de cohabiter avec un étudiant homosexuel, c'était de faire une sorte de test, pour voir si j'allais être tenté, pour savoir quelles étaient mes inclinations naturelles, si ce que j'avais fait ce jour-là avec Karl n'était qu'un accident, ou si cela se reproduirait quand l'occasion se présenterait à nouveau. Eh bien, l'occasion s'est représentée, mais tu sais que je n'ai jamais rien fait avec Ned. Tu le sais, hein? La question de relations physiques entre lui et moi n'a jamais été évoquée entre nous.

– Bien sûr.

Il me fixait de nouveau d'un regard rigide. Il attendait toujours. Mais quoi?

– Il y a une seule chose que je dois ajouter, dit-il.

– Je t'écoute, Oliver.

– Une seule chose. Une petite note au bas de la page, mais elle donne tout son sens à mon histoire, parce qu'elle isole l'élément de culpabilité. Ma culpabilité ne réside pas dans ce que j'ai fait, mais dans ce que j'ai ressenti après l'avoir fait.

Il eut un rire nerveux. De nouveau, il gardait le silence. Il avait du mal à me dire cette dernière chose. Son regard était détourné. Je crois qu'il regrettait de ne pas s'en être tenu là tout à l'heure en mettant un terme à sa confession. Finalement il reprit :

– Je vais te le dire, Eli. Avec Karl, j'ai aimé ça. J'en ai retiré une extraordinaire sensation. Tout mon corps était en éruption. C'est peut-être le plus grand plaisir de ma vie. Je n'ai jamais essayé une deuxième fois, parce que je savais que c'était mal, mais j'en avais envie, j'en ai toujours eu envie, j'en ai encore envie. – Il tremblait :

– Chaque minute de mon existence, je dois me battre contre ça, et je n'avais jamais réalisé jusqu'à tout à l'heure à quel point le combat était dur. C'est tout, Eli. Tu sais tout. Je n'ai plus rien d'autre à te dire

XXXVIII

NED

ARRIVE Eli, tout sombre, tout hésitant, tout drapé de mélancolie rabbinique, personnification au dos ployé du Mur des Lamentations, portant deux mille ans de tristesse sur ses épaules. Il a le moral bas, Eli. Bien bas. J'avais remarqué, comme nous tous, à quel point il semblait s'adapter à la vie du monastère des Crânes. Il s'épanouissait, il était radieux comme jamais je ne l'avais vu, mais tout d'un coup cela s'est arrêté. Depuis une semaine, il est redescendu plus bas que terre. Et ces quelques journées de confession semblent l'avoir plongé dans l'abîme le plus profond. L'œil terne, les plis de la bouche vers le bas. L'expression du doute, du mépris de soi. Il émane de lui une aura glacée. Qu'est-ce qui te tracasse, Eli de mon cœur ?

Nous discutâmes un peu de choses et d'autres. Je me sentais libre, léger, de bonne humeur, comme je m'étais senti les deux jours précédents, depuis que je m'étais épanché de mon histoire de Julien et de l'autre Oliver dans le giron de Timothy. Frater Javier savait ce qu'il faisait. M'aérer de toutes ces ordures, c'était exactement ce dont j'avais besoin. Mettre tout ça au grand jour, l'analyser, découvrir quelle était la partie de l'histoire qui faisait le plus mal. Aussi, avec Eli, j'étais d'humeur détendue et expansive, et mon léger sarcasme habituel était absent. Je

250

n'avais aucun désir de le contrarier, j'attendais simplement, plus serein que je ne l'avais jamais été, qu'il se soulage de sa confession. Je m'attendais à ce qu'il se lance dans un monologue saccadé, rapide, libérateur de l'âme, mais non, avec Eli la ligne droite n'est jamais le plus court chemin. Il voulait parler d'autres choses, d'abord. Comment est-ce que j'évaluais nos chances dans l'Épreuve? Je haussai les épaules et lui répondis que je pensais rarement à ces choses-là, que j'accomplissais simplement la routine quotidienne du jardinage, de la méditation, des exercices physiques et du baisage en me disant que chaque jour, à tous les points de vue, je me rapprochais un peu plus du but. Il secoua la tête. Un pressentiment d'échec l'obsédait. Il avait d'abord eu confiance dans l'issue de notre Épreuve, et ses derniers vestiges de scepticisme l'avaient quitté. Il croyait implicitement au contenu du *Livre des Crânes,* et il croyait aussi que la récompense promise nous serait accordée. Maintenant, sa foi dans le *Livre* était toujours intacte, mais sa confiance en soi était brisée. Il était convaincu qu'une crise se préparait, qui anéantirait tous nos espoirs. Le problème, disait-il, c'était Timothy. Eli était certain que celui-ci était à bout, qu'il ne pouvait plus supporter de rester au monastère et que d'ici deux ou trois jours il allait s'en aller, en nous laissant en plan avec un Réceptacle incomplet.

— Je suis aussi de cet avis, lui dis-je.

— Qu'est-ce que nous pourrions faire?

— Pas grand-chose. On ne peut pas le forcer à rester.

— S'il s'en va, que va-t-il nous arriver?

— Comment le saurais-je, Eli? Je pense que nous aurons des ennuis.

— Je ne le laisserai pas partir! s'écria-t-il avec une soudaine véhémence.

— Non? Et qu'est-ce que tu comptes faire pour l'en empêcher?

— Je n'ai encore rien décidé. Mais je ne le laisserai pas

partir. – Son visage se transforma en un masque tragique :
– Bon Dieu! Ned! tu ne vois pas que tout va être gâché?

– Je pensais au contraire qu'on allait y arriver.

– Au début, au début. Mais plus maintenant. Nous n'avons jamais eu beaucoup d'influence sur Timothy; et, maintenant, il ne se donne même plus la peine de cacher son impatience, son mépris... – Eli enfonça la tête dans ses épaules, comme une tortue. – Et ces orgies avec les prêtresses. Je suis en train de tout rater, Ned. Je n'arrive pas à me contrôler. C'est agréable de baiser à fesse-que-veux-tu, oui, mais je n'arrive pas à maîtriser les disciplines érotiques.

– Tu te décourages trop tôt.

– Je n'accomplis aucun progrès. Je n'ai pas encore réussi à arriver jusqu'à la troisième. Deux, oui, quelques fois, mais trois, jamais.

– C'est une question de pratique.

– Tu y réussis, toi?

– Très bien.

– Évidemment. C'est parce que les femmes ne t'intéressent pas. C'est juste un exercice physique pour toi, comme de te balancer sur un trapèze. Mais moi, je me sens *concerné* par ces filles, Ned; je les considère comme des objets sexuels; ce que je fais avec elles a énormément d'importance pour moi, et je... et je... Bon Dieu! Ned! si je n'arrive pas à franchir ce cap, à quoi bon me crever pour tout le reste?

Un abîme d'apitoiement sur lui-même l'avait englouti. Je lui prodiguai les encouragements nécessaires : « Ne te laisse pas aller, mon vieux, n'abandonne pas la partie. » Puis je lui rappelai qu'il était venu là en principe pour me faire une confession. Il acquiesça silencieusement. Pendant une minute ou deux, il resta sans rien dire, distant, se balançant d'avant en arrière. Puis il dit soudain, avec un manque d'à-propos frappant :

– Savais-tu qu'Oliver était un pédé?

– Il a dû me falloir cinq minutes pour m'en apercevoir.

– Tu savais?

– Il faut en être un pour en reconnaître un. Tu n'as jamais entendu dire ça? Je l'avais vu dans son visage la première fois que je l'ai rencontré. Je me suis dit : ce type est un homosexuel. Qu'il en soit conscient ou pas, c'est l'un de nous. L'œil rigide, la mâchoire serrée, cet air de désir refoulé, cette férocité à peine dissimulée d'une âme retroussée à vif, qui souffre parce qu'elle n'a pas le droit de faire ce qu'elle souhaite avec ardeur. Tout chez lui le proclame : le travail qu'il s'impose en guise d'autopunition, sa façon de considérer le sport, même sa manière de courir les filles. C'est un cas classique d'homosexualité latente.

– Pas latente, dit-il.

– Hein?

– Il n'est pas seulement homosexuel en puissance. Il a déjà eu une expérience. Seulement une fois, c'est vrai, mais cela a suffi pour le marquer profondément depuis l'âge de quatorze ans. Pourquoi crois-tu qu'il t'a demandé d'habiter avec lui? C'était pour éprouver le contrôle qu'il exerce sur lui-même. C'était une épreuve de stoïcisme, toutes ces années où il ne t'a pas laissé le toucher – mais il te désire, Ned. Tu ne t'en étais jamais aperçu? Ce n'est pas seulement latent. C'est conscient; c'est juste sous la surface.

Je lançai à Eli un drôle de regard. Ce qu'il me disait là était une chose que je pourrais peut-être tourner à mon avantage, mais, à part cet espoir de gain personnel que m'apportait la révélation d'Eli, j'étais stupéfait et fasciné, comme on l'est toujours par des confidences aussi intimes. Cela me faisait un effet bizarre. Je me rappelai quelque chose qui s'était passé l'été où je me trouvais à Southampton, au cours d'une soirée où tout le monde était beurré.

Deux hommes qui avaient vécu ensemble depuis près de vingt ans s'étaient violemment disputés, et l'un d'eux avait brusquement arraché la tunique de coton bouclé de l'autre, dévoilant sa nudité devant tout le monde, révélant un ventre mou, un entrejambe presque sans poils et les organes génitaux non développés d'un garçon de dix ans, en s'écriant qu'il avait dû s'accommoder de ça pendant toutes ces années. Ce moment de vérité, ce démasquage catastrophique, avait été le sujet de délicieuses conversations de salon pendant des semaines, mais j'en étais resté écœuré, parce que j'avais été le témoin des souffrances privées d'un autre, et je savais que ce que tout le monde avait vu ce soir-là, ce n'était pas seulement un corps mis à nu. Je n'avais pas besoin de savoir ce qui m'avait été révélé alors. Et, maintenant, Eli m'avait dit quelque chose qui pouvait m'être utile d'une certaine manière, mais qui d'une autre m'avait forcé à m'introduire sans que je le demande dans l'âme de quelqu'un d'autre.

— Quand as-tu découvert ça? demandai-je.

— C'est Oliver qui me l'a dit hier soir..

— Dans sa confes...

— Dans sa confession, oui. Ça s'est passé au Kansas. Il était parti chasser dans les bois avec un de ses amis, un garçon d'un an plus âgé que lui, et ils se sont arrêtés pour se baigner, et, quand ils sont sortis de l'eau, l'autre l'a séduit, et Oliver a aimé ça. Il n'a jamais pu l'oublier, l'intensité de la situation, le plaisir physique qu'il en a retiré, mais il s'est soigneusement abstenu de renouveler l'expérience. Tu as absolument raison quand tu dis qu'on peut expliquer en grande partie la rigidité d'Oliver, son caractère obsédé, par les efforts continuels qu'il fait pour refouler son...

— Eli?

— Oui, Ned?

— Eli, ces confessions sont censées être confidentielles.

Il mordilla sa lèvre inférieure :

— Je sais.

— Tu portes atteinte à la vie privée d'Oliver en me le répétant. Surtout à moi.

— Je sais.

— Alors, pourquoi le fais-tu?

— J'ai pensé que ça t'intéresserait.

— Non, Eli. Ça ne prend pas. Un type qui a ton discernement, ta connaissance existentielle... Non, mon vieux, je ne te vois pas dans le rôle de diffuseur de ragots. Tu es venu ici avec l'intention délibérée de trahir Oliver. Pour quelle raison? Essayes-tu de machiner quelque chose entre Oliver et moi?

— Pas exactement.

— Alors, pourquoi m'en as-tu parlé?

— Parce que je savais que c'était mal.

— Qu'est-ce que c'est que cette putain de raison?

Il émit un étrange rire forcé :

— Ça me donne quelque chose à confesser. Je considère ce que je viens de faire comme l'acte le plus odieux que j'aie jamais accompli. Révéler le secret d'Oliver à la personne la plus capable de tirer avantage de sa vulnérabilité. Voilà. C'est fait, et maintenant je le confesse officiellement. *Mea culpa, mea culpa, mea maxima culpa.* Le péché a été commis juste devant tes yeux; maintenant, donne-moi l'absolution, veux-tu?

Il parlait sur un rythme si rapide et si saccadé que pendant un instant je fus incapable de suivre les circonvolutions byzantines de son raisonnement. Même lorsque j'eus compris, j'eus du mal à croire qu'il parlait sérieusement. Finalement, je lui répondis :

— Cette façon de te défiler est dégueulasse!

— Tu crois?

— Ton cynisme n'est même pas digne de Timothy. Il viole l'esprit, et peut-être la lettre, des instructions de frater Javier. Frater Javier n'a jamais dit qu'il voulait que nous commettions des péchés sur commande pour nous en repentir aussitôt après. Tu dois confesser quelque chose de réel, quelque chose qui appartienne à ton passé, quelque chose de profondément enraciné en toi, qui t'empoisonne le sang depuis des années.

— Et si je n'ai rien de ce genre à confesser?

— Rien du tout, Eli?

— Rien du tout.

— Tu n'as jamais souhaité que ta grand-mère tombe raide morte parce qu'elle t'avait fait mettre un nouveau costume? Tu n'as jamais regardé dans le vestiaire des filles par le trou de la serrure? Tu n'as jamais arraché les ailes à une mouche? Comment peux-tu dire honnêtement que tu n'as pas de faute cachée à te reprocher?

— Rien qui compte vraiment.

— Est-ce à toi de le juger?

— A qui d'autre? — Il devenait de plus en plus nerveux. — Écoute, je t'aurais raconté quelque chose d'autre s'il y avait eu quelque chose. Mais il n'y a rien. De petits péchés comme arracher les ailes à une mouche, j'en ai commis des milliers. Je ne pouvais tout de même pas te raconter un truc comme ça. Le seul moyen pour moi d'obéir aux instructions de frater Javier, c'était de violer le secret d'Oliver. C'est ce que j'ai fait. Je pense que ça doit suffire. Maintenant, si tu n'y vois pas d'inconvénient, je vais te laisser.

Il se dirigea vers la porte.

— Attends! lui criai-je. Je n'accepte pas ta confession, Eli. Tu essaies de me coller un péché fabriqué de toutes pièces, une culpabilité sur mesures. Ça ne marche pas! Je veux quelque chose de vrai!

— Ce que je t'ai dit sur Oliver est vrai.

— Tu sais très bien ce que je veux dire.

— Je n'ai rien d'autre à te communiquer.

— Ce n'est pas pour moi, Eli. C'est pour ton bien. C'est ton propre rite de purification. Je suis passé par là, et Oliver, et même Timothy, et toi tu voudrais me faire croire que rien de tout ce que tu as fait ne t'a jamais fait éprouver de culpabilité?... – Je haussai les épaules. – D'accord! C'est ton immortalité que tu es en train de gâcher, pas la mienne! Tu peux t'en aller! Va! Va!

Il me lança un regard terrible, un regard de peur, de ressentiment et d'angoisse, et sortit rapidement, sans se retourner. Ce n'est qu'une fois qu'il fut parti que je me rendis compte que mes nerfs étaient tendus à bloc : mes mains tremblaient, et un muscle de ma cuisse gauche tressaillait violemment. Qu'est-ce qui m'avait retourné de cette façon? La lâche dérobade d'Eli, ou sa révélation sur Oliver? Les deux, décidai-je. Les deux. Mais la seconde chose davantage que la première. Je me demandais ce qui se passerait si j'allais trouver Oliver maintenant. Je plongerais mon regard dans ses yeux bleus glacés. Je sais tout, lui dirais-je d'une voix tranquille. Je sais comment tu as été séduit par ton copain à quatorze ans. Seulement, n'essaie pas de parler de séduction avec moi, mon vieux, parce que je n'y crois pas. Et j'en connais un bout sur la question, fais-moi confiance. On ne devient pas homosexuel parce qu'on a été séduit. On le devient parce qu'on l'est déjà. C'est inscrit dans les gènes, dans les os, dans les couilles, et ça ressort à la première occasion favorable. Quelqu'un arrive et te donne cette occasion, et c'est là que tu le sais. Tu as eu ta chance, Oliver, et tu as aimé ça, et ensuite, tu as passé sept ans à lutter contre ça. Mais, maintenant, tu vas le faire avec moi. Pas parce que mes moyens de séduction sont irrésistibles, pas parce que je t'ai préparé avec de la drogue ou de l'alcool, mais parce que tu en as envie, tu en as toujours eu envie. Tu n'as pas eu le courage de te laisser aller. Eh bien, je te donne ta chance, lui dirais-je. Me voici. Et je m'approcherais de lui, et je le toucherais, et il secouerait la tête en faisant un bruit rauque au fond de sa gorge, en luttant, mais quelque chose soudain se romprait en lui, une tension de sept années se relâcherait, et il cesserait de lutter. Il s'abandonnerait et nous pourrions enfin faire ça ensemble. Après nous resterions serrés l'un contre l'autre, épuisés, en sueur, mais sa ferveur se refroidirait bientôt, comme cela arrive toujours juste après, et la culpabilité et la honte monteraient en lui, et – je voyais cela comme si j'y étais – il me foutrait une roustée à mort, il me jetterait par terre, il me cognerait la tête contre le sol de pierre, il y aurait mon sang partout. Il se tiendrait debout au-dessus de moi tandis que je me tordrais de douleur, et il me hurlerait sa rage parce qu'il ne pourrait pas supporter de la regarder face à face avec ses propres yeux. Mais tant pis, Oliver. Si tu dois me détruire, détruis-moi. Ça m'est égal, parce que je t'aime, et j'accepte tout ce que tu voudras me faire. Ainsi le Neuvième Mystère sera observé, pas vrai? Je suis venu ici pour t'avoir et puis mourir, et je t'ai eu, et maintenant c'est le moment mystique choisi pour que je disparaisse. Ça m'est égal de mourir par ta main, mon Oliver. Et ses poings puissants me broieraient les os, et mon corps disloqué se tordrait d'agonie, puis retomberait immobile, tandis que la voix extatique de frater Antony se ferait entendre, chantant le Neuvième Mystère, accompagné par un glas invisible : dong, dong, dong! Ned est mort, Ned est mort, Ned est mort.

La scène avait une réalité si intense que je me mis à frissonner et à trembler; je sentais la force de cette vision dans chaque molécule de mon corps. J'avais l'impression d'être déjà allé chez Oliver, d'avoir déjà partagé son étreinte passionnée, d'avoir déjà péri sous son courroux enflammé. Je n'avais plus besoin de faire toutes ces choses, maintenant. Elles étaient finies, accomplies, elles appartenaient au passé. Je savourais mes souvenirs de lui. Le contact de sa peau fine contre la mienne. La dureté de ses muscles de granit sous mes doigts caressants. Le goût de sa peau sur mes lèvres. Le goût de mon propre sang, coulant des commissures de mes lèvres tandis qu'il commençait à me marteler. La sensation de lui abandonner mon corps. L'extase. Le glas. La voix venue d'en haut. Les fraters entonnant un requiem à ma mémoire. J'étais perdu dans une rêverie visionnaire.

A un moment, je m'aperçus que quelqu'un était entré dans ma chambre. La porte s'était ouverte, puis refermée. Un bruit de pas feutrés s'était fait entendre. J'acceptai cela comme faisant partie de mon rêve. Sans me retourner, je décidai qu'Oliver était venu me voir. Envapé comme je l'étais, j'étais si absolument convaincu que c'était lui et que ça ne pouvait être personne d'autre que je connus un instant de confusion lorsque je finis par me retourner et que je vis que c'était Eli. Il s'était assis tranquillement par terre contre le mur opposé au lit.

A sa première visite, il avait eu l'air simplement déprimé; mais maintenant, dix minutes plus tard – ou une demi-heure? –, il paraissait complètement désintégré. Les yeux baissés, les épaules affaissées.

– Je ne comprends pas, dit-il d'une voix caverneuse, comment cette histoire de confession peut avoir une valeur, symbolique, réelle, métaphorique ou autre. Je croyais que j'avais saisi ce que frater Javier voulait dire quand il nous en a parlé pour la première fois; mais, maintenant, je ne sais plus. Est-ce que c'est cela qu'il faut faire pour nous délivrer de la mort? Et pourquoi? Pourquoi?

– Parce qu'ils nous le demandent, répondis-je.

– Et alors?

– C'est une question d'obéissance. De l'obéissance naît la discipline, de la discipline naît la maîtrise, et de la maîtrise naît le pouvoir de conquérir les forces de la dégénérescence. L'obéissance est anti-entropie. L'entropie est notre ennemie.

– Te voila bien éloquent! me dit-il.

– L'éloquence n'est pas un péché.

Il se mit à rire et ne fit pas de réponse. Je voyais qu'il

était sur une corde raide, à la limite entre la folie et la santé d'esprit. Ce n'était pas moi qui avais marché toute ma vie sur cette corde raide qui allais le pousser.

Un long moment passa. Ma vision d'Oliver et de moi s'estompa et devint irréelle. Je n'en voulais pas pour cela à Eli; cette nuit lui appartenait. Finalement, il se mit à me parler d'un essai qu'il avait écrit à seize ans, en dernière année du lycée, sur la décadence morale de l'Empire romain occidental vue à travers l'aspect de la dégénérescence du latin en un certain nombre de langues romanes. Il se souvenait encore presque par cœur de ce qu'il avait écrit, et il me cita de longs passages que j'écoutai avec un semblant d'attention polie car, bien que ses arguments me parussent brillants, particulièrement pour avoir été écrits par un garçon de seize ans, je n'avais pas une très grande envie à ce moment précis d'entendre parler des subtiles implications au point de vue éthique que recelaient les évolutions respectives du français, de l'espagnol et de l'italien. Mais, graduellement, je compris où Eli voulait en venir avec son histoire, et je l'écoutai d'une oreille plus attentive. Il était, en fait, en train de me faire sa confession.

Il avait écrit cet essai pour participer à un concours organisé par quelque prestigieuse société savante, et il avait gagné le premier prix, ce qui lui avait assuré une bourse de recherche. Il avait, en fait, bâti toute sa carrière universitaire subséquente sur ce premier succès, car l'essai avait été publié dans une revue philologique importante et lui avait valu la célébrité dans sa petite sphère universitaire. Bien qu'il ne fût qu'un étudiant de première année, il était cité avec éloges dans les travaux des autres érudits. Les portes de toutes les bibliothèques lui étaient ouvertes, et il n'aurait jamais eu, à vrai dire, la possibilité de découvrir le manuscrit qui nous avait amenés au monastère des Crânes s'il n'avait pas écrit ce prestigieux essai dont sa renommée dépendait. Mais – et il me dit cela sur le même ton dépourvu d'expression qu'il avait employé, un moment plus tôt, pour m'exposer ses théories sur les verbes irréguliers – le concept essentiel sur lequel il avait bâti sa thèse n'était pas le fruit de son propre travail. Il l'avait volé à quelqu'un d'autre.

Tiens, tiens! Le péché d'Eli Steinfeld! Ni une peccadille sexuelle, ni un égarement de jeunesse dans l'homosexualité ou la masturbation réciproque, ni un affreux inceste avec une mère protestant faiblement, mais un crime intellectuel, l'espèce la plus damnable de toutes. Pas étonnant qu'il ait si longtemps attendu avant de faire son aveu. Mais, maintenant, la vérité coulait à flots de sa bouche. Son père, disait-il, un jour où il déjeunait dans un self-service de la 6e Avenue, avait remarqué un petit monsieur flétri, grisonnant, assis tout seul à une table, en train de feuilleter un épais et encombrant volume. C'était un livre de Sommerfelt sur l'analyse linguistique, intitulé *Aspects diachronique et synchronique du langage*. Ce titre n'aurait rien signifié pour le père d'Eli s'il n'avait pas, quelques instants à peine auparavant, déboursé la somme appréciable pour lui de seize dollars cinquante pour en acheter un exemplaire à Eli, qui avait décidé qu'il ne pouvait plus vivre en s'en passant. Choc en reconnaissant la couverture du bouquin; réaction de fierté paternelle : mon fils, le philologue. Présentations. Conversation. Sympathie immédiate : un réfugié d'un certain âge dans un self-service n'a rien à craindre d'un autre. « Mon fils », dit Mr. Steinfeld, « a le même livre que vous! » Expression de ravissement. L'autre est natif de la Roumanie, autrefois professeur de linguistique à l'université de Cluj. En 1939, il s'enfuit de son pays en espérant entrer en Palestine, mais il arrive en fait, après avoir transité par la république Dominicaine, le Mexique et le Canada, aux États-Unis, où, incapable de trouver un emploi dans une université, il vit à Manhattan dans une pauvreté tranquille, travaillant là où il peut, comme plongeur dans un restaurant chinois, correcteur d'épreuves dans un journal roumain éphémère, préposé au duplicateur dans un service de renseignements pour personnes déplacées, et ainsi de suite. Mais, pendant tout ce temps, il prépare avec ardeur l'ouvrage de sa vie, une analyse structurale et philosophique de la décadence de la langue latine dans le haut Moyen Age. Maintenant, le manuscrit est virtuellement complet en roumain, explique-t-il au père d'Eli, et il vient de commencer l'indispensable traduction en anglais, mais le travail avance très lentement car il n'est pas encore très à l'aise dans cette langue, lui qui a la tête farcie de tant d'autres idiomes. Il rêve de finir son livre, de lui trouver un éditeur et de se retirer en Israël avec ce qu'il aura touché. « J'aimerais faire la connaissance de votre fils », dit-il abruptement. Suspicion instantanée de la part du vieux Steinfeld. S'agit-il d'un pervers, d'un détraqué, d'un obsédé sexuel? Non! C'est un Juif décent, un érudit, un *melamed,* un membre de la confraternité internationale des victimes. Comment pourrait-il vouloir du mal à Eli? On échange les numéros de téléphone. Une rencontre est arrangée. Eli se rend chez le Roumain. Une chambre minuscule bourrée de livres, de manuscrits, de périodiques savants dans une douzaine de langages. Tenez, lisez ça, dit le digne vieux monsieur, et ça, et ça, et ça. Mes essais. Mes théories. Et il entasse les papiers dans les mains d'Eli, des pelures d'oignon aux caractères dactylographiés serrés, sans espace, sans marge. Eli emporte tout chez lui, il lit, il s'extasie. Formidable! Ce petit homme a du génie! Enflammé, Eli se promet d'apprendre le roumain pour devenir le secrétaire de son nouvel ami et pour l'aider à traduire son manuscrit le plus rapidement possible. Fiévreusement, ils font des projets de collaboration. Ils construisent des châteaux en Roumanie. Eli, en payant de sa propre poche, photocopie les manuscrits pour éviter qu'un *goy* quelconque dans la chambre à côté, en s'endormant avec sa cigarette, ne détruise le travail de toute une vie dans un embrasement stupide. Chaque jour, après les cours, Eli se précipite dans la petite chambre encombrée. Puis, un après-midi, personne ne répond à son coup de sonnette. Calamité! Le concierge vient, grommelant, l'haleine imbibée de whisky. Il utilise son passe pour ouvrir la porte. Le Roumain est allongé par terre, jaune, raide. Une association de réfugiés paie l'enterrement. Un neveu, jamais mentionné jusqu'ici, se matérialise et embarque tous les livres et manuscrits vers un destin inconnu. Eli reste avec ses photocopies. Et maintenant? Comment être le véhicule par lequel cette œuvre sera révélée à l'humanité? Ah! Le concours d'essais pour la bourse! Il s'assoit en transe devant sa machine, des heures durant. La distinction dans son propre esprit entre son ami disparu et lui-même devient incertaine. Ils sont des collaborateurs, maintenant. Grâce à moi, pense Eli, ce grand homme peut parler à partir de sa tombe. L'essai est terminé, et il n'y a aucun doute dans l'esprit d'Eli sur sa valeur : c'est un pur chef-d'œuvre. De plus, il éprouve un plaisir spécial à savoir qu'il a sauvé l'œuvre de toute une vie d'un érudit injustement négligé. Il soumet les six exemplaires réglementaires au comité du concours. Au printemps, une lettre recommandée arrive, l'informant qu'il a gagné. Il est convoqué dans un hall de marbre pour recevoir un rouleau de papier entouré d'un ruban, un chèque représentant plus d'argent qu'il ne pouvait en imaginer, et les félicitations d'une cohorte de distingués universitaires. Peu après arrive la première sollicitation d'une revue professionnelle. Sa carrière est lancée. Ce n'est que plus tard qu'Eli s'aperçoit que, dans son essai triomphant, il a entièrement oublié de mentionner l'auteur des idées sur lequel son travail est basé. Pas un seul remerciement, pas une seule note au bas de la page, pas une citation.

Cette erreur ou omission lui fait honte, mais il se dit qu'il est trop tard pour réparer. A mesure que les mois passent, que l'essai est publié et que les critiques universitaires s'en emparent, il vit dans la terreur de voir un jour se dresser un vieux Roumain brandissant un paquet d'obscurs journaux publiés dans le Bucarest d'avant la guerre et s'écriant que ce jeune homme impudent a honteusement pillé la pensée de son distingué et regretté collègue, l'infortuné Dr. Nicolescu. Mais aucun Roumain ne lève son bras accusateur. Les années ont passé; l'essai est universellement accepté comme le bien d'Eli. La fin de ses études approche, et plusieurs universités célèbres rivalisent pour avoir l'honneur de le compter parmi leurs chercheurs avancés.

Cet épisode sordide, déclare Eli en conclusion, symbolise l'ensemble de sa vie intellectuelle – une simple façade sans profondeur, à base d'idées empruntées. Le plagiat poussé à son point culminant, plus une certaine et indéniable adresse dans l'assimilation de la syntaxe des langues archaïques. Pas une seule fois il n'a apporté sa contribution, si modeste fût-elle, à l'élargissement des connaissances humaines. Ce serait pardonnable, à son âge, s'il n'avait pas gagné frauduleusement la réputation prématurée d'être le penseur le plus pénétrant à rejoindre le domaine de la linguistique depuis Benjamin Whorf. Et qu'est-il, en réalité? Un golem, un assemblage factice, un village Potemkine ambulant de la philologie. On attendait maintenant de lui des miracles d'intuition, et qu'avait-il à donner? Il n'avait plus rien, m'avoua-t-il amèrement. Depuis longtemps, il avait utilisé le dernier des manuscrits roumains.

Un silence monstrueux descendit sur nous. Je n'avais pas le courage de le regarder. C'était plus qu'une confession, c'était un hara-kiri. Eli venait de se détruire devant moi. J'avais toujours eu quelques petits doutes, oui, sur la profondeur supposée d'Eli, car bien qu'il fût indubitablement doté d'un esprit brillant, ses perceptions m'avaient souvent frappé comme lui étant venues de manière indirecte. Pourtant, je n'aurais jamais pu imaginer de lui ce vol, cette imposture. Que pouvais-je lui dire? Faire claquer ma langue comme un prêtre en lui disant : « Oui, mon fils, tu as gravement péché »? Il le savait. Lui annoncer que Dieu lui pardonnerait, car c'est un Dieu d'amour? Je n'y croyais pas moi-même. Peut-être pouvais-je essayer une dose de Goethe en lui disant que la rédemption des péchés par le bien est toujours possible. Va, Eli, va construire des hôpitaux et assécher des marécages, va écrire des brillants essais qui n'auront pas été volés, et tout ira bien pour toi.

Il restait là assis par terre, à attendre l'absolution, à attendre le Mot qui lui soulèverait son joug. Son visage était vide d'expression, son regard dévasté. J'aurais préféré qu'il confesse quelque insignifiant péché de chair. Oliver avait enfilé son copain, rien de plus, un péché qui pour moi n'en était même pas un, qui était plutôt une bonne tranche de rigolade. L'angoisse d'Oliver n'avait pas de base réelle, ce n'était qu'un produit du conflit entre le désir naturel de son corps et le conditionnement que la société lui avait imposé. Dans l'Athènes de Périclès, il n'aurait rien eu à confesser. Le péché de Timothy, quel qu'il soit, était sûrement aussi creux, basé non sur des raisons morales absolues mais sur des tabous locaux : peut-être qu'il avait couché avec une servante, peut-être qu'il avait épié ses parents en train de copuler. Le mien était une transgression un peu plus complexe, car j'avais éprouvé de la joie devant le malheur des autres, j'avais peut-être aussi été l'artisan du malheur des autres, mais c'était une suite de circonstances subtiles, à la Henry James, et, en dernière analyse, insubstantielles. Il n'en allait pas de même pour Eli. Si le plagiat était à la base de ses éclatants succès universitaires, alors qu'est-ce qu'il y avait à la base d'Eli? Il n'y avait rien; il y avait le vide, et quelle absolution pouvait-on lui offrir pour cela?

Eli avait eu sa petite dérobade tout à l'heure, et maintenant j'eus la mienne. Je me levai, j'allai à lui, je lui pris les mains dans les miennes et je le relevai, puis je prononçai les paroles magiques : *expiation, contrition, pardon, rédemption.* Dirige-toi vers la lumière, Eli. Aucune âme n'est damnée pour l'éternité. Travaille dur, applique-toi, persévère, cherche à mieux te connaître, et la pitié divine tombera sur toi, car ta faiblesse vient de Lui, et Il ne te châtiera pas si tu Lui montres que tu es capable de la transcender. Il hocha la tête d'un air absorbé et me quitta. Je pensai au Neuvième Mystère en me demandant si je le reverrais jamais.

Je parcourus ma chambre de long en large, méditant. Puis Satan m'enflamma, et je sortis rendre visite à Oliver.

XXXIX

OLIVER

— JE sais tout, me dit Ned. Je connais toute l'histoire.

Il me souriait timidement. Ses yeux doux, ses yeux de chien battu, plongés dans les miens. « Tu ne dois pas avoir peur de ce que tu es, Oliver. Il ne faut jamais avoir peur de ce qu'on est. Ne vois-tu pas qu'il est très important que tu te connaisses, que tu t'explores aussi loin que tu le peux, et qu'ensuite tu *agisses* en conséquence? Il y a tellement de gens qui dressent stupidement des barrières entre eux et eux, des murs faits d'abstractions inutiles. Des tas de Tu Ne Feras Point, et de Tu N'Oserais Jamais. Et pourquoi? Quel bien tout cela peut-il faire? »

Son visage était brillant. Un tentateur, un démon. Eli a dû lui raconter. Karl et moi, moi et Karl. J'aurais broyé la tête d'Eli pour cela. Ned tournait autour de moi, grimaçant, comme un chat, comme un lutteur prêt à bondir. Il parlait d'une voix basse, presque roucoulante. « Allons. Laisse-toi faire, Oliver. LuAnn ne saura pas. Je n'irai pas le crier sur les toits. Laisse-toi faire, Oliver, je t'en prie. Nous ne sommes pas des étrangers. Nous sommes restés si longtemps éloignés l'un de l'autre. C'est toi, Oliver, c'est le véritable toi qui voudrait sortir de sa prison, c'est le moment, Oliver. Tu veux, dis? Saisis ta chance. Je suis là. » Et il se rapprochait de moi. Il levait la tête pour me regarder. Le petit Ned, qui m'arrivait à peine à hauteur de poitrine. Ses doigts couraient légèrement sur mon avant-bras. « Non », fis-je en secouant la tête. « Ne me touche pas, Ned! » Il continuait à sourire. A me caresser. Il murmurait : « Ne me repousse pas. En le faisant, c'est toi que tu repousses. Tu refuses d'accepter la réalité de ta propre existence, et tu ne peux pas faire ça, dis, Oliver? Pas si tu veux avoir l'éternité à toi. Je suis une étape qu'il te faut franchir dans ton voyage. Nous le savons depuis des années tous les deux, au fond de nous-mêmes. Maintenant cela fait surface, Oliver. Tout remonte à la surface, tout converge, tout nous mène à cet instant. Ici même, Oliver. Dans cette chambre, cette nuit. Oui? Dis oui, Oliver. Dis oui! »

XL

ELI

JE ne savais plus qui j'étais ni où je me trouvais. J'étais dans une transe, un coma. Tel mon propre fantôme, je hantais les couloirs du monastère des Crânes, je parcourais à la dérive les corridors glacés plongés dans les ténèbres. Les crânes de pierre accrochés aux murs me regardaient en grimaçant. Je leur rendis leur grimace. Je leur clignai de l'œil. Je leur envoyai des baisers. Je regardais la rangée de portes en chêne massif qui s'étendaient à l'infini, mystérieusement fermées, et des noms non moins mystérieux traversaient ma conscience : voilà la chambre de Timothy, et celle de Ned, et celle d'Oliver. Qui sont-ils? Et ça, c'est la chambre d'Eli Steinfeld. Qui? *Eli Steinfeld*. Qui? E-li-Stein-feld. Une série de sons incompréhensibles. Un agglomérat de syllabes mortes. E-li-Stein-feld. Continuons. Ça, c'est la chambre de frater Antony, et là dort frater Bernard, et ici frater Javier, et frater Claude, et frater Miklos, frater Maurice, frater Léon, frater ceci, frater cela, qui sont tous ces fraters et qu'est-ce que leur nom veut dire? Encore des portes closes. Ce sont les femmes qui doivent dormir là. J'ouvris une porte au hasard. Quatre couches, quatre femmes bien en chair, nues, allongées sur des draps froissés. Rien de caché. Cuisses, fesses, seins, ventres. Visages assoupis. J'aurais pu aller vers elles, les pénétrer, les posséder toutes les quatre l'une après l'autre. Mais non. Je continue. J'arrive à une salle sans plafond, où les étoiles brillent à travers les poutres espacées. Il fait plus froid, ici. Des têtes de morts contre les murs. Un jet d'eau qui cascade. Je passe dans les grandes salles. Là, on nous enseigne les Dix-Huit Mystères. Là, nous accomplissons la gymnastique sacrée. Là, nous mangeons nos aliments spéciaux. Et là – cette ouverture dans le sol, cet *omphalos,* ce nombril de l'univers, c'est l'entrée de l'Abîme. Il faut que je descende. Je descends. Odeur de moisi. Pas de lumière, ici. La pente, graduellement, se redresse. Ce n'est pas un abîme, mais seulement un souterrain. Je me rappelle. J'y suis déjà passé, dans l'autre sens. Une barrière, maintenant. Une porte de pierre. Elle cède, elle cède! Le tunnel continue. Tout droit, tout droit. Trombones et cors de bassets. Chœur de basses. Les mots du Requiem vibrent dans l'air : *Rex tremendae majestatis, qui salvandos salvas gratis, salva me, fons pietatis.* Je suis dehors! J'émerge dans la clairière par laquelle j'ai pénétré la première fois dans le monastère des Crânes. Devant moi, le désert. Derrière, le monastère. Au-dessus, les étoiles, la lune pleine, la voûte céleste. Et maintenant? Je m'avançai d'un pas incertain jusqu'au milieu de la clairière, jusqu'à la rangée de crânes de la taille d'un ballon de basket qui la bordaient, je pris l'étroit sentier qui venait du désert. Je n'avais aucun but en tête. Mes pieds me conduisaient. Je marchai des heures, ou des jours, ou des semaines. Puis, sur ma droite, je vis un énorme rocher, de texture grossière, de couleur sombre, le repère, le crâne de pierre géant. Sous le clair de lune, ses traits profonds ressortaient avec netteté, ses orbites retenaient des abîmes de nuit. Frères, méditons. Contemplons le visage derrière le crâne. Je m'agenouillai. Utilisant la technique que m'avait enseignée le pieux frater Antony, je projetai mon âme et j'absorbai le grand crâne de pierre, en me purgeant de toute vulnérabilité à la mort. Crâne, je te connais! Crâne, je n'ai pas peur de toi! Crâne, je porte ton frère derrière mon visage! Et je me moquai du crâne, je m'amusai à le transformer, d'abord en un œuf lisse et blanc, ensuite en un bloc d'albâtre rose parsemé et veiné de jaune, puis en une sphère de cristal dont j'explorai les profondeurs. La sphère me montra les tours dorées de l'Atlantide engloutie. Elle me montra des hommes emmitouflés dans des peaux de bête, gambadant à la lumière de torches devant les mammouths peints sur les murs d'une grotte enfumée. Elle me montra Oliver épuisé et blotti dans les bras de Ned. Puis je retransformai la sphère en un crâne grossier sculpté dans la roche noire et, satisfait, je repris le sentier qui conduisait au monastère. Mais, au lieu d'entrer par le passage souterrain, je fis le tour du bâtiment et je longeai l'aile où nous recevions notre instruction des fraters, jusqu'à ce que j'arrive à l'extrémité de la construction, là où commençait le sentier qui donnait accès aux champs cultivés. A la lueur du clair de lune, j'essayai de trouver de mauvaises herbes et je n'en trouvai pas. Je caressai les plants de piments, je bénis les baies et les racines. C'est la nourriture sacrée, c'est la nourriture pure, c'est la nourriture de la vie éternelle. Je m'agenouillai entre les sillons, sur la terre humide et boueuse, et je priai pour que le pardon me soit accordé pour tous mes péchés. Je me dirigeai ensuite vers la petite butte qui se trouve à l'ouest du monastère. Je la gravis, ôtai mon pantalon et, nu dans la nuit, accomplis les exercices de respiration sacrés. Accroupi, inspirant les ténèbres, les incorporant à mon souffle interne, les transformant en une énergie que je canalisais vers mes organes vitaux. Mon corps se dissolvait. J'étais dépourvu de masse ou de poids. Je flottais, je dansais sur une colonne d'air. Je retenais mon souffle pendant des siècles. Je planais des ères durant. J'approchais de l'état de grâce authentique. C'était maintenant le moment d'accomplir le rite de gymnastique, ce que je fis avec une grâce et une agilité que je n'avais jamais eues avant. Je me courbais, je pivotais, je me contorsionnais, je bondissais, je m'élançais, je battais des mains. Je ressentais chaque muscle. Je testais mes capacités jusqu'à leur limite.

L'aube allait bientôt se lever.

La première lueur du soleil me parvint des collines de l'est. Je pris la position du soleil couchant et fixai la pointe de lumière rose qui grandissait à l'horizon. Je buvais le souffle du soleil. Mes yeux étaient des conducteurs. La flamme s'engouffrait par eux dans le labyrinthe de mon corps. J'en avais le contrôle total, j'orientais à volonté cette lumière merveilleuse dans mes poumons, dans ma rate, mon foie, ma rotule droite. Le soleil transperça la ligne de l'horizon et devint un globe parfait, tandis que le rouge de l'aube devenait or et que je m'imprégnais jusqu'à saturation de l'éclat du matin.

C'est dans un état d'extase que je repris finalement le chemin du monastère des Crânes. Tandis que je m'approchais de l'entrée, je vis une silhouette émerger du souterrain : Timothy. Il avait retrouvé, j'ignore comment, ses habits de ville. Son visage était dur et tendu, ses mâchoires crispées, ses yeux torturés. Quand il me vit, il arqua les sourcils et cracha. Sans faire autrement attention à ma présence, il continua son chemin rapidement en se dirigeant vers le sentier qui menait au désert.

— Timothy?

Il ne s'arrêta pas.

— Timothy, où vas-tu? Réponds-moi, Timothy.

Il se retourna. Avec un regard de mépris glacé, il me dit :

— Je mets les bouts. Qu'est-ce que tu fous là de bon matin, toi?

— Tu ne peux pas t'en aller.

— Je ne peux pas?

— Tu vas briser le Réceptacle.

— Ton Réceptacle, je n'en ai rien à foutre! Tu crois que je vais passer le reste de ma vie dans cette institution pour

272

débiles mentaux? – Il secoua la tête. Puis son expression se radoucit, et il ajouta : – Reprends un peu de bon sens, Eli. Tu essayes de vivre un rêve. Ça ne marchera pas. Il faut retourner à la réalité.

– Non.

– Il est trop tard pour les deux autres, mais tu es encore capable de penser rationnellement, peut-être. Nous pouvons déjeuner à Phoenix, et prendre le premier avion pour New York.

– Non.

– C'est ta dernière chance.

– Non, Timothy.

Il haussa les épaules et se détourna. « Comme tu voudras. Reste avec tes cinglés de copains. Moi, j'en ai marre. Plus que marre. »

Je restai figé tandis qu'il traversait la clairière, passait entre deux petits crânes de pierre à demi enfoncés dans le sable et s'éloignait sur le sentier. Il était impossible de le convaincre de rester. Ce moment était inévitable depuis le début. Timothy n'était pas comme nous, il lui manquait nos traumatismes et nos motivations, rien n'aurait pu le persuader de la nécessité de subir l'Épreuve au complet. Pendant un long moment, j'examinai mes options, je recherchai la communion avec les forces qui guidaient la destinée du Réceptacle, je demandai si le moment était venu, et il me fut répondu : « Oui, le moment est venu. » Je me mis à courir après Timothy. En arrivant à la rangée de crânes, je m'agenouillai rapidement et j'en ramassai un dans le sable – il me fallait mes deux mains pour le porter, il pesait au moins dix ou quinze kilos – et, reprenant ma course, je rattrapai Timothy juste à l'endroit où le sentier commençait. D'un seul mouvement agile, je soulevai le crâne de pierre et l'amenai de toutes mes forces en contact avec sa nuque. A travers le basalte, mes doigts reçurent une sensation d'os broyés. Il s'écroula sans un cri. Le crâne était taché de sang. Je le lâchai, et il resta dressé là où il était tombé. Les cheveux blonds de Timothy étaient maculés de rouge, et la tache s'étalait avec une rapidité surprenante. Il m'était nécessaire d'appeler des témoins, me dis-je, afin de procéder aux rites nécessaires. Je me tournai vers le monastère. Mes témoins étaient déjà là. Ned, tout nu, et frater Antony, avec ses jeans délavés, se tenaient à l'entrée du bâtiment. Je marchai jusqu'à eux. Ned hocha lentement la tête; il avait assisté à tout. Je me suis mis à genoux devant frater Antony. Il posa sa main froide sur mon front en disant doucement :

« Tel est le Neuvième Mystère : que le prix d'une vie soit exigé en échange d'une vie. Sachez, ô Nobles-nés! que chaque éternité doit être compensée par une extinction. » Puis il dit encore : « De même que par le fait de notre vie nous mourons chaque jour, de même par le fait de notre mort nous vivrons éternellement. »

XLI

NED

J'ESSAYAI de demander à Oliver de nous aider à enterrer Timothy, mais il boudait dans sa chambre comme Achille sous sa tente, et c'est à Eli et à moi que la tâche revint entièrement. Oliver refusait d'ouvrir sa porte; pas même un grognement ne saluait mes coups insistants. Je le laissai et allai rejoindre le groupe qui attendait devant le monastère. Eli, debout à côté du corps, avait un air séraphique, transfiguré. Son visage était rouge et son corps luisait de transpiration à la lueur du matin.

A côté de lui, il y avait quatre frères, les quatre Gardiens : frater Antony, frater Miklos, frater Javier et frater Franz. Ils étaient sereins et semblaient satisfaits de ce qui s'était passé. Frater Franz avait porté des outils de fossoyeur, des pics et des pelles. Le cimetière, déclara frater Antony, n'était pas très loin de là dans le désert.

Peut-être, pour des raisons de pureté rituelle, les fraters se refusaient à toucher le corps. Je doutais qu'Eli et moi puissions le transporter sur plus d'une dizaine de mètres, mais Eli ne semblait pas inquiet. Il s'agenouilla, croisa les pieds de Timothy l'un sur l'autre et passa la tête entre ses mollets, puis il me fit signe de le soulever par le milieu. Houp! Nous levâmes cette masse inerte de cent kilos, en titubant un peu. Frater Antony ouvrant la marche, nous nous dirigeâmes tant bien que mal vers le cimetière, tandis que les autres fraters nous suivaient à distance.

Bien que l'aube fût encore proche, le soleil était déjà impitoyable, et l'effort de transporter ce terrible fardeau à travers la brume de chaleur miroitante du désert me plongea dans un état quasi hallucinatoire. Mes pores étaient dilatés, mes genoux ployaient, mon regard devenait trouble. Je sentais une main qui me saisissait à la gorge. J'entrai dans un trip où je revoyais toutes les scènes du grand moment d'Eli au ralenti, la caméra s'arrêtant aux intervalles critiques. Je vis Eli en train de courir, Eli ramassant le lourd bloc de basalte, Eli poursuivant Timothy de nouveau, le rattrapant, se détendant comme un lanceur de poids, les muscles de son côté droit prenant un relief extraordinaire, le bras s'élançant en avant avec une fluidité majestueuse, amenant avec précision le lourd crâne de pierre contre celui, plus fragile, de Timothy, qui éclatait. Timothy s'affaissant, s'écroulant, inerte. Et cela recommençait. Encore et encore, et encore. La poursuite, l'attaque, l'impact, dans un film sans fin qui se déroulait dans ma tête. Au milieu de ces images au ralenti s'interposaient d'autres images de mort, comme des fantômes de gaze : le visage étonné de Lee Harvey Oswald quand Jack Ruby s'approche de lui, le corps recroquevillé de Bobby Kennedy sur le sol de la cuisine, les têtes coupées de Mishima et de ses compagnons alignées sur le bureau du général, le soldat romain transperçant de sa lance la silhouette sur la croix, le champignon déployant ses couleurs vénéneuses au-dessus d'Hiroshima. Et de nouveau Eli, de nouveau en gros plan la trajectoire de l'antique objet, de nouveau l'impact. Le temps s'arrête. La poésie du figé. Je trébuchais, je tombais presque, et la beauté de ces images me soutenait, irriguant mes jointures craquantes, infusant une nouvelle force à mes muscles, de sorte que je restais quand même debout, porteur titubant et diligent de la dépouille mortelle. De même que par le fait de notre vie nous mourons chaque jour, de même par le fait de notre mort nous vivrons éternellement.

« Nous sommes arrivés », déclara frater Antony.

C'était le cimetière? Je ne voyais ni tombes ni repères d'aucune sorte. Les plantes basses aux feuilles grises du désert aride poussaient au hasard sur un terrain vide. Mais en regardant de plus près, avec mes perceptions étrangement intensifiées par mon état d'épuisement, je remarquai certaines irrégularités du terrain, un endroit qui semblait enfoncé de plusieurs centimètres, un autre qui semblait élevé, comme si la surface avait connu quelques bouleversements. Avec précaution, nous posâmes à terre le corps de Timothy. Lorsque je fus soulagé du fardeau, j'eus l'impression que mon propre corps flottait, qu'il allait véritablement s'élever au-dessus du sol. Mes membres étaient tremblants et mes bras s'élevèrent tout seuls à hauteur d'épaules. Le répit fut de courte durée. Frater Franz nous tendit les outils, et nous commençâmes à creuser la tombe. Lui seul nous prêta main-forte, les autres Gardiens se tenaient à l'écart, immobiles, distants, comme des statuettes votives. Le sol était rugueux et friable, ayant perdu sans doute tout son pouvoir de cohésion sous l'action de millions d'années de soleil de l'Arizona. Nous creusâmes comme des esclaves, des fourmis, des machines; j'enfonce, je soulève, j'enfonce, je soulève, j'enfonce, je soulève, chacun de nous creusant sa petite fosse, et ensuite faisant se rejoindre les trois. Parfois, nous faisions intrusion dans le domaine d'un autre, et Eli faillit à un moment empaler mon pied nu avec sa pioche. Mais nous arrivâmes au bout de la tâche. Finalement, une tranchée grossière d'environ deux mètres de long, un mètre cinquante de large et un mètre de profondeur s'ouvrit à nos pieds.

« Ça suffira comme ça », dit frater Franz.

Haletants, suants, étourdis, nous laissâmes tomber nos outils et nous nous reculâmes. J'étais sur le point de m'écrouler d'épuisement. J'allais suffoquer. Je combattis le manque d'air et réussis, stupidement, à me donner le hoquet. Frater Antony commanda :

« Mettez le mort en terre. »

Comme ça? Sans cercueil, sans linceul d'aucune sorte? Le visage dans la poussière? La poussière retourne à la poussière? Il semblait que ce fût ainsi. Nous trouvâmes une nouvelle réserve d'énergie et nous soulevâmes Timothy, nous le plaçâmes au-dessus du trou et nous le descendîmes doucement. Il était sur le dos, sa tête meurtrie reposant sur un coussin de terre, ses yeux – avaient-ils une expression de surprise? – levés vers nous. Eli se pencha, lui ferma les paupières et tourna la tête sur le côté, dans une position qui ressemblait davantage au sommeil, une position plus confortable pour affronter le repos éternel. Puis les quatre Gardiens prirent position aux quatre coins de la tombe. Les fraters Miklos, Franz et Javier portèrent la main à leurs pendentifs et baissèrent la tête. Frater Antony, regardant droit devant lui, prononça une brève oraison dans ce langage fluide, inintelligible, qu'ils utilisent quand ils s'adressent aux prêtresses (aztèque? atlantéen? *Muttersprach* des Cro-Magnon?) puis, passant au latin pour les phrases finales, prononça ce que je supposai être – Eli me le confirma plus tard – le texte du Neuvième Mystère. Après quoi, il nous fit signe de combler la tombe. Nous reprîmes nos pelles et nous commençâmes à lancer la terre. Adieu, Timothy! Digne rejeton de la bourgeoisie anglo-saxonne, héritier de huit générations de bonnes manières! Qui héritera de ton patrimoine, qui perpétuera le nom familial? La poussière retourne à la poussière. Une mince couche de sable arizonien recouvre maintenant ton corps massif. Comme des robots, nous trimons, Timothy, et tu disparais à notre vue. Comme il était dit depuis le commencement. Comme il fut écrit dans le *Livre des Crânes* il y a dix mille ans.

« Toutes les activités habituelles sont annulées aujourd'hui », annonça frater Antony quand la tombe fut comblée et que la terre eut été tassée. « Nous passerons cette journée en méditations, dans le jeûne, en nous consacrant à la contemplation des Mystères. »

Mais il y avait encore du travail pour nous avant que la contemplation puisse commencer. Nous retournâmes au monastère des Crânes, avec l'intention avant tout de prendre un bain, pour découvrir frater Léon et frater Bernard dans le couloir devant la chambre d'Oliver. Leurs visages étaient des masques impassibles. Ils indiquèrent l'intérieur de la chambre. Oliver était allongé sur son lit. Il avait dû emprunter un couteau de cuisine, et, en chirurgien qu'il aurait voulu être, avait accompli sur lui un extraordinaire travail : le ventre, la gorge, même le traître entre ses cuisses qui n'avait pas été épargné. Les incisions étaient profondes et avaient été faites par une main décidée. Discipliné jusqu'à la fin, le rigide Oliver s'était immolé avec l'art méthodique qui le caractérisait. Je n'aurais jamais pu finir un aussi sinistre projet, une fois commencé. Mais Oliver avait une faculté de concentration inhabituelle. Nous étudiâmes le résultat d'une manière curieusement détachée. Je suis en général assez sensible, et Eli également, mais, en ce jour de l'accomplissement du Neuvième Mystère, nous étions purgés de toute faiblesse de ce genre.

« Y en a-t-il un parmi vous », récita frater Antony, « qui renoncera de plein gré à l'éternité au bénéfice de ses frères de la figure à quatre côtés, afin qu'ils gagnent la compréhension de l'abnégation authentique? »

Oui. Et ainsi, nous dûmes retourner en titubant jusqu'au cimetière. Et, après cela, pour tous mes péchés, je frottai les taches qui souillaient ce qui avait été la chambre d'Oliver. Puis je pris un bain et je restai seul dans ma chambre, examinant dans mon esprit les Mystères du Crâne.

XLII

ELI

L'ÉTÉ pèse sur la terre. Le ciel est vibrant d'une chaleur stupéfiante. Tout paraît prédéterminé et ordonné. Timothy dort. Oliver dort. Ned et moi nous restons. Au cours des mois écoulés, nous sommes devenus plus forts et notre peau a foncé au soleil. Nous vivons dans une sorte de rêve éveillé, accomplissant placidement notre série quotidienne de travaux et de rites. Nous ne sommes pas encore tout à fait des fraters à part entière, mais l'Épreuve tire à sa fin. Quinze jours après le double enterrement, j'ai réussi le test des trois prêtresses, et depuis je n'ai plus aucune difficulté à assimiler les leçons des fraters.

Les jours se télescopent. Nous sommes en dehors du temps. Est-ce en avril que nous sommes arrivés au monastère? En avril de quelle année, et en quelle année sommes-nous? Un rêve éveillé, un rêve éveillé. Parfois, j'ai l'impression que Timothy et Oliver étaient des personnages d'un autre rêve, que j'aurais fait il y a bien longtemps. J'ai commencé à oublier les détails de leurs visages. Les cheveux blonds, les yeux bleus, oui, mais après? Quelle était la forme de leur nez? Leur menton était-il proéminent? Les visages s'estompent. Timothy et Oliver sont partis, nous restons Ned et moi. J'entends encore la voix de Timothy, une voix de basse chaude et articulée, bien contrôlée, magnifiquement modulée, avec un soupçon d'inflexions nasales aristocratiques. Et celle d'Oliver : une voix de ténor haute et claire, aux tons fermes, sans accent. Ma gratitude leur est acquise. Ils sont morts pour moi.

Ce matin, ma foi a vacillé, seulement un instant, mais ce fut un instant effrayant. Un abîme d'incertitude s'ouvrait soudain sous moi après tant de mois d'assurance enthousiaste. J'eus la vision de démons armés de fourches, et j'entendis l'éclat de rire glacé de Satan. Je rentrais des champs, et mon regard se porta involontairement à travers la végétation rabougrie du désert vers l'endroit où Timothy et Oliver sont enterrés, et brusquement une petite voix grinçante s'éleva dans ma tête et me demanda : « *Crois-tu avoir gagné quoi que ce soit ici? Comment peux-tu en être sûr? Comment es-tu certain que ce que tu cherches peut être trouvé?* » Je connus un instant de peur atroce pendant lequel j'imaginais que je regardais avec des yeux cerclés de rouge un avenir glacé où je me desséchais, où je me décomposais peu à peu pour me transformer en poussière dans un monde vide, dévasté. Puis le moment de doute disparut, aussi soudainement qu'il était arrivé. Peut-être n'était-ce qu'une bouffée errante de ressentiment qui traversait le continent en direction du Pacifique et qui s'était posée sur moi pour me troubler l'espace d'un instant. Le fait est que j'étais retourné par cette expérience et que je me mis à courir vers le monastère pour trouver Ned et tout lui raconter. Mais, lorsque j'atteignis sa chambre, l'aventure me parut trop ridicule pour que je lui en fasse part. *Crois-tu avoir gagné quoi que ce soit ici?* Comment ai-je pu avoir ce doute? Étrange hérésie, en vérité.

La porte de Ned était ouverte. Je passai la tête à l'intérieur et je le vis assis, les épaules affaissées, la tête entre les mains. Je ne sais comment il sentit ma présence. Il leva vivement les yeux, reprenant une expression normale, remplaçant un regard de désespoir atroce par un air soigneusement indifférent. Mais ses yeux étaient encore brillants, et je crus voir une larme pointer.

— Tu l'as ressenti toi aussi? demandai-je.

— Ressenti quoi? fit-il d'un ton de défi.

— Rien du tout. Rien du tout. — Avec un haussement d'épaules indifférent. *Comment peux-tu être sûr?* Nous étions en train de jouer l'un avec l'autre, de faire semblant. Mais le doute était général ce matin-là. Le mal était contagieux. *Comment es-tu certain que ce que tu cherches peut être trouvé?* Je sentis qu'un mur s'élevait entre lui et moi, qui m'empêchait de lui parler de la peur que j'avais ressentie, ou de lui demander pourquoi il paraissait si déprimé. Je le laissai et regagnai ma chambre pour prendre mon bain rituel et aller déjeuner ensuite. Ned et moi nous étions assis l'un à côté de l'autre, mais nous ne parlâmes pas beaucoup. Notre séance du matin avec frater Antony nous attendait ensuite, mais je n'avais pas envie d'y aller, et je retournai dans ma chambre. *Crois-tu avoir gagné quoi que ce soit ici?* Empli de confusion, je me mis à genoux devant le grand masque-tête-de-mort en mosaïque accroché au mur, et je le fixai sans ciller, je l'absorbai, forçant les myriades de petits morceaux d'obsidienne et de turquoise, de jade et d'écaille, à se mêler, à se fondre et à se transformer jusqu'à ce qu'il se recouvre de chair pour moi et qu'un visage apparaisse par-dessus les os décharnés, puis un autre visage, puis un autre, dans une série entière de portraits toujours changeants. Je vis Timothy, puis Oliver, puis mon père, dont les traits se transformèrent subtilement en ceux de ma mère. *Peux-tu en être sûr?* Puis ce fut frater Antony qui me regarda du mur, en me parlant dans une langue inconnue, et frater Miklos, évoquant des continents disparus et des grottes oubliées. *Comment es-tu certain que ce que tu cherches peut être trouvé?* Je voyais maintenant la fille menue, timide, au grand nez, que j'avais aimée momentanément à New York, et j'eus du mal à retrouver son nom... Mickey, Mickey Bernstein. Et je lui fis : « Hello! je suis allé en Arizona, comme je te l'avais dit. » Mais elle ne répondit pas. Je crois qu'elle avait oublié qui j'étais. Elle disparut, et à sa place je vis la fille morose du motel de l'Oklahoma, puis le succube aux seins lourds que j'avais croisé en allant aux toilettes une nuit à Chicago. J'entendis de nouveau le rire grinçant qui montait de l'abîme, et je me demandai si j'allais connaître encore un accès de doute dévastateur. *Crois-tu avoir gagné quoi que ce soit ici?* Soudain le docteur Nicolescu me fixa du mur, visage de cendre, regard triste, secouant lentement la tête, m'accusant à sa manière timide de n'avoir pas bien agi avec lui. Je ne cherchai pas à nier, mais je ne détournai pas la tête, car ma culpabilité m'avait été ôtée. Je le regardai sans ciller jusqu'à ce qu'il fût parti. *Comment es-tu certain que ce que tu cherches peut être trouvé?* Le visage de Ned apparut. Puis celui de Timothy. Et celui d'Oliver. Et, ensuite, le mien. Le visage d'Eli, l'instigateur premier de ce voyage, le chef indigne du Réceptacle. *Crois-tu avoir gagné quoi que ce soit ici?* J'étudiai mon visage, je déplorai ses défauts, je le remodelai, le fis régresser à l'état d'adolescent joufflu, puis le replaçai dans le présent, celui du monastère des Crânes, et j'allai au-delà, cherchant un autre Eli que je n'avais jamais vu, un Eli à venir, Un Eli hors du temps, immuable, flegmatique, un Eli devenu frater, un visage parcheminé, un visage de pierre. Et, tandis que j'examinais cet Eli, j'entendis l'Adversaire poser Sa question insistante : *Comment peux-tu en être sûr? Comment peux-tu en être sûr? Comment peux-tu en être sûr?* Il me la posait inlassablement, il me l'assenait sans répit, jusqu'à ce que l'écho s'amplifie pour ne plus former qu'un seul grondement de tonnerre et que je me trouve sans réponse à Lui donner, tout seul sur un plateau polaire, essayant vainement d'agripper un univers délaissé par ses dieux, me disant : J'ai fait couler le sang de mes amis, et pour quoi? Et pour quoi? Pour ça? Mais je sentis les forces me revenir, et je hurlai ma réponse à Sa dérision, je m'écriai que j'avais retrouvé ma foi, que j'étais sûr parce que j'étais sûr. « Je crois! Je crois! Je Te dénie Ta Victoire! » Et je me donnai la vision de ma propre image marchant dans les avenues étincelantes de distants lendemains, arpentant les sables de planètes lointaines, embrassant le courant des années. Et j'éclatai de rire, et Il éclata de rire aussi; Son rire couvrait le mien, mais ma foi ne fléchissait pas, et, finalement, c'est Lui qui cessa de rire le premier.

Puis je me retrouvai assis, la gorge rauque, tremblant, devant le masque de mosaïque. Les métamorphoses étaient finies. Le temps des visions était passé. Je lançai au masque un regard méfiant, mais il resta tel qu'il était. Très bien. J'explorai mon âme, et je n'y trouvai aucun résidu de doute. Cette conflagration finale avait détruit toutes les dernières impuretés. Parfait. Je me levai, quittai ma chambre et traversai le corridor vers cette partie du bâtiment où les poutres seules font une barrière contre le ciel ouvert. Levant la tête, je vis un énorme faucon qui décrivait des cercles loin au-dessus de moi dans l'immensité du ciel bleu. Faucon, tu périras, et je vivrai. De cela, je n'ai aucun doute. Je regagnai le corridor et j'arrivai dans la salle où nous tenions nos réunions avec frater Antony. Le frater et Ned étaient déjà là, mais ils paraissaient m'avoir attendu, car le pendentif était toujours autour du cou de frater Antony. Ned me sourit, et le frater hocha la tête. *Nous comprenons,* semblaient-ils me dire. *Nous comprenons. Il arrive qu'il y ait des tempêtes.* Je m'agenouillai à côté de Ned. Frater Antony ôta son pendentif et plaça le petit crâne de jade devant nous sur le sol. *La vie éternelle nous t'offrons.* « Projetons la vision intérieure sur le symbole que nous avons ici », déclara doucement frater Antony. Oui, Oui. Joyeusement, plein d'espérance et de certitude, je m'abandonnai au Crâne et à ses Gardiens.

**LA COMPOSITION, L'IMPRESSION ET LE BROCHAGE DE CE LIVRE
ONT ÉTÉ EFFECTUÉS PAR LA SOCIÉTÉ NOUVELLE FIRMIN-DIDOT
POUR LE COMPTE DES ÉDITIONS PRESSES POCKET
ACHEVÉ D'IMPRIMER LE 2 JANVIER 1984**

Imprimé en France
Dépôt légal : janvier 1984
N° d'édition : 2048 – N° d'impression : 0120

BT

Staffordshire
County Council

3 8014 05236 2131